suhrkamp
wissens

# Immanuel Kant
# Werkausgabe
# VII

Die Werke Immanuel Kants in der Ausgabe von Wilhelm Weischedel liegen in den *suhrkamp taschenbüchern wissenschaft* in zwölf Bänden sowie geschlossen als Werkausgabe in Kassette vor:

# Immanuel Kant
# Kritik der praktischen Vernunft
# Grundlegung zur Metaphysik der Sitten

Herausgegeben
von Wilhelm Weischedel

Suhrkamp

Diese Ausgabe ist text- und seitengleich
mit Band VII der Theorie-Werkausgabe Immanuel Kant,
Werke in zwölf Bänden, Frankfurt 1968.
Herausgegeben von Wilhelm Weischedel

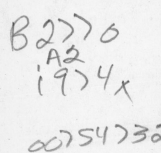
CIP-Titelaufnahme der Deutschen Bibliothek

*Kant, Immanuel:*
Werkausgabe: in 12 Bänden / Immanuel Kant
Hrsg. von Wilhelm Weischedel. – Frankfurt am Main: Suhrkamp
ISBN 3-518-09243-X
NE: Kant, Immanuel: [Sammlung]

7. Kritik der praktischen Vernunft. Grundlegung
zur Metaphysik der Sitten. – 11. Aufl. – 1991
(Suhrkamp-Taschenbuch Wissenschaft; 56)
ISBN 3-518-27656-5
NE: GT

suhrkamp taschenbuch wissenschaft 56
Erste Auflage 1974
© Insel Verlag Wiesbaden 1956
Alle Rechte an dieser Ausgabe beim Suhrkamp Verlag
Frankfurt am Main
Suhrkamp Taschenbuch Verlag
Druck: Nomos Verlagsgesellschaft, Baden-Baden
Printed in Germany
Umschlag nach Entwürfen von
Willy Fleckhaus und Rolf Staudt

11 12 13 14 15 16 – 96 95 94 93 92 91

# INHALT

# GRUNDLEGUNG
## ZUR METAPHYSIK DER SITTEN

## TITEL DER ERSTEN AUFLAGE (A)

——

Grundlegung
zur Metaphysik der Sitten
von Immanuel Kant.

Riga,
bey Johann Friedrich Hartknoch
1785.

## TITEL DER ZWEITEN AUFLAGE (B)

——

Grundlegung
zur Metaphysik der Sitten
von Immanuel Kant.

Zweyte Auflage.

Riga,
bey Johann Friedrich Hartknoch
1786.

## ‖ VORREDE

Die alte griechische Philosophie teilte sich in drei Wissenschaften ab: Die Physik, die Ethik, und die Logik. Diese Einteilung ist der Natur der Sache vollkommen angemessen, und man hat an ihr nichts zu verbessern, als etwa nur das Prinzip derselben hinzu zu tun, um sich auf solche Art teils ihrer Vollständigkeit zu versichern, teils die notwendigen Unterabteilungen richtig bestimmen zu können.

Alle Vernunfterkenntnis ist entweder material, und betrachtet irgend ein Objekt; oder formal, und beschäftigt sich bloß mit der Form des Verstandes und der Vernunft selbst, und den allgemeinen Regeln des Denkens überhaupt, ohne Unterschied der Objekte. Die formale Philosophie heißt Logik, die materiale aber, ‖ welche es mit bestimmten Gegenständen und den Gesetzen zu tun hat, denen sie unterworfen sind, ist wiederum zwiefach. Denn diese Gesetze sind entweder Gesetze der Natur, oder der Freiheit. Die Wissenschaft von der ersten heißt Physik, die der andern ist Ethik; jene wird auch Naturlehre, diese Sittenlehre genannt.

Die Logik kann keinen empirischen Teil haben, d. i. einen solchen, da die allgemeinen und notwendigen Gesetze des Denkens auf Gründen beruheten, die von der Erfahrung hergenommen wären; denn sonst wäre sie nicht Logik, d. i. ein Kanon für den Verstand, oder die Vernunft, der bei allem Denken gilt und demonstriert werden muß. Dagegen können, sowohl die natürliche, als sittliche Weltweisheit, jede ihren empirischen Teil haben, weil jene der Natur, als einem Gegenstande der Erfahrung, diese aber dem Willen des Menschen, so fern er durch die Natur affiziert wird, ihre Gesetze bestimmen muß, die erstern zwar als Gesetze, nach denen alles geschieht, die ‖ zweiten als solche, nach denen alles geschehen soll, aber doch auch mit Erwägung der Bedingungen, unter denen es öfters nicht geschieht.

Man kann alle Philosophie, so fern sie sich auf Gründe der Erfahrung fußt, empirische, die aber, so lediglich aus Prinzipien a priori ihre Lehren vorträgt, reine Philosophie nennen. Die letztere, wenn sie bloß formal ist, heißt Logik;

ist sie aber auf bestimmte Gegenstände des Verstandes eingeschränkt, *so*[1] heißt *sie*[1] Metaphysik.

Auf solche Weise entspringt die Idee einer zwiefachen
Metaphysik, einer Metaphysik der Natur und einer
Metaphysik der Sitten. Die Physik wird also ihren empirischen, aber auch einen rationalen Teil haben; die Ethik
gleichfalls; wiewohl hier der empirische Teil besonders
praktische Anthropologie, der rationale aber eigentlich Moral heißen könnte.

Alle Gewerbe, Handwerke und Künste, haben durch die
Verteilung der Arbeiten ge‖wonnen, da nämlich nicht einer
alles macht, sondern jeder sich auf gewisse Arbeit, die sich,
ihrer Behandlungsweise nach, von andern merklich unterscheidet, einschränkt, um sie in der größten Vollkommenheit und mit mehrerer Leichtigkeit leisten zu können. Wo
die Arbeiten so nicht unterschieden und verteilt werden, wo
jeder ein Tausendkünstler ist, da liegen die Gewerbe noch
in der größten Barbarei. Aber ob dieses zwar für sich ein der
Erwägung nicht unwürdiges Objekt wäre, zu fragen: ob die
reine Philosophie in allen ihren Teilen nicht ihren besondern
Mann erheische, und es um das Ganze des gelehrten Gewer-
bes nicht besser stehen würde, wenn die, so das Empirische
mit dem Rationalen, dem Geschmacke des Publikums gemäß, nach allerlei ihnen selbst unbekannten Verhältnissen
gemischt, zu verkaufen gewohnt sind, die sich Selbstdenker,
andere aber, die den bloß rationalen Teil zubereiten, Grüb-
ler nennen, gewarnt würden, nicht zwei Geschäfte zugleich
zu treiben, die in der Art, sie zu behandeln, gar sehr verschieden sind, zu deren jedem vielleicht ein besonderes Talent erfo‖dert wird, und deren Verbindung in einer Person
nur Stümper hervorbringt: so frage ich hier doch nur, ob
nicht die Natur der Wissenschaft es erfodere, den empirischen von dem rationalen Teil jederzeit sorgfältig abzusondern, und vor der eigentlichen (empirischen) Physik eine
Metaphysik der Natur, vor der praktischen Anthropologie
aber eine Metaphysik der Sitten voranzuschicken, die von
allem Empirischen sorgfältig gesäubert sein müßte[2], um zu

---

[1] Zusatz von B. – [2] Akad.-Ausg.: »müßten«.

wissen, wie viel reine Vernunft in beiden Fällen leisten
könne, und aus welchen Quellen sie selbst diese ihre Belehrung a priori schöpfe, es mag übrigens das letztere Geschäfte
von allen Sittenlehrern (deren Name Legion heißt), oder
nur von einigen, die Beruf dazu fühlen, getrieben werden.

Da meine Absicht hier eigentlich auf die sittliche Weltweisheit gerichtet ist, so schränke ich die vorgelegte Frage
nur darauf ein: ob man nicht meine, daß es von der äußersten Notwendigkeit sei, einmal eine reine Moralphilosophie
zu bearbeiten, die von allem, was ‖ nur empirisch sein mag
und zur Anthropologie gehört, völlig gesäubert wäre; denn,
daß es eine solche geben müsse, leuchtet von selbst aus der
gemeinen Idee der Pflicht und der sittlichen Gesetze ein.
Jedermann muß eingestehen, daß ein Gesetz, wenn es moralisch, d. i. als Grund einer Verbindlichkeit, gelten soll, absolute Notwendigkeit bei sich führen müsse; daß das Gebot:
du sollst nicht lügen, nicht etwa bloß für Menschen gelte,
andere vernünftige Wesen sich aber daran nicht zu kehren
hätten; und so alle übrige eigentliche Sittengesetze; daß
mithin der Grund der Verbindlichkeit hier nicht in der Natur des Menschen, oder den Umständen in der Welt, darin
er gesetzt ist, gesucht werden müsse, sondern a priori lediglich in Begriffen der reinen Vernunft, und daß jede andere
Vorschrift, die sich auf Prinzipien der bloßen Erfahrung
gründet, und sogar eine in gewissem Betracht allgemeine
Vorschrift, so fern sie sich dem mindesten Teile, vielleicht
nur einem Bewegungsgrunde nach, auf empirische Gründe
stützt, zwar eine praktische Regel, niemals aber ein moralisches Gesetz heißen kann.

‖ Also unterscheiden sich die moralischen Gesetze, samt
ihren Prinzipien, unter allem praktischen Erkenntnisse von
allem übrigen, darin irgend etwas Empirisches ist, nicht
allein wesentlich, sondern alle Moralphilosophie beruht gänzlich auf ihrem reinen Teil, und, auf den Menschen angewandt, entlehnt sie nicht das mindeste von der Kenntnis
desselben (Anthropologie), sondern gibt ihm, als vernünftigem Wesen, Gesetze a priori, die freilich noch durch Erfahrung geschärfte Urteilskraft erfodern, um teils zu unter-

scheiden, in welchen Fällen sie ihre Anwendung haben, teils ihnen Eingang in den Willen des Menschen und Nachdruck zur Ausübung zu verschaffen, da diese[1], als selbst mit so viel Neigungen affiziert, der Idee einer praktischen reinen Vernunft zwar fähig, aber nicht so leicht vermögend ist, sie in seinem Lebenswandel in concreto wirksam zu machen.

Eine Metaphysik der Sitten ist also unentbehrlich notwendig, nicht bloß aus einem Bewegungsgrunde der Spekulation, um die Quelle der a priori in unserer Vernunft liegen- ‖den praktischen Grundsätze zu erforschen, sondern weil die Sitten selber allerlei Verderbnis unterworfen bleiben, so lange jener Leitfaden und oberste Norm ihrer richtigen Beurteilung fehlt. Denn bei dem, was moralisch gut sein soll, ist es nicht genug, daß es dem sittlichen Gesetze ge- mäß sei, sondern es muß auch um desselben willen ge- schehen; widrigenfalls ist jene Gemäßheit nur sehr zufällig und mißlich, weil der unsittliche Grund zwar dann und wann gesetzmäßige, mehrmalen aber gesetzwidrige Handlungen hervorbringen wird. Nun ist aber das sittliche Gesetz, in seiner Reinigkeit und Echtheit (woran eben im Praktischen am meisten gelegen ist), nirgend anders, als in einer reinen Philosophie zu suchen, also muß diese (Metaphysik) vorangehen, und ohne sie kann es überall keine Moralphilosophie geben; selbst verdient diejenige, welche jene reine Prinzipien unter die empirischen mischt, den Namen einer Philosophie nicht (denn dadurch unterscheidet diese sich eben von der gemeinen Vernunfterkenntnis, daß sie, was diese nur vermengt begreift, in abgesonderter Wissenschaft vorträgt), ‖ viel weniger einer Moralphilosophie, weil sie eben durch diese Vermengung so gar der Reinigkeit der Sitten selbst Abbruch tut und ihrem eigenen Zwecke zuwider verfährt.

Man denke doch ja nicht, daß man das, was hier gefodert wird, schon an der Propädeutik des berühmten Wolff vor seiner Moralphilosophie, nämlich der von ihm so genannten allgemeinen praktischen Weltweisheit, habe, und hier also nicht eben ein ganz neues Feld einzuschlagen sei.

[1] Akad.-Ausg.: »dieser«.

Eben darum, weil sie eine allgemeine praktische Weltweisheit sein sollte, hat sie keinen Willen von irgend einer besondern Art, etwa einen solchen, der ohne alle empirische
Bewegungsgründe, völlig aus Prinzipien a priori, bestimmt
werde, und den man einen reinen Willen nennen könnte,
sondern das Wollen überhaupt in Betrachtung gezogen, mit
allen Handlungen und Bedingungen, die ihm in dieser allgemeinen Bedeutung zukommen, und dadurch unterscheidet sie sich von einer Metaphysik der Sitten, eben so wie die
allgemeine Logik von der Transzendentalphiloso‖phie, von
denen die erstere die Handlungen und Regeln des Denkens
überhaupt, diese aber bloß die besondern Handlungen
und Regeln des reinen Denkens, d. i. desjenigen, wodurch
Gegenstände völlig a priori erkannt werden, vorträgt. Denn
die Metaphysik der Sitten soll die Idee und die Prinzipien
eines möglichen reinen Willens untersuchen, und nicht die
Handlungen und Bedingungen des menschlichen Wollens
überhaupt, welche größtenteils aus der Psychologie ge-
schöpft werden. Daß in der allgemeinen praktischen Weltweisheit (wiewohl wider alle Befugnis) auch von moralischen
Gesetzen und Pflicht geredet wird, macht keinen Einwurf
wider meine Behauptung aus. Denn die Verfasser jener Wissenschaft bleiben ihrer Idee von derselben auch hierin treu;
sie unterscheiden nicht die Bewegungsgründe, die, als solche,
völlig a priori bloß durch Vernunft vorgestellt werden und
eigentlich moralisch sind, von den empirischen, die der Verstand bloß durch Vergleichung der Erfahrungen zu allgemeinen Begriffen erhebt, sondern betrachten sie, ohne auf
den Unterschied ‖ ihrer Quellen zu achten, nur nach der
größeren oder kleineren Summe derselben (indem sie alle
als gleichartig angesehen werden), und machen sich dadurch
ihren Begriff von Verbindlichkeit, der freilich nichts
weniger als moralisch, aber doch so beschaffen ist, als es in
einer Philosophie, die über den Ursprung aller möglichen
praktischen Begriffe, ob sie auch a priori oder bloß a posteriori stattfinden, gar nicht urteilt, nur verlangt werden kann.

Im Vorsatze nun, eine Metaphysik der Sitten dereinst zu
liefern, lasse ich diese Grundlegung vorangehen. Zwar gibt

es eigentlich keine andere Grundlage derselben, als die Kritik einer reinen praktischen Vernunft, so wie zur Metaphysik die schon gelieferte Kritik der reinen spekulativen Vernunft. Allein, teils ist jene nicht von so äußerster Notwendigkeit, als diese, weil die menschliche Vernunft im Moralischen, selbst beim gemeinsten Verstande, leicht zu großer Richtigkeit und Ausführlichkeit gebracht werden kann, da sie hingegen im theoretischen, aber reinen Gebrauch ganz und ‖ gar dialektisch ist; teils erfodere ich zur Kritik einer reinen praktischen Vernunft, daß, wenn sie vollendet sein soll, ihre Einheit mit der spekulativen in einem gemeinschaftlichen Prinzip zugleich müsse dargestellt werden können, weil es doch am Ende nur eine und dieselbe Vernunft sein kann, die bloß in der Anwendung unterschieden sein muß. Zu einer solchen Vollständigkeit konnte ich es aber hier noch nicht bringen, ohne Betrachtungen von ganz anderer Art herbeizuziehen und den Leser zu verwirren. Um deswillen habe ich mich, statt der Benennung einer Kritik der reinen praktischen Vernunft, der von einer Grundlegung zur Metaphysik der Sitten bedient.

Weil aber drittens auch eine Metaphysik der Sitten, *ungeachtet*[1] des abschreckenden Titels, dennoch eines großen Grades der Popularität und Angemessenheit zum gemeinen Verstande fähig ist, so finde ich für nützlich, diese Vorarbeitung der Grundlage davon abzusondern, um das Subtile, was darin unvermeid‖lich ist, künftig nicht faßlichern Lehren beifügen zu dürfen.

‖ Gegenwärtige Grundlegung ist aber nichts mehr, als die Aufsuchung und Festsetzung des obersten Prinzips der Moralität, welche allein ein, in seiner Absicht, ganzes und von aller anderen sittlichen Untersuchung abzusonderndes Geschäfte ausmacht. Zwar würden meine Behauptungen, über diese wichtige und bisher bei weitem noch nicht zur Gnugtuung erörterte Hauptfrage, durch Anwendung desselben Prinzips auf das ganze System, viel Licht, und, durch die Zulänglichkeit, die es allenthalben blicken

[1] A: *»unerachtet«.*

läßt, große Bestätigung erhalten: allein ich mußte mich dieses Vorteils begeben, der auch im Grunde mehr eigenliebig,
als gemeinnützig sein würde, weil die Leichtigkeit im Gebrauche und die scheinbare Zulänglichkeit eines Prinzips
keinen ganz sicheren Beweis von der Richtigkeit desselben
abgibt, vielmehr eine gewisse Parteilichkeit erweckt, es
nicht für sich selbst, ohne alle Rücksicht auf die Folge, nach
aller Strenge zu untersuchen und zu wägen.

  Ich habe meine Methode in dieser Schrift so genommen,
wie ich glaube, daß sie die schick|lichste sei, wenn man vom
gemeinen Erkenntnisse zur Bestimmung des obersten Prinzips *desselben*[1] analytisch und wiederum zurück von der
Prüfung dieses Prinzips und den Quellen desselben zur gemeinen Erkenntnis, darin sein Gebrauch angetroffen wird,
synthetisch den Weg nehmen will. Die Einteilung ist daher
so ausgefallen:

  1. Erster Abschnitt: Übergang von der gemeinen sittlichen Vernunfterkenntnis zur philosophischen.

  2. Zweiter Abschnitt: Übergang von der populären
Moralphilosophie zur Metaphysik der Sitten.

  3. Dritter Abschnitt: Letzter Schritt von der Metaphysik der Sitten zur Kritik der reinen praktischen Vernunft.

---

[1] A: *»derselben«*.

## ‖ ERSTER ABSCHNITT

### ÜBERGANG
#### VON DER GEMEINEN SITTLICHEN VERNUNFTERKENNTNIS ZUR PHILOSOPHISCHEN

Es ist überall nichts in der Welt, ja überhaupt auch außer derselben zu denken möglich, was ohne Einschränkung für gut könnte gehalten werden, als allein ein guter Wille. Verstand, Witz, Urteilskraft, und wie die Talente des Geistes sonst heißen mögen, oder Mut, Entschlossenheit, Beharrlichkeit im Vorsatze, als Eigenschaften des Temperaments, sind ohne Zweifel in mancher Absicht gut und wünschenswert; aber sie können auch äußerst böse und schädlich werden, wenn der Wille, der von diesen Naturgaben Gebrauch machen soll und dessen eigentümliche Beschaffenheit darum Charakter heißt, nicht gut ist. Mit den Glücksgaben ist es eben so bewandt. Macht, Reichtum, Ehre, selbst Gesundheit, und das ganze Wohlbefinden und Zufriedenheit mit seinem Zustande, unter ‖ dem Namen der Glückseligkeit, machen Mut und hiedurch öfters auch Übermut, wo nicht ein guter Wille da ist, der den Einfluß derselben aufs Gemüt, und hiemit auch das ganze Prinzip zu handeln, berichtige und allgemein-zweckmäßig mache; ohne zu erwähnen, daß ein vernünftiger unparteiischer Zuschauer sogar am Anblicke eines ununterbrochenen Wohlergehens eines Wesens, das kein Zug eines reinen und guten Willens zieret, nimmermehr ein Wohlgefallen haben kann, und so der gute Wille die unerlaßliche Bedingung selbst der Würdigkeit, glücklich zu sein, auszumachen scheint.

Einige Eigenschaften sind sogar diesem guten Willen selbst beförderlich und können sein Werk sehr erleichtern, haben aber dem ungeachtet keinen innern unbedingten Wert, sondern setzen immer noch einen guten Willen voraus, der die *Hochschätzung*[1], die man übrigens mit Recht für sie trägt, einschränkt, und es nicht erlaubt, sie für schlechthin gut zu halten. Mäßigung in Affekten und Leidenschaften, Selbstbeherrschung und nüchterne Überlegung

[1] A: *»Schätzung«*.

sind nicht allein in vielerlei Absicht gut, sondern scheinen
sogar einen Teil vom innern Werte der Person auszumachen; allein es fehlt viel daran, um sie ohne Einschränkung
für gut zu erklären (so unbedingt sie auch von den Alten
gepriesen worden). Denn ohne Grundsätze eines guten Willens können sie höchst böse werden, und das kalte Blut
eines Bösewichts macht ihn || nicht allein weit gefährlicher,
sondern auch unmittelbar in unsern Augen noch verab-
scheuungswürdiger, als er ohne dieses dafür würde gehalten
werden.

Der gute Wille ist nicht durch das, was er bewirkt, oder
ausrichtet, nicht durch seine Tauglichkeit zu Erreichung
irgend eines vorgesetzten Zweckes, sondern allein durch das
Wollen, d. i. an sich, gut, und, für sich selbst betrachtet,
ohne Vergleich weit höher zu schätzen, als alles, was durch
ihn zu Gunsten irgend einer Neigung, ja, wenn man will, der
Summe aller Neigungen, nur immer zu Stande gebracht
werden könnte. Wenn gleich durch eine besondere Ungunst
des Schicksals, oder durch kärgliche Ausstattung einer stief-
mütterlichen Natur, es diesem Willen gänzlich an Vermögen
fehlete, seine Absicht durchzusetzen; wenn bei seiner größten Bestrebung dennoch nichts von ihm ausgerichtet würde,
und nur der gute Wille (freilich nicht etwa ein[1] bloßer
Wunsch, sondern als die Aufbietung aller Mittel, so weit sie
in unserer Gewalt sind) übrig bliebe: so würde er wie ein
Juwel doch für sich selbst glänzen, als etwas, das seinen
vollen Wert in sich selbst hat. Die Nützlichkeit oder Frucht-
losigkeit kann diesem Werte weder etwas zusetzen, noch abnehmen. Sie würde gleichsam nur die Einfassung sein, um
ihn im gemeinen Verkehr besser handhaben zu können, oder
die Aufmerksamkeit derer, die noch nicht gnug Kenner sind,
auf sich zu ziehen, nicht aber, um || ihn Kennern zu empfeh-
len, und seinen Wert zu bestimmen.

Es liegt gleichwohl in dieser Idee von dem absoluten
Werte des bloßen Willens, ohne einigen Nutzen bei Schätzung desselben in Anschlag zu bringen, etwas so Befremd-
liches, daß, unerachtet aller Einstimmung selbst der ge-

---

[1] Akad.-Ausg.: »etwa als ein«.

meinen Vernunft mit derselben, dennoch ein Verdacht entspringen muß, daß vielleicht bloß hochfliegende Phantasterei ingeheim zum Grunde liege, und die Natur in ihrer Absicht, warum sie unserm Willen Vernunft zur Regiererin beigelegt habe, falsch verstanden sein möge. Daher wollen wir diese
Idee aus diesem Gesichtspunkte auf die Prüfung stellen.

In den Naturanlagen eines organisierten, d. i. zweckmä-
ßig zum Leben eingerichteten Wesens nehmen wir es als
Grundsatz an, daß kein Werkzeug zu irgend einem Zwecke
in demselben angetroffen werde, als was auch zu demselben
das schicklichste und ihm am meisten angemessen ist. Wäre
nun an einem Wesen, das Vernunft und einen Willen hat,
seine Erhaltung, sein Wohlergehen, mit einem Worte
seine Glückseligkeit, der eigentliche Zweck der Natur,
so hätte sie ihre Veranstaltung dazu sehr schlecht getroffen,
sich die Vernunft des Geschöpfs zur Ausrichterin dieser
ihrer Absicht zu ersehen. Denn alle Handlungen, die es in
dieser Absicht auszu∥üben hat, und die ganze Regel seines
Verhaltens würden ihm weit genauer durch Instinkt vor-
gezeichnet, und jener Zweck weit sicherer dadurch haben
erhalten werden können, als es jemals durch Vernunft geschehen kann, und, sollte diese ja obenein dem begünstigten
Geschöpf erteilt worden sein, so würde sie ihm nur dazu
haben dienen müssen, um über die glückliche Anlage seiner
Natur Betrachtungen anzustellen, sie zu bewundern, sich
ihrer zu erfreuen und der wohltätigen Ursache dafür dank-
bar zu sein; nicht aber, um sein Begehrungsvermögen jener
schwachen und trüglichen Leitung zu unterwerfen und in
der Naturabsicht zu pfuschen; mit einem Worte, sie würde
verhütet haben, daß Vernunft nicht in praktischen Gebrauch ausschlüge, und die Vermessenheit hätte, mit ihren
schwachen Einsichten ihr selbst den Entwurf der Glückseligkeit und der Mittel, dazu zu gelangen, auszudenken;
die Natur würde nicht allein die Wahl der Zwecke, sondern
auch der Mittel selbst übernommen, und beide mit weiser
Vorsorge lediglich dem Instinkte anvertraut haben.

In der Tat finden wir auch, daß, je mehr eine kultivierte
Vernunft sich mit der Absicht auf den Genuß des Lebens

und der Glückseligkeit abgibt, desto weiter der Mensch von der wahren Zufriedenheit abkomme, woraus bei vielen, und zwar den Versuchtesten im Gebrauche derselben, wenn sie nur aufrichtig genug sind, es ‖ zu gestehen, ein gewisser Grad von Misologie, d. i. Haß der Vernunft entspringt, weil sie nach dem Überschlage alles Vorteils, den sie, ich will nicht sagen von der Erfindung aller Künste des gemeinen Luxus, sondern so gar von den Wissenschaften (die ihnen am Ende auch ein Luxus des Verstandes zu sein *scheinen*[1]) ziehen, dennoch finden, daß sie sich in der Tat nur mehr Mühseligkeit auf den Hals gezogen, als an Glückseligkeit[2] gewonnen haben, und darüber endlich den gemeinern Schlag der Menschen, welcher der Leitung des bloßen Naturinstinkts näher ist, und der seiner Vernunft nicht viel Einfluß auf sein Tun und Lassen verstattet, eher beneiden, als geringschätzen. Und so weit muß man gestehen, daß das Urteil derer, die die ruhmredige Hochpreisungen der Vorteile, die uns die Vernunft in Ansehung der Glückseligkeit und Zufriedenheit des Lebens verschaffen sollte, sehr mäßigen und sogar unter Null herabsetzen, keinesweges grämisch, oder gegen die Güte der Weltregierung undankbar sei, sondern daß diesen Urteilen ingeheim die Idee von einer andern und viel würdigern Absicht ihrer Existenz zum Grunde liege, zu welcher, und nicht der Glückseligkeit, die Vernunft ganz eigentlich bestimmt sei, und welcher darum, als oberster Bedingung, die Privatabsicht des Menschen größtenteils nachstehen muß.

Denn da die Vernunft dazu nicht tauglich genug ist, um den Willen in Ansehung der Gegenstände dessel‖ben und der Befriedigung aller unserer Bedürfnisse (die sie zum Teil selbst vervielfältigt) sicher zu leiten, als zu welchem Zwecke ein eingepflanzter Naturinstinkt viel gewisser geführt haben würde, gleichwohl aber uns Vernunft als praktisches Vermögen, d. i. als ein solches, das Einfluß auf den Willen haben soll, dennoch zugeteilt ist: so muß die wahre Bestimmung derselben sein, einen, nicht etwa in anderer Absicht als Mittel, sondern an sich selbst guten Willen her-

[1] A: »*scheint*«. – [2] A: »mehr an . . . als Glücksseligkeit«.

vorzubringen, wozu schlechterdings Vernunft nötig war, wo
anders die Natur überall in Austeilung ihrer Anlagen zweck-
mäßig zu Werke gegangen ist. Dieser Wille darf also zwar
nicht das einzige und das ganze, aber er muß doch das höchste Gut, und zu allem übrigen, selbst allem Verlangen nach
Glückseligkeit, die Bedingung sein, in welchem Falle es sich
mit der Weisheit der Natur gar wohl vereinigen läßt, wenn
man wahrnimmt, daß die Kultur der Vernunft, die zur
erstern und unbedingten Absicht erforderlich ist, die Erreichung der zweiten, die jederzeit bedingt ist, nämlich der
Glückseligkeit, wenigstens in diesem Leben, auf mancherlei
Weise einschränke, ja sie selbst unter nichts herabbringen
könne, ohne daß die Natur darin unzweckmäßig verfahre,
weil die Vernunft, die ihre höchste praktische Bestimmung
in der Gründung eines guten Willens erkennt, bei Erreichung dieser Absicht nur einer Zufriedenheit nach ihrer
eigenen Art, nämlich aus der Erfüllung *eines*[1] Zwecks, den
wiederum nur Vernunft ‖ bestimmt, fähig ist, sollte dieses
auch mit manchem Abbruch, der den Zwecken der Neigung
geschieht, verbunden sein.

Um aber den Begriff eines an sich selbst hochzuschätzen-
den und ohne weitere Absicht guten Willens, so wie er *schon*[2]
dem natürlichen gesunden Verstande beiwohnet und nicht
so wohl gelehret als vielmehr nur aufgeklärt zu werden bedarf, diesen Begriff, der in der Schätzung des ganzen Werts
unserer Handlungen immer obenan steht und die Bedingung alles übrigen ausmacht, zu entwickeln: wollen wir den
Begriff der Pflicht vor uns nehmen, der den eines guten
Willens, obzwar unter gewissen subjektiven Einschränkungen und Hindernissen, enthält, die aber doch, weit gefehlt,
daß sie ihn verstecken und unkenntlich machen sollten, ihn
vielmehr durch Abstechung heben und desto heller hervor-
scheinen lassen.

Ich übergehe hier alle Handlungen, die schon als pflichtwidrig erkannt werden, ob sie gleich in dieser oder jener
Absicht nützlich sein mögen; denn bei denen ist gar nicht
einmal die Frage, ob sie aus Pflicht geschehen sein mögen,

---

[1] A: »*des*«. – [2] Zusatz von B.

da sie dieser sogar widerstreiten. Ich setze auch die Handlungen bei Seite, die würklich pflichtmäßig sind, zu denen aber Menschen unmittelbar keine Neigung haben, sie aber dennoch ausüben, weil sie durch eine andere Neigung dazu getrieben werden. Denn || da läßt sich leicht unterscheiden, ob die pflichtmäßige Handlung aus Pflicht oder aus selbstsüchtiger Absicht geschehen sei. Weit schwerer ist dieser Unterschied zu bemerken, wo die Handlung pflichtmäßig ist und das Subjekt noch überdem unmittelbare Neigung zu ihr hat. Z. B. es ist allerdings pflichtmäßig, daß der Krämer seinen unerfahrnen Käufer nicht überteure, und, wo viel Verkehr ist, tut dieses auch der kluge Kaufmann nicht, sondern hält einen festgesetzten allgemeinen Preis für jedermann, so daß ein Kind eben so gut bei ihm kauft, als jeder anderer. Man wird also ehrlich bedient; allein das ist lange nicht genug, um deswegen zu glauben, der Kaufmann habe aus Pflicht und Grundsätzen der Ehrlichkeit so verfahren; sein Vorteil erforderte es; daß er aber überdem noch eine unmittelbare Neigung zu den Käufern haben sollte, um gleichsam aus Liebe keinem vor dem andern im Preise den Vorzug zu geben, läßt sich hier nicht annehmen. Also war die Handlung weder aus Pflicht, noch aus unmittelbarer Neigung, sondern bloß in eigennütziger Absicht geschehen.

Dagegen, sein Leben zu erhalten, ist Pflicht, und überdem hat jedermann dazu noch eine unmittelbare Neigung. Aber um deswillen hat die oft ängstliche Sorgfalt, die der größte Teil der Menschen dafür trägt, doch keinen innern Wert, und die Maxime derselben keinen moralischen Gehalt. Sie bewahren ihr Leben zwar pflicht||mäßig, aber nicht aus Pflicht. Dagegen, wenn Widerwärtigkeiten und hoffnungsloser Gram den Geschmack am Leben gänzlich weggenommen haben; wenn der Unglückliche, stark an Seele, über sein Schicksal mehr entrüstet, als kleinmütig oder niedergeschlagen, den Tod wünscht, und sein Leben doch erhält, ohne es zu lieben, nicht aus Neigung, oder Furcht, sondern aus Pflicht: alsdenn hat seine Maxime einen moralischen Gehalt.

Wohltätig sein, wo man kann, ist Pflicht, und überdem gibt es manche so teilnehmend gestimmte Seelen, daß sie, auch ohne einen andern Bewegungsgrund der Eitelkeit, oder des Eigennutzes, ein inneres Vergnügen daran finden, Freude um sich zu verbreiten, und die sich an der Zufriedenheit anderer, so fern sie ihr Werk ist, ergötzen können. Aber ich behaupte, daß in solchem Falle dergleichen Handlung, so pflichtmäßig, so liebenswürdig sie auch ist, dennoch keinen wahren sittlichen Wert habe, sondern mit andern Neigungen zu gleichen Paaren gehe, z. E. der Neigung nach Ehre, die, wenn sie glücklicherweise auf das trifft, was in der Tat gemeinnützig und pflichtmäßig, mithin ehrenwert ist, Lob und Aufmunterung, aber nicht Hochschätzung verdient; denn der Maxime fehlt der sittliche Gehalt, nämlich solche Handlungen nicht aus Neigung, sondern aus Pflicht zu tun. Gesetzt also, das Gemüt jenes Menschenfreundes wäre vom eigenen Gram umwölkt, der alle ‖ Teilnehmung an anderer Schicksal auslöscht, er hätte immer noch Vermögen, andern Notleidenden wohlzutun, aber fremde Not rührte ihn nicht, weil er mit seiner eigenen gnug beschäftigt *ist*[1], und nun, da keine Neigung ihn mehr dazu anreizt, risse er sich doch aus dieser tödlichen Unempfindlichkeit heraus, und täte die Handlung ohne alle Neigung, lediglich aus Pflicht, alsdenn hat sie allererst ihren echten moralischen Wert. Noch mehr: wenn die Natur diesem oder jenem überhaupt wenig Sympathie ins Herz gelegt hätte, wenn er (übrigens ein ehrlicher Mann) von Temperament kalt und gleichgültig gegen die Leiden anderer wäre, vielleicht, weil er, selbst gegen seine eigene mit der besondern Gabe der Geduld und aushaltenden Stärke versehen, dergleichen bei jedem andern auch voraussetzt, oder gar fordert; wenn die Natur einen solchen Mann (welcher wahrlich nicht ihr schlechtestes Produkt sein würde) nicht eigentlich zum Menschenfreunde gebildet hätte, würde er denn nicht noch in sich einen Quell finden, sich selbst einen weit höhern Wert zu geben, als der eines gutartigen Temperaments sein mag? Allerdings! gerade da hebt der Wert des Charakters an, der

[1] A: *»wäre«.*

moralisch und ohne alle Vergleichung der höchste ist, nämlich daß er wohltue, nicht aus Neigung, sondern aus Pflicht.

Seine eigene Glückseligkeit sichern, ist Pflicht (wenigstens indirekt), denn der Mangel der Zufriedenheit ‖ mit
seinem Zustande, in einem Gedränge von vielen Sorgen und
mitten unter unbefriedigten Bedürfnissen, könnte leicht
eine große Versuchung zu Übertretung der Pflichten werden. Aber, auch ohne hier auf Pflicht zu sehen, haben alle Menschen schon von selbst die mächtigste und innigste Neigung zur Glückseligkeit, weil sich gerade in dieser
Idee alle Neigungen zu einer Summe vereinigen. Nur ist die
Vorschrift der Glückseligkeit mehrenteils so beschaffen, daß
sie einigen Neigungen großen Abbruch tut und doch der
Mensch sich von der Summe der Befriedigung aller unter
dem Namen der Glückseligkeit keinen bestimmten und sichern Begriff machen kann; daher nicht zu verwundern ist,
wie eine einzige, in Ansehung dessen, was sie verheißt, und
der Zeit, worin ihre Befriedigung erhalten werden kann, bestimmte Neigung eine schwankende Idee überwiegen könne,
und der Mensch, z. B. ein Podagrist wählen könne, zu ge-
nießen was ihm schmeckt und zu leiden was er kann, weil
er, nach seinem Überschlage, hier wenigstens, sich nicht
durch vielleicht grundlose Erwartungen eines Glücks, das
in der Gesundheit stecken soll, um den Genuß des gegenwärtigen Augenblicks gebracht hat. Aber auch in diesem
Falle, wenn die allgemeine Neigung zur Glückseligkeit seinen Willen nicht bestimmte, wenn Gesundheit für ihn wenigstens nicht so notwendig in diesen Überschlag gehörete,
so bleibt noch hier, wie in allen andern Fällen, ein Gesetz
übrig, nämlich seine Glückseligkeit zu ‖ befördern, nicht
aus Neigung, sondern aus Pflicht, und da hat sein Verhalten
allererst den eigentlichen moralischen Wert.

So sind ohne Zweifel auch die Schriftstellen zu verstehen,
darin geboten wird, seinen Nächsten, selbst unsern Feind, zu
lieben. Denn Liebe als Neigung kann nicht geboten werden,
aber Wohltun aus Pflicht, selbst, wenn dazu gleich gar keine
Neigung treibt, ja gar natürliche und unbezwingliche Abneigung widersteht, ist praktische und nicht pathologische

Liebe, die im Willen liegt und nicht im Hange der Empfindung, in Grundsätzen der Handlung und nicht schmelzender
Teilnehmung; jene aber allein kann geboten werden.

Der zweite Satz ist: eine Handlung aus Pflicht hat ihren
moralischen Wert nicht in der Absicht, welche dadurch
erreicht werden soll, *sondern in der Maxime, nach der sie beschlossen wird,* hängt[1] also nicht von der Wirklichkeit des
Gegenstandes der Handlung ab, sondern bloß von dem
Prinzip des Wollens, nach welchem die Handlung, unangesehen aller Gegenstände des Begehrungsvermögens, geschehen ist. Daß die Absichten, die wir bei Handlungen haben mögen, und ihre Wirkungen, als Zwecke und Triebfedern des Willens, den Handlungen keinen unbedingten
und moralischen Wert erteilen können, ist aus dem Vorigen
klar. Worin kann also dieser Wert liegen, wenn er nicht im ‖
Willen, in Beziehung auf deren verhoffte Wirkung, bestehen
soll? Er kann nirgend anders liegen, als im Prinzip des
Willens, unangesehen der Zwecke, die durch solche Handlung bewirkt werden können; denn der Wille ist mitten inne
zwischen seinem Prinzip a priori, welches formell ist, und
zwischen seiner Triebfeder a posteriori, welche materiell ist,
gleichsam auf einem Scheidewege, und, da er doch irgend
wodurch muß bestimmt werden, so wird er durch das for-
melle Prinzip des Wollens überhaupt bestimmt werden müssen, wenn eine Handlung aus Pflicht geschieht, da ihm alles
materielle Prinzip entzogen worden.

Den dritten Satz, als Folgerung aus beiden vorigen, würde
ich so ausdrücken: Pflicht ist die Notwendigkeit
einer Handlung aus Achtung fürs Gesetz. Zum Objekte als Wirkung meiner vorhabenden Handlung kann ich
zwar Neigung haben, aber niemals Achtung, eben darum, weil sie[2] bloß eine Wirkung *und nicht Tätigkeit eines
Willens*[3] ist. Eben so kann ich für Neigung überhaupt, sie
mag nun meine oder eines andern seine sein, nicht Achtung
haben, ich kann sie höchstens im ersten Falle billigen, im
zweiten bisweilen selbst lieben, d. i. sie als meinem eigenen

---

[1] A: »soll, *und er* hängt«. – [2] Akad.-Ausg.: »es«. – [3] A: »Wirkung
*meines* Willens«.

Vorteile günstig ansehen. Nur das, was bloß als Grund, niemals aber als Wirkung mit meinem Willen verknüpft ist, was nicht meiner Neigung dient, sondern sie überwiegt, wenigstens diese von deren Überschlage ‖ bei der Wahl ganz ausschließt, mithin das bloße Gesetz für sich, kann ein Gegenstand der Achtung und hiemit ein Gebot sein. Nun soll eine Handlung aus Pflicht den Einfluß der Neigung, und mit ihr jeden Gegenstand des Willens ganz absondern, also bleibt nichts für den Willen übrig, was ihn bestimmen könne, als, objektiv, das Gesetz, und, subjektiv, reine Achtung für dieses praktische Gesetz, mithin die Maxime\*, einem solchen Gesetze, selbst mit Abbruch aller meiner Neigungen, Folge zu leisten.

Es liegt also der moralische Wert der Handlung nicht in der Wirkung, die daraus erwartet wird, also auch nicht in irgend einem Prinzip der Handlung, welches seinen Bewegungsgrund von dieser erwarteten Wirkung zu entlehnen bedarf. Denn alle diese Wirkungen (Annehmlichkeit seines Zustandes, ja gar Beförderung fremder Glückseligkeit) konnten auch durch andere Ursachen zu Stande gebracht werden, und es brauchte also dazu nicht des Willens eines vernünftigen Wesens; worin gleichwohl das höchste und unbedingte Gute allein angetroffen werden kann. Es kann *daher*[1] nichts anders als die Vorstellung des Gesetzes an sich selbst, die ‖ freilich nur im vernünftigen Wesen stattfindet, so fern sie, nicht aber die verhoffte Wirkung, der Bestimmungsgrund des Willens ist, das so vorzügliche Gute, welches wir sittlich nennen, ausmachen, welches in der Person selbst schon gegenwärtig ist, die darnach handelt, nicht aber allererst aus der Wirkung erwartet werden darf.\*\*

\* Maxime ist das subjektive Prinzip des Wollens; das objektive Prinzip (d. i. dasjenige, was allen vernünftigen Wesen auch subjektiv zum praktischen Prinzip dienen würde, wenn Vernunft volle Gewalt über das Begehrungsvermögen hätte) ist das praktische Gesetz.

\*\* Man könnte mir vorwerfen, als suchte ich hinter dem Worte Achtung nur Zuflucht in einem dunkeln Gefühle, anstatt durch einen Begriff der Vernunft in der Frage deutliche Auskunft zu geben. Allein

[1] A: »*also*«.

|| Was kann das aber wohl für ein Gesetz sein, dessen Vorstellung, auch ohne auf die daraus erwartete Wirkung Rücksicht zu nehmen, den Willen bestimmen muß, damit dieser schlechterdings und ohne Einschränkung gut heißen könne? Da ich den Willen aller Antriebe beraubet habe, die ihm aus der Befolgung irgend eines Gesetzes entspringen könnten, so bleibt nichts als die allgemeine Gesetzmäßigkeit der Handlungen überhaupt übrig, welche allein dem Willen zum Prinzip dienen soll, d. i. ich soll niemals anders verfahren, als so, **daß ich auch wollen könne, meine Maxime solle ein allgemeines Gesetz werden.** Hier ist nun die bloße Gesetzmäßigkeit überhaupt (ohne irgend ein auf gewisse Handlungen bestimmtes Gesetz zum Grunde zu legen) das, was dem Willen zum Prinzip dient, und ihm auch dazu dienen muß, wenn Pflicht nicht überall ein leerer Wahn und chimärischer Begriff sein soll; hiemit[1] stimmt die

wenn Achtung gleich ein Gefühl ist, so ist es doch kein durch Einfluß empfangenes, sondern durch einen Vernunftbegriff selbstgewirktes Gefühl und daher von allen Gefühlen der ersteren Art, die sich auf Neigung oder Furcht bringen lassen, spezifisch unterschieden. Was ich unmittelbar als Gesetz für mich erkenne, erkenne ich mit Achtung, welche bloß das Bewußtsein der Unterordnung meines Willens unter einem Gesetze, ohne Vermittelung anderer Einflüsse auf meinen Sinn, bedeutet. Die unmittelbare Bestimmung des Willens durchs Gesetz und das Bewußtsein derselben heißt Achtung, so daß diese als Wirkung des Gesetzes aufs Subjekt und nicht als Ursache desselben angesehen wird. Eigentlich ist Achtung die Vorstellung von einem Werte, der meiner Selbstliebe Abbruch tut. Also ist es etwas, was weder als Gegenstand der Neigung, noch der Furcht, betrachtet wird, obgleich es mit beiden zugleich etwas Analogisches hat. Der Gegenstand der Achtung ist also lediglich das Gesetz, und zwar dasjenige, das wir uns selbst und doch als an sich notwendig auferlegen. Als Gesetz sind wir ihm unterworfen, ohne die Selbstliebe zu befragen; als uns von uns selbst auferlegt ist es doch eine Folge unsers Willens, und hat in der ersten Rücksicht Analogie mit Furcht, in der zweiten mit Neigung. || Alle Achtung für eine Person ist eigentlich nur Achtung fürs Gesetz (der Rechtschaffenheit etc.), wovon jene uns das Beispiel gibt. Weil wir Erweiterung unserer Talente auch als Pflicht ansehen, so stellen wir uns an einer Person von Talenten auch gleichsam das Beispiel eines Gesetzes vor *(ihr durch Übung hierin ähnlich zu werden)*[2] und das macht unsere Achtung aus. Alles moralische so genannte Interesse besteht lediglich in der Achtung fürs Gesetz.

[1] A: »hiemit *aber*«. – [2] Zusatz von B.

gemeine Menschenvernunft in ihrer praktischen Beurteilung auch vollkommen überein, und hat das gedachte Prinzip jederzeit vor Augen.

‖ Die Frage sei z. B.: darf ich, wenn ich im Gedränge bin,
nicht ein Versprechen tun, in der Absicht, es nicht zu halten? Ich mache hier leicht den Unterschied, den die Bedeutung der Frage haben kann, ob es klüglich, oder ob es pflichtmäßig sei, ein falsches Versprechen zu tun. Das erstere kann
ohne Zweifel öfters stattfinden. Zwar sehe ich wohl, daß es
nicht gnug sei, mich vermittelst dieser Ausflucht aus einer
gegenwärtigen Verlegenheit zu ziehen, sondern wohl über-
legt werden müsse, ob mir aus dieser Lüge nicht hinterher
viel größere Ungelegenheit entspringen könne, als die sind,
von denen ich mich jetzt befreie, und, da die Folgen bei
aller meiner vermeinten Schlauigkeit nicht so leicht vor-
auszusehen sind, daß nicht ein einmal verlornes Zutrauen
mir weit nachteiliger werden könnte, als alles Übel, das ich
jetzt zu vermeiden gedenke, ob es nicht klüglicher gehandelt sei, hiebei nach einer allgemeinen Maxime zu verfahren,
und es sich zur Gewohnheit zu machen, nichts zu versprechen, als in der Absicht, es zu halten. Allein es leuchtet mir
hier bald ein, daß eine solche Maxime doch immer nur die
besorglichen Folgen zum Grunde habe. Nun ist es doch etwas ganz anderes, aus Pflicht wahrhaft zu sein, als aus Besorgnis der nachteiligen Folgen; indem, im ersten Falle, der
Begriff der Handlung an sich selbst schon ein Gesetz für
mich enthält, im zweiten ich mich allererst anderwärtsher
umsehen muß, welche Wirkungen für mich wohl damit ‖
verbunden sein möchten. Denn, wenn ich von dem Prinzip
der Pflicht abweiche, so ist es ganz gewiß böse; werde ich
aber meiner Maxime der Klugheit abtrünnig, so kann das
mir doch manchmal sehr vorteilhaft sein, wiewohl es freilich
sicherer ist, bei ihr zu bleiben. Um indessen mich in Ansehung der Beantwortung dieser Aufgabe, ob ein lügenhaftes Versprechen pflichtmäßig sei, auf die allerkürzeste und
doch untrügliche Art zu belehren, so frage ich mich selbst:
würde ich wohl damit zufrieden sein, daß meine Maxime
(mich durch ein unwahres Versprechen aus Verlegenheit zu

ziehen) als ein allgemeines Gesetz (sowohl für mich als andere) gelten solle, und würde ich wohl zu mir sagen können: es mag jedermann ein unwahres Versprechen tun, wenn er sich in Verlegenheit befindet, daraus er sich auf andere Art nicht ziehen kann? So werde ich bald inne, daß ich zwar die Lüge, aber ein allgemeines Gesetz zu lügen gar nicht wollen könne; denn nach einem solchen würde es eigentlich gar kein Versprechen geben, weil es vergeblich wäre, meinen Willen in Ansehung meiner künftigen Handlungen andern vorzugeben, die diesem Vorgeben doch nicht glauben, oder, wenn sie es übereilter Weise täten, mich doch mit gleicher Münze bezahlen würden, mithin meine Maxime, so bald sie zum allgemeinen Gesetze gemacht würde, sich selbst zerstören müsse.

Was ich also zu tun habe, damit mein Wollen sittlich gut sei, darzu brauche ich gar keine weit ausho‖lende Scharfsinnigkeit. Unerfahren in Ansehung des Weltlaufs, unfähig, auf alle sich eräugnende Vorfälle desselben gefaßt zu sein, frage ich mich nur: Kannst du auch wollen, daß deine Maxime ein allgemeines Gesetz werde? wo nicht, so ist sie verwerflich, und das zwar nicht um eines dir, oder auch anderen, daraus bevorstehenden Nachteils willen, sondern weil sie nicht als Prinzip in eine mögliche allgemeine Gesetzgebung passen kann, für diese aber zwingt mir die Vernunft unmittelbare Achtung ab, von der ich zwar jetzt noch nicht einsehe, worauf sie sich gründe (welches der Philosoph untersuchen mag), wenigstens aber doch so viel verstehe: daß es eine Schätzung des Wertes sei, *welcher*[1] allen Wert dessen, was durch Neigung angepriesen wird, weit überwiegt, und daß die Notwendigkeit meiner Handlungen aus reiner Achtung fürs praktische Gesetz dasjenige sei, was die Pflicht ausmacht, der jeder andere Bewegungsgrund weichen muß, weil sie die Bedingung eines an sich guten Willens ist, dessen Wert über alles geht.

So sind wir denn in der moralischen Erkenntnis der gemeinen Menschenvernunft bis zu ihrem Prinzip gelangt, welches sie sich zwar freilich nicht so in einer allgemeinen

[1] A: »*welche*«.

Form abgesondert denkt, aber doch jederzeit wirklich vor Augen hat und zum Richtmaße ihrer Beurteilung braucht. Es wäre hier leicht zu zeigen, wie ‖ sie, mit diesem Kompasse in der Hand, in allen vorkommenden Fällen sehr gut Bescheid wisse, zu unterscheiden, was gut, was böse, pflichtmäßig, oder pflichtwidrig sei, wenn man, ohne sie im mindesten etwas Neues zu lehren, sie nur, wie Sokrates tat, auf ihr eigenes Prinzip aufmerksam macht, und daß es also keiner Wissenschaft und Philosophie bedürfe, um zu wissen, was man zu tun habe, um ehrlich und gut, ja sogar, um weise und tugendhaft zu sein. Das ließe sich auch wohl schon zum voraus vermuten, daß die Kenntnis dessen, was zu tun, mithin auch zu wissen jedem Menschen obliegt, auch jedes, selbst des gemeinsten Menschen Sache sein werde. *Hier*[1] kann man es doch nicht ohne Bewunderung ansehen, wie das praktische Beurteilungsvermögen vor dem theoretischen im gemeinen Menschenverstande so gar viel voraus habe. In dem letzteren, wenn die gemeine Vernunft es wagt, von den Erfahrungsgesetzen und den Wahrnehmungen der Sinne abzugehen, gerät sie in lauter Unbegreiflichkeiten und Widersprüche mit sich selbst, wenigstens in ein Chaos von Ungewißheit, Dunkelheit und Unbestand. Im praktischen aber fängt die Beurteilungskraft denn eben allererst an, sich recht vorteilhaft zu zeigen, wenn der gemeine Verstand alle sinnliche Triebfedern von praktischen Gesetzen ausschließt. Er wird alsdenn so gar subtil, es mag sein, daß er mit seinem Gewissen, oder anderen Ansprüchen in Beziehung auf das, was recht heißen soll, schikanieren, oder ‖ auch den Wert der Handlungen zu seiner eigenen Belehrung aufrichtig bestimmen will, und, was das meiste ist, er kann im letzteren Falle sich eben so gut Hoffnung machen, es recht zu treffen, als es sich immer ein Philosoph versprechen mag, ja ist beinahe noch sicherer hierin, als selbst der letztere, weil dieser doch kein anderes Prinzip als jener haben[2], sein Urteil aber, durch eine Menge fremder, nicht zur Sache gehöriger Erwägungen, leicht verwirren und von der geraden Richtung abweichend machen kann. Wäre es demnach nicht ratsamer,

[1] A: *»Gleichwohl«.* – [2] A: *»haben kann«.*

es in moralischen Dingen bei dem gemeinen Vernunfturteil bewenden zu lassen, und höchstens nur Philosophie anzubringen, um das System der Sitten desto vollständiger und faßlicher, imgleichen die Regeln derselben zum Gebrauche (noch mehr aber zum Disputieren) bequemer darzustellen, nicht aber, um selbst in praktischer Absicht den gemeinen Menschenverstand von seiner glücklichen Einfalt abzubringen, und ihn durch Philosophie auf einen neuen Weg der Untersuchung und Belehrung zu bringen?

Es ist eine herrliche Sache um die Unschuld, nur es ist auch wiederum sehr schlimm, daß sie sich nicht wohl bewahren läßt und leicht verführt wird. Deswegen bedarf selbst die Weisheit – die sonst wohl mehr im Tun und Lassen, als im Wissen besteht – doch auch der Wissenschaft, nicht um von ihr zu lernen, sondern ih||rer Vorschrift Eingang und Dauerhaftigkeit zu verschaffen. Der Mensch fühlt in sich selbst ein mächtiges Gegengewicht gegen alle Gebote der Pflicht, die ihm die Vernunft so hochachtungswürdig vorstellt, an seinen Bedürfnissen und Neigungen, deren ganze Befriedigung er unter dem Namen der Glückseligkeit zusammenfaßt. Nun gebietet die Vernunft, ohne doch dabei den Neigungen etwas zu verheißen, unnachlaßlich, mithin gleichsam mit Zurücksetzung und Nichtachtung jener so ungestümen und dabei so billig scheinenden Ansprüche (die sich durch kein Gebot wollen aufheben lassen), ihre Vorschriften. Hieraus entspringt aber eine natürliche Dialektik, d. i. ein Hang, wider jene strenge Gesetze der Pflicht zu vernünfteln, und ihre Gültigkeit, wenigstens ihre Reinigkeit und Strenge in Zweifel zu ziehen, *und*[1] sie, wo möglich, unsern Wünschen und Neigungen angemessener zu machen, d. i. sie im Grunde zu verderben und um ihre ganze Würde zu bringen, welches denn doch selbst die gemeine praktische Vernunft am Ende nicht gutheißen kann.

So wird also die gemeine Menschenvernunft nicht durch irgend ein Bedürfnis der Spekulation (welches ihr, so lange sie sich genügt, bloße gesunde Vernunft zu sein, niemals anwandelt), sondern selbst aus praktischen Grün-

[1] A: *»wenigstens«*.

den angetrieben, aus ihrem Kreise zu gehen, und einen
Schritt ins Feld einer praktischen Philosophie zu tun,
um daselbst, wegen der Quelle ihres Prinzips ‖ und richtigen Bestimmung desselben in Gegenhaltung mit den Maximen, die sich auf Bedürfnis und Neigung fußen, Er-
kundigung und deutliche Anweisung zu bekommen, damit
sie aus der Verlegenheit wegen beiderseitiger Ansprüche
*herauskomme*[1], und nicht Gefahr laufe, durch die Zweideu-
tigkeit, in die sie leicht gerät, um alle echte sittliche Grundsätze gebracht zu werden. Also entspinnt sich eben sowohl
in der praktischen gemeinen Vernunft, wenn sie sich kulti-
viert, unvermerkt eine Dialektik, welche sie nötigt, in der
Philosophie Hülfe zu suchen, als es ihr im theoretischen Gebrauche widerfährt, und die erstere wird daher wohl eben
so wenig, als die andere, irgendwo sonst, als in einer vollständigen Kritik unserer Vernunft, Ruhe finden.

‖ ZWEITER ABSCHNITT

ÜBERGANG
VON DER POPULÄREN SITTLICHEN WELTWEISHEIT
ZUR METAPHYSIK DER SITTEN

Wenn wir unsern bisherigen Begriff der Pflicht aus dem
gemeinen Gebrauche unserer praktischen Vernunft gezogen
haben, so ist daraus keinesweges zu schließen, als hätten
wir ihn als einen Erfahrungsbegriff behandelt. Vielmehr,
wenn wir auf die Erfahrung vom Tun und Lassen der Menschen Acht haben, treffen wir häufige, und, wie wir selbst
einräumen, gerechte Klagen an, daß man von der Gesinnung, aus reiner Pflicht zu handeln, so gar keine sichere Beispiele anführen könne, daß, wenn gleich manches dem, was
Pflicht gebietet, gemäß geschehen mag, dennoch es *immer noch* zweifelhaft sei, *ob*[2] es eigentlich aus Pflicht geschehe und also einen moralischen Wert habe. *Daher*[3] es zu
aller Zeit Philosophen gegeben hat, welche die Wirklichkeit

---

[1] A: »*komme*«. – [2] A: »es *so* zweifelhaft sei, *daß*«. – [3] A: »Wert habe,
*daß*«.

dieser Gesinnung in den menschlichen Handlungen schlechterdings abgeleugnet, und alles der mehr oder weniger verfeiner-
ten Selbstliebe zugeschrieben haben, ohne doch deswegen
die Richtigkeit des Begriffs von Sittlichkeit in Zweifel zu
ziehen, vielmehr mit inniglichem Bedauren der Gebrechlich-
keit und Unlauterkeit der menschlichen Natur *Erwähnung
taten*[1], die zwar edel gnug || *sei*[2], sich eine so achtungswür-
dige Idee zu ihrer Vorschrift zu machen, aber zugleich zu
schwach, um sie zu befolgen, und die[3] Vernunft, die ihr zur
Gesetzgebung dienen sollte, nur dazu braucht, um das Interesse der Neigungen, es sei einzeln, oder, wenn es hoch kommt,
in ihrer größten Verträglichkeit unter einander, zu besorgen.

In der Tat ist es schlechterdings unmöglich, durch Erfahrung einen einzigen Fall mit völliger Gewißheit auszumachen, da die Maxime einer sonst pflichtmäßigen Handlung lediglich auf moralischen Gründen und auf der Vorstellung seiner Pflicht beruhet habe. Denn es ist zwar bisweilen der Fall, daß wir bei der schärfsten Selbstprüfung
gar nichts antreffen, was außer dem moralischen Grunde der
Pflicht mächtig genug hätte sein können, uns zu dieser oder
jener guten Handlung und so großer Aufopferung zu bewegen; es kann aber daraus gar nicht mit Sicherheit geschlossen werden, daß wirklich gar kein geheimer Antrieb der
Selbstliebe, unter der *bloßen*[1] Vorspiegelung jener Idee, die
eigentliche bestimmende Ursache des Willens gewesen sei,
dafür wir denn gerne uns mit einem uns fälschlich angemaß-
ten edlern Bewegungsgrunde schmeicheln, in der Tat aber
selbst durch die angestrengteste Prüfung hinter die gehei-
men Triebfedern niemals völlig kommen können, weil, wenn
vom moralischen Werte die Rede ist, es nicht auf die Handlungen ankommt, die man sieht, sondern auf jene innere
Prinzipien derselben, die man nicht sieht.

|| Man kann auch denen, die alle Sittlichkeit, als bloßes
Hirngespinst einer durch Eigendünkel sich selbst überstei-
genden menschlichen Einbildung, verlachen, keinen ge-
wünschteren Dienst tun, als ihnen einzuräumen, daß die Begriffe der Pflicht (so wie man sich auch aus Gemächlichkeit

---

[1] Zusatz von B. – [2] A: »*ist*«. – [3] A: »und *welche* die«.

gerne überredet, daß es auch mit allen übrigen Begriffen
bewandt sei) lediglich aus der Erfahrung gezogen werden
mußten; denn da bereitet man jenen einen sichern Triumph.
Ich will aus Menschenliebe einräumen, daß noch die meisten
unserer Handlungen pflichtmäßig sein[1]; sieht man aber ihr
Tichten und Trachten näher an, so stößt man allenthalben
auf das liebe Selbst, was immer hervorsticht, worauf, und
nicht auf das strenge Gebot der Pflicht, welches mehrmalen
Selbstverleugnung erfodern würde, sich ihre Absicht stützet.
Man braucht auch eben kein Feind der Tugend, sondern nur
ein kaltblütiger Beobachter zu sein, der den lebhaftesten
Wunsch für das Gute nicht so fort für dessen Wirklichkeit
hält, um (vornehmlich mit zunehmenden Jahren und einer
durch Erfahrung teils gewitzigten, teils zum Beobachten ge-
schärften Urteilskraft) in gewissen Augenblicken zweifelhaft zu werden, ob auch wirklich in der Welt irgend wahre
Tugend angetroffen werde. Und hier kann uns nun nichts
für den gänzlichen Abfall von unseren Ideen der Pflicht be-
wahren und gegründete Achtung gegen ihr Gesetz in der
Seele erhalten, als die klare Überzeugung, daß, wenn es
auch niemals Handlungen gegeben habe, ‖ die aus solchen
reinen Quellen entsprungen wären, dennoch hier auch davon gar nicht die Rede sei, ob dies oder jenes geschehe, sondern die Vernunft für sich selbst und unabhängig von allen
Erscheinungen gebiete, was geschehen soll, mithin Handlungen, von denen die Welt vielleicht bisher noch gar kein
Beispiel gegeben hat, an deren Tunlichkeit sogar der, so
alles auf Erfahrung gründet, sehr zweifeln möchte, dennoch
durch Vernunft unnachlaßlich geboten sei[1], und daß z. B.
reine Redlichkeit in der Freundschaft um nichts weniger
von jedem Menschen gefodert werden könne, wenn es gleich
bis jetzt gar keinen redlichen Freund gegeben haben möchte, weil diese Pflicht als Pflicht überhaupt, vor aller Erfahrung, in der Idee einer den Willen durch Gründe a priori
bestimmenden Vernunft liegt.

Setzet man hinzu, daß, wenn man dem Begriffe von Sittlichkeit nicht gar alle Wahrheit und Beziehung auf irgend

[1] Akad.-Ausg.: »seien«.

ein mögliches Objekt *bestreiten*[1] will, man nicht in Abrede
ziehen könne, daß sein Gesetz von so ausgebreiteter Bedeutung sei, daß es nicht bloß für Menschen, sondern alle vernünftige Wesen überhaupt, nicht bloß unter zufälligen
Bedingungen und mit Ausnahmen, sondern schlechterdings notwendig gelten müsse: so ist klar, daß keine
Erfahrung[2], auch nur auf die Möglichkeit solcher apodiktischen Gesetze zu schließen, Anlaß geben könne. Denn mit
welchem Rechte können wir das, ‖ was vielleicht nur unter
den zufälligen Bedingungen der Menschheit gültig ist, als
allgemeine Vorschrift für jede vernünftige Natur, in unbe-
schränkte Achtung bringen, und wie sollen Gesetze der Bestimmung unseres Willens für Gesetze der Bestimmung
des Willens eines vernünftigen Wesens überhaupt, und, nur
als solche, auch für den unsrigen gehalten werden, wenn sie
bloß empirisch wären, und nicht völlig a priori aus reiner,
aber praktischer Vernunft ihren Ursprung nähmen?

Man könnte auch der Sittlichkeit nicht übler raten, als
wenn man sie von Beispielen entlehnen wollte. Denn jedes
Beispiel, was mir davon vorgestellt wird, muß selbst zuvor
nach Prinzipien der Moralität beurteilt werden, ob es auch
würdig sei, zum *ursprünglichen*[3] Beispiele, d. i. zum Muster
zu dienen, keinesweges aber kann es den Begriff derselben
zu oberst an die Hand geben. Selbst der Heilige des Evangelii muß zuvor mit unserm Ideal der sittlichen Vollkommenheit verglichen werden, ehe man ihn dafür erkennt; auch
sagt er von sich selbst: was nennt ihr mich (den ihr sehet)
gut, niemand ist gut (das Urbild des Guten) als der einige
Gott (den ihr nicht sehet). Woher haben wir aber den Begriff von Gott, als dem höchsten Gut? Lediglich aus der
Idee, die die Vernunft a priori von sittlicher Vollkommenheit entwirft, und mit dem Begriffe eines freien Willens unzertrennlich verknüpft. Nachahmung findet im Sittlichen
gar ‖ nicht statt, und Beispiele dienen nur zur Aufmunterung, d. i. sie setzen die Tunlichkeit dessen, was das Gesetz
gebietet, außer Zweifel, sie machen das, was die praktische
Regel allgemeiner ausdrückt, anschaulich, können aber nie-

[1] A: »*streiten*«. – [2] A: »Erfahrung *selbst*«. – [3] A: »*echten*«.

mals berechtigen, ihr wahres Original, das in der Vernunft
liegt, bei Seite zu setzen und sich nach Beispielen zu richten.

Wenn es denn keinen echten obersten Grundsatz der Sittlichkeit gibt, der nicht unabhängig von aller Erfahrung bloß
auf reiner Vernunft beruhen müßte, so glaube ich, es sei
nicht nötig, auch nur zu fragen, ob es gut sei, diese Begriffe,
so wie sie, samt den ihnen zugehörigen Prinzipien, a priori
feststehen, im allgemeinen (in abstracto) vorzutragen, wofern das Erkenntnis sich vom gemeinen unterscheiden und
philosophisch heißen soll. Aber in unsern Zeiten möchte
dieses wohl nötig sein. Denn, wenn man Stimmen sammelte,
ob reine von allem Empirischen abgesonderte Vernunfterkenntnis, mithin Metaphysik der Sitten, oder populäre
praktische Philosophie vorzuziehen sei, so *errät* man bald,
auf welche Seite *das Übergewicht* [1] fallen werde.

Diese Herablassung zu Volksbegriffen ist allerdings sehr
rühmlich, wenn die Erhebung zu den Prinzipien der reinen
Vernunft zuvor geschehen und zur völligen Befriedigung erreicht ist, und das würde heißen, die Leh‖re der Sitten zuvor auf Metaphysik gründen, ihr aber, wenn sie fest steht,
nachher durch Popularität Eingang verschaffen. Es ist
aber äußerst ungereimt, dieser in der ersten Untersuchung,
worauf alle Richtigkeit der Grundsätze ankommt, schon
willfahren zu wollen. Nicht allein, daß dieses Verfahren auf
das höchst seltene Verdienst einer wahren philosophischen Popularität niemals Anspruch machen kann, indem es gar keine Kunst ist, gemeinverständlich zu sein,
wenn man dabei auf alle gründliche Einsicht Verzicht tut: so
bringt es einen ekelhaften Mischmasch von zusammengestop-
pelten Beobachtungen und halbvernünftelnden Prinzipien
zum Vorschein, daran sich schale Köpfe laben, weil es doch
etwas gar Brauchbares fürs alltägliche Geschwätz ist, wo Ein-
sehende aber Verwirrung fühlen, und unzufrieden, ohne sich
doch helfen zu können, ihre Augen wegwenden, *obgleich* Philosophen, *die* das Blendwerk ganz wohl durchschauen, wenig [2]

---

[1] A: »so *rät* man bald, auf welche Seite *die Wahrheit*«. — [2] A: »wegwenden, Philosophen *aber* das Blendwerk ganz wohl durchschauen, *aber*
wenig«.

Gehör finden, wenn sie auf einige Zeit von der vorgeblichen Popularität abrufen, um nur allererst nach erworbener bestimmter Einsicht mit Recht populär sein zu dürfen.

Man darf nur die Versuche über die Sittlichkeit in jenem beliebten Geschmacke ansehen, so wird man bald die besondere Bestimmung der menschlichen Natur (mit unter aber auch die Idee von einer vernünftigen Natur überhaupt), bald Vollkommenheit, bald Glückse||ligkeit, hier moralisches Gefühl, dort Gottesfurcht, von diesem etwas, von jenem auch etwas, in wunderbarem Gemische antreffen, ohne daß man sich einfallen läßt zu fragen, ob auch überall in der Kenntnis der menschlichen Natur (die wir doch nur von der Erfahrung herhaben können) die Prinzipien der Sittlichkeit zu suchen sein[1], und, wenn dieses nicht ist, wenn die letztere völlig a priori, frei von allem Empirischen, schlechterdings in reinen Vernunftbegriffen und nirgend anders, auch nicht dem mindesten Teile nach, anzutreffen sein[2], den Anschlag zu fassen, diese Untersuchung als reine praktische Weltweisheit, oder (wenn man einen so verschrieenen Namen nennen darf) als Metaphysik* der Sitten, lieber ganz abzusondern, sie für sich allein zu ihrer ganzen Vollständigkeit zu bringen, und das Publikum, das Popularität verlangt, bis zum Ausgange dieses Unternehmens zu vertrösten.

Es ist aber eine solche völlig isolierte Metaphysik der Sitten, die mit keiner Anthropologie, mit || keiner Theologie, mit keiner Physik, oder Hyperphysik, noch weniger mit verborgenen Qualitäten (die man hypophysisch nennen könnte) vermischt ist, nicht allein ein unentbehrliches Substrat aller theoretischen sicher bestimmten Erkenntnis der

---

* Man kann, wenn man will, (so wie die reine Mathematik von der angewandten, die reine Logik von der angewandten unterschieden wird, also) die reine Philosophie der Sitten (Metaphysik) von der angewandten (nämlich auf die menschliche Natur) unterscheiden. Durch diese Benennung wird man auch so fort erinnert, daß die sittlichen Prinzipien nicht auf die Eigenheiten der menschlichen Natur gegründet, sondern für sich a priori bestehend sein müssen, aus solchen aber, wie für jede vernünftige Natur, also auch für die menschliche, praktische Regeln müssen abgeleitet werden können.

[1] Akad.-Ausg.: »seien«. – [2] Akad.-Ausg.: »sind«.

Pflichten, sondern zugleich ein Desiderat von der höchsten Wichtigkeit zur wirklichen Vollziehung ihrer Vorschriften. Denn die reine und mit keinem fremden Zusatze von empirischen Anreizen vermischte Vorstellung der Pflicht, und überhaupt des sittlichen Gesetzes, hat auf das menschliche Herz durch den Weg der Vernunft allein (die hiebei zuerst inne wird, daß sie für sich selbst auch praktisch sein kann) einen so viel mächtigern Einfluß, als alle andere Triebfedern*, die man aus dem empirischen Felde aufbieten mag, daß sie im Bewußtsein ihrer Würde die letzteren verachtet, und nach und nach ihr Meister werden kann; an dessen Statt eine vermischte Sittenlehre, die aus Triebfedern von Gefühlen und Neigungen und zugleich aus Vernunftbegriffen || zusammengesetzt ist, das Gemüt zwischen Bewegursachen, die sich unter kein Prinzip bringen lassen, die nur sehr zufällig zum Guten, öfters aber auch zum Bösen leiten können, *schwankend*[1] machen muß.

Aus dem Angeführten erhellet: daß alle sittliche Begriffe völlig a priori in der Vernunft ihren Sitz und Ursprung haben, und dieses zwar in der gemeinsten Menschenvernunft eben sowohl, als der im höchsten Maße spekulativen; daß sie von keinem empirischen und darum bloß zufälligen Er-

---

* Ich habe einen Brief vom sel. vortrefflichen Sulzer, worin er mich frägt: was doch die Ursache sein möge, warum die Lehren der Tugend, so viel Überzeugendes sie auch für die Vernunft haben, doch so wenig ausrichten. Meine Antwort wurde durch die Zurüstung dazu, um sie vollständig zu geben, verspätet. Allein es ist keine andere, als daß die Lehrer selbst ihre Begriffe nicht ins Reine gebracht haben, und, indem sie es zu gut machen wollen, dadurch, daß sie allerwärts Bewegursachen zum Sittlichguten auftreiben, um die Arznei recht kräftig zu machen, sie sie verderben. Denn die gemeinste || Beobachtung zeigt, daß, wenn man eine Handlung der Rechtschaffenheit vorstellt, wie sie von aller Absicht auf irgend einen Vorteil, in dieser oder einer andern Welt, abgesondert, selbst unter den größten Versuchungen der Not, oder der Anlockung, mit standhafter Seele ausgeübt worden, sie jede ähnliche Handlung, die nur im mindesten durch eine fremde Triebfeder affiziert war, weit hinter sich lasse und verdunkle, die Seele erhebe und den Wunsch errege, auch so handeln zu können. Selbst Kinder von mittlerem Alter fühlen diesen Eindruck, und ihnen sollte man Pflichten auch niemals anders vorstellen.

[1] A: *»verwirrt«*.

kenntnisse abstrahiert werden können; daß in dieser Reinigkeit ihres Ursprungs eben ihre Würde liege, *um*¹ uns zu
obersten praktischen Prinzipien zu dienen; daß man jedesmal so viel, als man Empirisches hinzu tut, so viel auch
ihrem echten Einflusse und dem uneingeschränkten Werte
der Handlungen entziehe; daß es nicht allein die größte Notwendigkeit in theoretischer Absicht, wenn es bloß auf Spekulation ankommt, er‖fodere, sondern auch von der größten praktischen Wichtigkeit sei, ihre Begriffe und Gesetze
aus reiner Vernunft zu schöpfen, rein und unvermengt vorzutragen, ja den Umfang dieses ganzen praktischen oder
reinen Vernunfterkenntnisses, d. i. das ganze Vermögen der
reinen praktischen Vernunft, zu bestimmen, hierin aber
nicht, wie es wohl die spekulative Philosophie erlaubt, ja
gar bisweilen notwendig findet, die Prinzipien von der besondern Natur der menschlichen Vernunft abhängig zu machen, sondern darum, weil moralische Gesetze für jedes vernünftige Wesen überhaupt gelten sollen, sie schon aus dem
allgemeinen Begriffe eines vernünftigen Wesens überhaupt
abzuleiten, und auf solche Weise alle Moral, die zu ihrer
Anwendung auf Menschen der Anthropologie bedarf, zuerst unabhängig von dieser als reine Philosophie, d. i. als
Metaphysik, vollständig (welches sich in dieser Art ganz abgesonderter Erkenntnisse wohl tun läßt) vorzutragen, wohl
bewußt, daß es, ohne im Besitze derselben zu sein, vergeblich sei, ich will nicht sagen, das Moralische der Pflicht in
allem, was pflichtmäßig ist, genau für die spekulative Beurteilung zu bestimmen, sondern so gar im bloß gemeinen
und praktischen Gebrauche, vornehmlich der moralischen
Unterweisung, unmöglich sei, die Sitten auf ihre echte Prinzipien zu gründen und dadurch reine moralische Gesinnungen zu bewirken und zum höchsten Weltbesten den Gemü-
tern einzupfropfen.

‖ Um aber in dieser Bearbeitung nicht bloß von der gemeinen sittlichen Beurteilung (die hier sehr achtungswürdig
ist) zur philosophischen, wie sonst geschehen ist, sondern
von einer populären Philosophie, die nicht weiter geht, als

¹ Zusatz von B.

sie durch Tappen vermittelst der Beispiele kommen kann, bis zur Metaphysik (die sich durch nichts Empirisches weiter zurückhalten läßt, und, indem sie den ganzen Inbegriff der Vernunfterkenntnis dieser Art ausmessen muß, allenfalls bis zu Ideen geht, wo selbst die Beispiele uns[1] verlassen) durch die natürlichen Stufen fortzuschreiten: müssen wir das praktische Vernunftvermögen von seinen allgemeinen Bestimmungsregeln an, bis dahin, wo aus ihm der Begriff der Pflicht entspringt, verfolgen und deutlich darstellen.

Ein jedes Ding der Natur wirkt nach Gesetzen. Nur ein vernünftiges Wesen hat das Vermögen, nach der Vorstellung der Gesetze, d. i. nach Prinzipien, zu handeln, oder einen Willen. Da zur Ableitung der Handlungen von Gesetzen Vernunft erfodert wird, so ist der Wille nichts anders, als praktische Vernunft. Wenn die Vernunft den Willen unausbleiblich bestimmt, so sind die Handlungen eines solchen Wesens, die als objektiv notwendig erkannt werden, auch subjektiv notwendig, d. i. der Wille ist ein Vermögen, nur dasjenige zu wählen, was die Vernunft, unabhängig von der Neigung, ‖ als praktisch notwendig, d. i. als gut erkennt. Bestimmt aber die Vernunft für sich allein den Willen nicht hinlänglich, ist dieser noch subjektiven Bedingungen (gewissen Triebfedern) unterworfen, die nicht immer mit den objektiven übereinstimmen; mit einem Worte, ist der Wille nicht an sich völlig der Vernunft gemäß (wie es bei Menschen wirklich ist): so sind die Handlungen, die objektiv als notwendig erkannt werden, subjektiv zufällig, und die Bestimmung eines solchen Willens, objektiven Gesetzen gemäß, ist Nötigung; d. i. das Verhältnis der objektiven Gesetze zu einem nicht durchaus guten Willen wird vorgestellt als die Bestimmung des Willens eines vernünftigen Wesens zwar durch Gründe der Vernunft, denen aber dieser Wille seiner Natur nach nicht notwendig folgsam ist.

Die Vorstellung eines objektiven Prinzips, sofern es für einen Willen nötigend ist, heißt ein Gebot (der Vernunft) und die Formel des Gebots heißt Imperativ.

[1] A: »Beispiele, *die jenen adäquat waren*, uns«.

Alle Imperativen werden durch ein Sollen ausgedrückt, und zeigen dadurch das Verhältnis eines objektiven Gesetzes der Vernunft zu einem Willen an, der seiner subjektiven Beschaffenheit nach dadurch nicht notwendig bestimmt wird (eine Nötigung). Sie sagen, daß etwas zu tun oder zu unterlassen gut sein würde, allein ‖ sie sagen es einem Willen, der nicht immer darum etwas tut, weil ihm vorgestellt wird, daß es zu tun gut sei. Praktisch gut ist aber, was vermittelst der Vorstellungen der Vernunft, mithin nicht aus subjektiven Ursachen, sondern objektiv, d. i. aus Gründen, die für jedes vernünftige Wesen, als ein solches, gültig sind, den Willen bestimmt. Es wird vom Angenehmen unterschieden, als demjenigen, was nur vermittelst der Empfindung aus bloß subjektiven Ursachen, die nur für dieses oder jenes seinen Sinn gelten, und nicht als Prinzip der Vernunft, das für jedermann gilt, auf den Willen Einfluß hat.*

‖ Ein vollkommen guter Wille würde also eben sowohl unter objektiven Gesetzen (des Guten) stehen, aber nicht dadurch als zu gesetzmäßigen Handlungen genötigt vorgestellt werden können, weil er von selbst, nach seiner subjektiven Beschaffenheit, nur durch die Vorstellung des Guten

* Die Abhängigkeit des Begehrungsvermögens von Empfindungen heißt Neigung, und diese beweiset also jederzeit ein Bedürfnis. Die Abhängigkeit *eines zufällig bestimmbaren* Willens[1] aber von Prinzipien der Vernunft heißt ein Interesse. Dieses findet also nur bei einem abhängigen Willen statt, der nicht von selbst jederzeit der Vernunft gemäß ist; beim göttlichen Willen kann man sich kein Interesse gedenken. Aber auch der menschliche Wille kann woran ein Interesse nehmen, ohne darum aus Interesse zu handeln. Das erste bedeutet das praktische Interesse an der Handlung, das zweite das pathologische Interesse am Gegenstande der Handlung. Das erste zeigt nur Abhängigkeit des Willens von Prinzipien der Vernunft an sich selbst, das zweite von den Prinzipien derselben zum Behuf der Neigung an, da nämlich die Vernunft nur die praktische Regel angibt, wie dem Bedürfnisse der Neigung abgeholfen werde. Im ersten Falle interessiert mich die Handlung, im zweiten der Gegenstand der Handlung (so fern er mir angenehm ist). Wir haben im ersten Abschnitte gesehen: daß bei einer Handlung aus Pflicht nicht auf das Interesse am Gegenstande, sondern bloß an der Handlung selbst und ihrem Prinzip in der Vernunft (dem Gesetz) gesehen werden müsse.

[1] A: »Abhängigkeit *des* Willens«.

bestimmt werden kann. Daher gelten für den göttlichen und überhaupt für einen heiligen Willen keine Imperativen; das Sollen ist hier am unrechten Orte, weil das Wollen schon von selbst mit dem Gesetz notwendig einstimmig ist. Daher sind Imperativen nur Formeln, das Verhältnis objektiver Gesetze des Wollens überhaupt zu der subjektiven Unvollkommenheit des Willens dieses oder jenes vernünftigen Wesens, z. B. des menschlichen Willens, auszudrücken.

Alle Imperativen nun gebieten entweder hypothetisch, oder kategorisch. Jene stellen die praktische Notwendigkeit einer möglichen Handlung als Mittel, zu etwas anderem, was man will (oder doch möglich ist, daß man es wolle), zu gelangen, vor. Der kategorische Imperativ würde der sein, welcher eine Handlung als für sich selbst, ohne Beziehung auf einen andern Zweck, als objektiv-notwendig vorstellte.

Weil jedes praktische Gesetz eine mögliche Handlung als gut und darum, für ein durch Vernunft praktisch bestimmbares Subjekt, als notwendig vorstellt, so ‖ sind alle Imperativen Formeln der Bestimmung der Handlung, die nach dem Prinzip eines in irgend einer *Art*[1] guten Willens notwendig ist. Wenn nun die Handlung bloß wozu anderes, als Mittel, gut sein würde, so ist der Imperativ hypothetisch; wird sie als an sich gut vorgestellt, mithin als notwendig in einem an sich der Vernunft gemäßen Willen, als Prinzip desselben, so ist er kategorisch.

Der Imperativ sagt also, welche durch mich mögliche Handlung gut wäre, und stellt die praktische Regel in Verhältnis auf *einen*[2] Willen vor, der darum nicht sofort eine Handlung tut, weil sie gut ist, teils weil das Subjekt nicht immer weiß, daß sie gut sei, teils weil, wenn es dieses auch wüßte, die Maximen desselben doch den objektiven Prinzipien einer praktischen Vernunft zuwider sein könnten.

Der hypothetische Imperativ sagt also nur, daß die Handlung zu irgend einer möglichen oder wirklichen Absicht gut sei. Im erstern Falle ist er ein problematisch, im zweiten assertorisch-praktisches Prinzip. Der kategorische Imperativ, der die Handlung ohne Beziehung auf irgend

[1] A: »*Absicht*«. – [2] A: »*den*«.

eine Absicht, d. i. auch ohne irgend einen andern Zweck für sich als objektiv notwendig erklärt, gilt als ein apodik-tisch (praktisches) Prinzip.

‖ Man kann sich das, was nur durch Kräfte irgend eines vernünftigen Wesens möglich ist, auch für irgend einen Willen als mögliche Absicht denken, und daher sind der Prinzipien der Handlung, so fern *diese*[1] als notwendig vorgestellt wird, um irgend eine dadurch zu bewirkende mögliche Absicht zu erreichen, in der Tat unendlich viel. Alle Wissenschaften haben irgend einen praktischen Teil, der aus Aufgaben besteht, daß irgend ein Zweck für uns möglich sei, und aus Imperativen, wie er erreicht werden könne. Diese können daher überhaupt Imperativen der Geschicklichkeit heißen. Ob der Zweck vernünftig und gut sei, davon ist hier gar nicht die Frage, sondern nur, was man tun müsse, um ihn zu erreichen. Die Vorschriften für den Arzt, um seinen Mann auf gründliche Art gesund zu machen, und für einen Giftmischer, um ihn sicher zu töten, sind *in*[2] so fern von gleichem Wert, als eine jede dazu dient, ihre Absicht vollkommen zu bewirken. Weil man in der frühen Jugend nicht weiß, welche Zwecke uns im Leben aufstoßen dürften, so suchen Eltern vornehmlich ihre Kinder recht vielerlei lernen zu lassen, und sorgen für die Geschicklichkeit im Gebrauch der Mittel zu allerlei beliebigen Zwecken, von deren keinem sie bestimmen können, ob er nicht etwa wirklich künftig eine Absicht ihres Zöglings werden könne, wovon es indessen doch möglich ist, daß er sie einmal haben möchte, und diese Sorgfalt ist so groß, daß sie darüber gemeiniglich verabsäumen, ihnen das Urteil über den Wert ‖ der Dinge, die sie sich etwa zu Zwecken machen möchten, zu bilden und zu berichtigen.

Es ist gleichwohl ein Zweck, den man bei allen vernünftigen Wesen (so fern Imperative auf sie, nämlich als abhängige Wesen, passen) als wirklich voraussetzen kann, und also eine Absicht, die sie nicht etwa bloß haben können, sondern von der man sicher voraussetzen kann, daß sie solche insgesamt nach einer Naturnotwendigkeit haben, und

[1] A: »sie«. – [2] Zusatz von B.

das ist die Absicht auf Glückseligkeit. Der hypothetische Imperativ, der die praktische Notwendigkeit der Handlung, als Mittel zur Beförderung der Glückseligkeit, vorstellt, ist assertorisch. Man darf ihn nicht bloß als notwendig, zu einer ungewissen, bloß möglichen Absicht, vortragen, sondern zu einer Absicht, die man sicher *und a priori*[1] bei jedem Menschen voraussetzen kann, weil sie zu *seinem Wesen*[2] gehört. Nun kann man die Geschicklichkeit in der Wahl der Mittel zu seinem eigenen größten Wohlsein Klugheit* im engsten Verstande nennen. Al‖so ist der Imperativ, der sich auf die Wahl der Mittel zur eigenen Glückseligkeit bezieht, d. i. die Vorschrift der Klugheit, noch immer hypothetisch; die Handlung wird nicht schlechthin, sondern nur als Mittel zu einer andern Absicht geboten.

Endlich gibt es einen Imperativ, der, ohne irgend eine andere durch ein gewisses Verhalten zu erreichende Absicht als Bedingung zum Grunde zu legen, dieses Verhalten unmittelbar gebietet. Dieser Imperativ ist kategorisch. Er betrifft nicht die Materie der Handlung und das, was aus ihr erfolgen soll, sondern die Form und das Prinzip, woraus sie selbst folgt, und das Wesentlich-Gute derselben besteht in der Gesinnung, der Erfolg mag sein, welcher er wolle. Dieser Imperativ mag der der Sittlichkeit heißen.

Das Wollen nach diesen dreierlei Prinzipien wird auch durch die Ungleichheit der Nötigung des Willens deutlich unterschieden. Um diese nun auch merklich zu machen, glaube ich, daß man sie in ihrer Ordnung am angemessensten so benennen würde, wenn man sagte: sie wären entweder Regeln der Geschicklichkeit, oder Ratschläge der

---

* Das Wort Klugheit wird in zwiefachem Sinn genommen, einmal kann es den Namen Weltklugheit, im zweiten den der Privatklugheit führen. Die erste ist die Geschicklichkeit eines Menschen, auf andere Einfluß zu haben, um sie zu seinen Absichten zu gebrauchen. Die zweite die Einsicht, alle diese Absichten zu seinem eigenen daurenden Vorteil zu vereinigen. Die letztere ist eigentlich diejenige, worauf selbst der Wert der erstern zurückgeführt wird, und wer in der erstern Art klug ist, nicht aber in der zweiten, von dem könnte man besser sagen: er ist gescheut und verschlagen, im ganzen aber doch unklug.

[1] Zusatz von B. – [2] A: *»seiner Natur«.*

Klugheit, oder Gebote (Gesetze) der Sittlichkeit. Denn nur das Gesetz führt den Begriff einer unbedingten und zwar objektiven und mithin allgemein gültigen Notwendigkeit bei sich, und Gebote sind Ge‖setze, denen gehorcht, d. i. auch wider Neigung Folge geleistet werden muß. Die Ratgebung enthält zwar Notwendigkeit, die aber bloß unter subjektiver gefälliger¹ Bedingung, ob dieser oder jener Mensch dieses oder jenes zu seiner Glückseligkeit zähle, gelten kann; dagegen der kategorische Imperativ durch keine Bedingung eingeschränkt wird, und als absolut- obgleich praktisch-notwendig ganz eigentlich ein Gebot heißen kann. Man könnte die ersteren Imperative auch technisch (zur Kunst gehörig), die zweiten pragmatisch* (zur Wohlfahrt), die dritten moralisch (zum freien Verhalten überhaupt, d. i. zu den Sitten gehörig) nennen.

Nun entsteht die Frage: wie sind alle diese Imperative möglich? Diese Frage verlangt nicht zu wissen, wie die Vollziehung der Handlung, welche der Imperativ gebietet, sondern wie bloß die Nötigung des Willens, die der Imperativ in der Aufgabe ausdrückt, gedacht werden könne. Wie ein Imperativ der Geschicklichkeit möglich sei, bedarf wohl keiner besondern Erörterung. Wer den Zweck will, will (so fern die Vernunft auf sei‖ne Handlungen entscheidenden Einfluß hat) auch das dazu unentbehrlich notwendige Mittel, das in seiner Gewalt ist. Dieser Satz ist, was das Wollen betrifft, analytisch; denn in dem Wollen eines Objekts, als meiner Wirkung, wird schon meine Kausalität, als handelnder Ursache, d. i. der Gebrauch der Mittel, gedacht, und der Imperativ zieht den Begriff notwendiger Handlungen zu diesem Zwecke schon aus dem Begriff eines Wollens dieses Zwecks heraus (die Mittel selbst zu einer vorgesetzten Ab-

---

* Mich deucht, die eigentliche Bedeutung des Worts pragmatisch könne so am genauesten bestimmt werden. Denn pragmatisch werden die Sanktionen genannt, welche eigentlich nicht aus dem Rechte der Staaten, als notwendige Gesetze, sondern aus der Vorsorge für die allgemeine Wohlfahrt fließen. Pragmatisch ist eine Geschichte abgefaßt, wenn sie klug macht, d. i. die Welt belehrt, wie sie ihren Vorteil besser, oder wenigstens eben so gut, als die Vorwelt, besorgen könne.

¹ Akad.-Ausg.: »zufälliger«.

sicht zu bestimmen, dazu gehören allerdings synthetische
Sätze, die aber nicht den Grund betreffen, den Actus des
Willens, sondern das Objekt wirklich zu machen). Daß, um
eine Linie nach einem sichern Prinzip in zwei gleiche Teile
zu teilen, ich aus den Enden derselben zwei Kreuzbogen
machen müsse, das lehrt die Mathematik freilich nur durch
synthetische Sätze; aber daß, wenn ich weiß, durch solche
Handlung allein könne die gedachte Wirkung geschehen, ich,
wenn ich die Wirkung vollständig will, auch die Handlung
wolle, die dazu erfoderlich ist, ist ein analytischer Satz;
denn etwas als eine auf gewisse Art durch mich mögliche
Wirkung, und mich, in Ansehung ihrer, auf dieselbe Art
handelnd vorstellen, ist ganz einerlei.

Die Imperativen der Klugheit würden, wenn es nur so
leicht wäre, einen bestimmten Begriff von Glückseligkeit zu
geben, mit denen der Geschicklichkeit ganz ‖ und gar über-
einkommen und eben sowohl analytisch sein. Denn es würde
eben sowohl hier, als dort, heißen: wer den Zweck will, will
auch (der Vernunft gemäß notwendig) die einzigen Mittel,
die dazu in seiner Gewalt sind. Allein es ist ein Unglück, daß
der Begriff der Glückseligkeit ein so unbestimmter Begriff
ist, daß, obgleich jeder Mensch zu dieser zu gelangen wünscht,
er doch niemals bestimmt und mit sich selbst einstimmig
sagen kann, was er eigentlich wünsche und wolle. Die Ursache davon ist: daß alle Elemente, die zum Begriff der
Glückseligkeit gehören, insgesamt empirisch sind, d. i. aus
der Erfahrung müssen entlehnt werden, daß gleichwohl zur
Idee der Glückseligkeit ein absolutes Ganze, ein Maximum
des Wohlbefindens, in meinem gegenwärtigen und jedem
zukünftigen Zustande erforderlich ist. Nun ist's unmöglich,
daß das einsehendste und zugleich allervermögendste, aber
doch endliche Wesen sich einen bestimmten Begriff von dem
mache, was er hier eigentlich wolle. Will er Reichtum, wie
viel Sorge, Neid und Nachstellung könnte er sich dadurch
nicht auf den Hals ziehen. Will er viel Erkenntnis und Einsicht, vielleicht könnte das ein nur um desto schärferes
Auge werden, um die Übel, die sich für ihn jetzt noch ver-
bergen und doch nicht vermieden werden können, ihm nur

um desto schrecklicher zu zeigen, oder seinen Begierden, die ihm schon genug zu schaffen machen, noch mehr Bedürfnisse aufzubürden. Will er ein langes Leben, wer steht ihm da||für, daß es nicht ein langes Elend sein würde? Will er wenigstens Gesundheit, wie oft hat noch Ungemächlichkeit des Körpers von Ausschweifung abgehalten, darein *unbeschränkte*[1] Gesundheit würde haben fallen lassen, u.s.w. Kurz, er ist nicht vermögend, nach irgend einem Grundsatze, mit völliger Gewißheit zu bestimmen, was ihn wahrhaftig glücklich machen werde, darum, weil hiezu Allwissenheit erforderlich sein würde. Man kann also nicht nach bestimmten Prinzipien handeln, um glücklich zu sein, sondern nur nach empirischen Ratschlägen, z. B. der Diät, der Sparsamkeit, der Höflichkeit, der Zurückhaltung u.s.w., von welchen die Erfahrung lehrt, daß sie das Wohlbefinden im Durchschnitt am meisten befördern. Hieraus folgt, daß die Imperativen der Klugheit, genau zu reden, gar nicht gebieten, d. i. Handlungen objektiv als praktisch-notwendig darstellen können, daß sie eher für Anratungen (consilia) als Gebote (praecepta) der Vernunft zu halten sind, daß die Aufgabe: sicher und allgemein zu bestimmen, welche Handlung die Glückseligkeit eines vernünftigen Wesens befördern werde, völlig unauflöslich, mithin kein Imperativ in Ansehung derselben möglich sei, der im strengen Verstande geböte, das zu tun, was glücklich macht, weil Glückseligkeit nicht ein Ideal der Vernunft, sondern der Einbildungskraft ist, was bloß auf empirischen Gründen beruht, von denen man vergeblich erwartet, daß sie eine Handlung bestimmen sollten, dadurch die Totalität einer || in der Tat unendlichen Reihe von Folgen erreicht würde. Dieser Imperativ der Klugheit würde indèssen, wenn man annimmt, die Mittel zur Glückseligkeit ließen sich sicher angeben, ein analytisch-praktischer Satz sein; denn er ist von dem Imperativ der Geschicklichkeit nur darin unterschieden, daß bei diesem der Zweck bloß möglich, bei jenem aber gegeben ist; da beide aber bloß die Mittel zu demjenigen gebieten, von dem man voraussetzt, daß man es als Zweck wollte: so ist der

[1] A: *»ungeschränkte«*.

Imperativ, der das Wollen der Mittel für den, der den Zweck will, gebietet, in beiden Fällen analytisch. Es ist also in Ansehung der Möglichkeit eines solchen Imperativs auch keine Schwierigkeit.

Dagegen, wie der Imperativ der Sittlichkeit möglich sei, ist ohne Zweifel die einzige einer Auflösung bedürftige Frage, da er gar nicht hypothetisch ist und also die objektiv-vorgestellte Notwendigkeit sich auf keine Voraussetzung stützen kann, wie bei den hypothetischen Imperativen. Nur ist immer hiebei nicht aus der Acht zu lassen, daß es durch kein Beispiel, mithin empirisch auszumachen sei, ob es überall irgend einen dergleichen Imperativ gebe, sondern zu besorgen, daß alle, die kategorisch scheinen, doch versteckter Weise hypothetisch sein mögen. Z. B. wenn es heißt: du sollst nichts betrüglich versprechen; und man nimmt an, daß die Notwendigkeit dieser Unterlassung nicht etwa bloße Ratgebung zu Ver‖meidung irgend eines andern Übels sei, so daß es etwa hieße: du sollst nicht lügenhaft versprechen, damit du nicht, wenn es offenbar wird, dich um den Kredit bringest; sondern eine[1] Handlung dieser Art müsse für sich selbst als böse betrachtet werden, der Imperativ des Verbots sei also kategorisch: so kann man doch in keinem Beispiel mit Gewißheit dartun, daß der Wille hier ohne andere Triebfeder, bloß durchs Gesetz, bestimmt werde, *ob es*[2] gleich so scheint; denn es ist immer möglich, daß ingeheim Furcht für Beschämung, vielleicht auch dunkle Besorgnis anderer Gefahren, Einfluß auf den Willen haben möge. Wer[3] kann das Nichtsein einer Ursache durch Erfahrung beweisen, da diese nichts weiter lehrt, als daß wir jene nicht wahrnehmen? Auf solchen Fall aber würde der sogenannte moralische Imperativ, der als ein solcher kategorisch und unbedingt erscheint, in der Tat nur eine pragmatische Vorschrift sein, die uns auf unsern Vorteil aufmerksam macht, und uns bloß lehrt, diesen in Acht zu nehmen.

Wir werden also die Möglichkeit eines kategorischen Imperativs gänzlich a priori zu untersuchen haben, da uns

---

[1] A: »sondern *wenn man behauptet*, eine«. – [2] A: »*wenn's*«. – [3] A: »*Denn* wer«.

hier der Vorteil nicht zu statten kommt, daß die Wirklichkeit desselben in der Erfahrung gegeben, und also die Möglichkeit nicht zur Festsetzung, sondern bloß zur Erklärung
nötig wäre. So viel ist *indessen*[1] vorläufig einzusehen: daß
der kategorische Imperativ allein als ein || praktisches Ge-
setz laute, die übrigen insgesamt zwar Prinzipien des
Willens, aber nicht Gesetze heißen können; weil, was bloß
zur Erreichung einer beliebigen Absicht zu tun notwendig
ist, an sich als zufällig betrachtet werden kann, und wir von
der Vorschrift jederzeit los sein können, wenn wir die Absicht aufgeben, dahingegen das unbedingte Gebot dem Willen kein Belieben in Ansehung des Gegenteils frei läßt, mithin allein diejenige Notwendigkeit bei sich führt, welche wir
zum Gesetze verlangen.

Zweitens ist bei diesem kategorischen Imperativ oder Gesetze der Sittlichkeit der Grund der Schwierigkeit (die Möglichkeit desselben einzusehen) auch sehr groß. Er ist ein syn-
thetisch-praktischer Satz* a priori, und da die Möglichkeit
der Sätze dieser Art einzusehen so viel Schwierigkeit im
theoretischen Erkenntnisse hat, so läßt sich leicht abnehmen, daß sie im praktischen nicht weniger haben werde.

|| Bei dieser Aufgabe wollen wir zuerst versuchen, ob
nicht vielleicht der bloße Begriff eines kategorischen Imperativs auch die Formel desselben an die Hand gebe, die
den Satz enthält, der allein ein kategorischer Imperativ sein
kann; denn wie ein solches absolutes Gebot möglich sei,
wenn wir auch gleich wissen, wie es lautet, wird noch besondere und schwere Bemühung erfodern, die wir aber zum
letzten Abschnitte aussetzen.

* Ich verknüpfe mit dem Willen, ohne vorausgesetzte Bedingung
aus irgend einer Neigung, die Tat, a priori, mithin notwendig (obgleich
nur objektiv, d. i. unter der Idee einer Vernunft, die über alle subjektive
Bewegursachen völlige Gewalt hätte). Dieses ist also ein praktischer
Satz, der das Wollen einer Handlung nicht aus einem anderen schon
vorausgesetzten analytisch ableitet (denn wir haben keinen so vollkommenen Willen), sondern mit dem Begriffe des Willens *als*[2] eines
vernünftigen Wesens unmittelbar, als etwas, das in ihm nicht enthalten
ist, verknüpft.

[1] A: »*aber*«. – [2] Zusatz von B.

Wenn ich mir einen hypothetischen Imperativ überhaupt denke, so weiß ich nicht zum voraus, was er enthalten werde: bis mir die Bedingung gegeben ist. Denke ich mir aber einen kategorischen Imperativ, so weiß ich sofort, was er enthalte. Denn da der Imperativ außer dem Gesetze nur die Notwendigkeit der Maxime* enthält, diesem Gesetze gemäß zu sein, das Gesetz aber keine Bedingung enthält, auf die es eingeschränkt war, so bleibt nichts, als die Allgemeinheit eines Gesetzes überhaupt übrig, welchem die Maxime der Handlung gemäß | sein soll, und welche Gemäßheit allein den Imperativ eigentlich als notwendig vorstellt.

Der kategorische Imperativ ist also nur ein einziger, und zwar dieser: handle nur nach derjenigen Maxime, durch die[1] du zugleich wollen kannst, daß sie ein allgemeines Gesetz werde.

Wenn nun aus diesem einigen Imperativ alle Imperativen der Pflicht, als aus ihrem Prinzip, abgeleitet werden können, so werden wir, ob wir es gleich unausgemacht lassen, ob nicht überhaupt das, was man Pflicht nennt, ein leerer Begriff sei, doch wenigstens anzeigen können, was wir dadurch denken und was dieser Begriff sagen wolle.

Weil die Allgemeinheit des Gesetzes, wornach Wirkungen geschehen, dasjenige ausmacht, was eigentlich Natur im allgemeinsten Verstande (der Form nach), d. i. das Dasein der Dinge, heißt, so fern es nach allgemeinen Gesetzen bestimmt ist, so könnte der allgemeine Imperativ der Pflicht auch so lauten: handle so, als ob die Maxime deiner Handlung durch deinen Willen zum allgemeinen Naturgesetze werden sollte.

* Maxime ist das subjektive Prinzip zu handeln, und muß vom objektiven Prinzip, nämlich dem praktischen Gesetze, unterschieden werden. Jene enthält die praktische Regel, die die Vernunft den Bedingungen des Subjekts gemäß (öfters der Unwissenheit oder auch den Neigungen desselben) bestimmt, und ist also der Grundsatz, nach welchem das Subjekt handelt; das Gesetz aber ist das objektive Prinzip, gültig für jedes vernünftige Wesen, und der Grundsatz, nach dem es handeln soll, d. i. ein Imperativ.

[1] Akad.-Ausg. erwägt: »von der«.

Nun wollen wir einige Pflichten herzählen, nach der gewöhnlichen Einteilung derselben, in Pflichten ge||gen uns selbst und gegen andere Menschen, in vollkommene und unvollkommene Pflichten.*

1) Einer, der durch eine Reihe von Übeln, die bis zur Hoffnungslosigkeit angewachsen ist, einen Überdruß am Leben empfindet, ist noch so weit im Besitze seiner Vernunft, daß er sich selbst fragen kann, ob es auch nicht etwa der Pflicht gegen sich selbst zuwider sei, sich das Leben zu nehmen. Nun versucht er: ob die Maxime seiner Handlung wohl ein allgemeines Naturgesetz werden könne. Seine Maxime aber ist: ich mache es mir aus Selbstliebe zum Prinzip, wenn¹ das Leben bei seiner längern Frist mehr Übel droht, als es Annehmlichkeit verspricht, es mir abzukürzen. Es frägt sich nur noch, ob dieses Prinzip der Selbstliebe ein allgemeines Naturgesetz werden könne. Da sieht man aber bald, daß eine Natur, deren Gesetz es wäre, durch dieselbe Empfindung, deren Bestimmung es ist, zur Beför||derung des Lebens anzutreiben, das Leben selbst zu zerstören, ihr selbst widersprechen und also nicht als Natur bestehen würde, mithin jene Maxime unmöglich als allgemeines Naturgesetz stattfinden könne, und folglich dem obersten Prinzip aller Pflicht gänzlich widerstreite.

2) Ein anderer sieht sich durch Not gedrungen, Geld zu borgen. Er weiß wohl, daß er nicht wird bezahlen können, sieht aber auch, daß ihm nichts geliehen werden wird, wenn er nicht festiglich verspricht, es zu einer bestimmten Zeit zu bezahlen. Er hat Lust, ein solches Versprechen zu tun; noch aber hat er so viel Gewissen, sich zu fragen: ist es nicht un-

---

* Man muß hier wohl merken, daß ich die Einteilung der Pflichten für eine künftige Metaphysik der Sitten mir gänzlich vorbehalte, diese hier also nur als beliebig (um meine Beispiele zu ordnen) dastehe. Übrigens verstehe ich hier unter einer vollkommenen Pflicht diejenige, die keine Ausnahme zum Vorteil der Neigung verstattet, und da habe ich nicht bloß äußere, sondern auch innere vollkommene Pflichten, welches dem in Schulen angenommenen Wortgebrauch zuwider läuft, ich aber hier nicht zu verantworten gemeinet bin, weil es zu meiner Absicht einerlei ist, ob man es mir einräumt, oder nicht.

¹ A: »*daß* wenn«.

erlaubt und pflichtwidrig, sich auf solche Art aus Not zu helfen? Gesetzt, er beschlösse es doch, so würde seine Maxime der Handlung so lauten: wenn ich mich in Geldnot zu sein glaube, so will ich Geld borgen, und versprechen, es zu bezahlen, ob ich gleich weiß, es werde niemals geschehen. Nun ist dieses Prinzip der Selbstliebe, oder der eigenen Zuträglichkeit, mit meinem ganzen künftigen Wohlbefinden vielleicht wohl zu vereinigen, allein jetzt ist die Frage: ob es recht sei? Ich verwandle also die Zumutung der Selbstliebe in ein allgemeines Gesetz, und richte die Frage so ein: wie es dann stehen würde, wenn meine Maxime ein allgemeines Gesetz würde. Da sehe ich nun sogleich, daß sie niemals als allgemeines Naturgesetz gelten und mit sich selbst zusammenstimmen könne, sondern ‖ sich notwendig widersprechen müsse. Denn die Allgemeinheit eines Gesetzes, daß jeder, nachdem er in Not zu sein glaubt, versprechen könne, was ihm einfällt, mit dem Vorsatz, es nicht zu halten, würde das Versprechen und den Zweck, den man damit haben mag, selbst unmöglich machen, indem niemand glauben würde, daß ihm was versprochen sei, sondern über alle solche Äußerung, als eitles Vorgeben, lachen würde.

3) Ein dritter findet in sich ein Talent, welches vermittelst einiger Kultur ihn zu einem in allerlei Absicht brauchbaren Menschen machen könnte. Er sieht sich aber in bequemen Umständen, und zieht vor, *lieber* dem Vergnügen [1] nachzuhängen, als sich mit Erweiterung und Verbesserung seiner glücklichen Naturanlagen zu bemühen. Noch frägt er aber: ob, außer der Übereinstimmung, die seine Maxime der Verwahrlosung seiner Naturgaben mit seinem Hange zur Ergötzlichkeit an sich hat, sie auch mit dem, was man Pflicht nennt, übereinstimme. Da sieht er nun, daß zwar eine Natur nach einem solchen allgemeinen Gesetze immer noch bestehen könne, obgleich der Mensch (so wie die Südsee-Einwohner) sein Talent rosten ließe, und sein Leben bloß auf Müßiggang, Ergötzlichkeit, Fortpflanzung, mit einem Wort, auf Genuß zu verwenden bedacht wäre; allein er kann unmöglich **wollen**, daß dieses ein allgemeines Naturgesetz

[1] A: »zieht *es* vor, dem Vergnügen«.

werde, oder als ein solches in uns durch Naturinstinkt gelegt ‖ sei. Denn als ein vernünftiges Wesen will er notwendig,
daß alle Vermögen *in*[1] ihm entwickelt werden, weil sie ihm
doch zu allerlei möglichen Absichten dienlich *und gegeben*[1]
sind.

Noch denkt ein vierter, dem es wohl geht, indessen er
sieht, daß andere mit großen Mühseligkeiten zu kämpfen
haben (denen er auch wohl helfen könnte): was geht's mich
an? mag doch ein jeder so glücklich sein, als es der Himmel
will, oder er sich selbst machen kann, ich werde ihm nichts
entziehen, ja nicht einmal beneiden; nur zu seinem Wohlbefinden, oder seinem Beistande in der Not, habe ich nicht
Lust, etwas beizutragen! Nun könnte allerdings, wenn eine
solche Denkungsart ein allgemeines Naturgesetz würde, das
menschliche Geschlecht gar wohl bestehen, und ohne Zweifel noch besser, als wenn jedermann von Teilnehmung und
Wohlwollen schwatzt, auch sich beeifert, gelegentlich dergleichen auszuüben, dagegen aber auch, wo *er*[2] nur kann,
betrügt, das Recht der Menschen verkauft, oder ihm sonst
Abbruch tut. Aber, obgleich es möglich ist, daß nach jener
Maxime ein allgemeines Naturgesetz wohl bestehen könnte:
so ist es doch unmöglich, zu wollen, daß ein solches Prinzip
als Naturgesetz allenthalben gelte. Denn ein Wille, der dieses beschlösse, würde sich selbst widerstreiten, indem der
Fälle sich doch manche eräugnen können, wo er anderer
Liebe und Teilnehmung bedarf, und wo er, durch ein solches aus seinem eigenen Willen entsprungenes Na‖turge-
setz, sich selbst alle Hoffnung des Beistandes, den er sich
wünscht, rauben würde.

Dieses sind nun einige von den vielen wirklichen oder
wenigstens von uns dafür gehaltenen Pflichten, deren Ab-
teilung aus dem einigen angeführten Prinzip klar in die
Augen fällt. Man muß wollen können, daß eine Maxime
unserer Handlung ein allgemeines Gesetz werde: dies ist der
Kanon der moralischen Beurteilung derselben überhaupt.
Einige Handlungen sind so beschaffen, daß ihre Maxime
ohne Widerspruch nicht einmal als allgemeines Naturgesetz

---

[1] Zusatz von B. – [2] A: »*man*«.

gedacht werden kann; weit gefehlt, daß man noch wollen
könne, es sollte ein solches werden. Bei andern ist zwar
jene innere Unmöglichkeit nicht anzutreffen, aber es ist
doch unmöglich, zu wollen, daß ihre Maxime zur Allgemeinheit eines Naturgesetzes erhoben werde, weil ein solcher
Wille sich selbst widersprechen würde. Man sieht leicht:
daß die erstere der strengen oder engeren (unnachlaßlichen)
Pflicht, die zweite nur der weiteren (verdienstlichen) Pflicht
widerstreite, und so alle Pflichten, was die Art der Verbindlichkeit (nicht das Objekt ihrer Handlung) betrifft, durch
diese Beispiele in ihrer Abhängigkeit von dem einigen Prinzip vollständig aufgestellt *worden* [1].

Wenn wir nun auf uns selbst bei jeder Übertretung einer
Pflicht Acht haben, so finden wir, daß wir ‖ wirklich nicht
wollen, es solle unsere Maxime ein allgemeines Gesetz werden, denn das ist uns unmöglich, sondern das Gegenteil derselben soll vielmehr allgemein ein Gesetz bleiben; nur nehmen wir uns die Freiheit, für uns, oder (auch nur für dieses-
mal) zum Vorteil unserer Neigung, davon eine Ausnahme
zu machen. Folglich, wenn wir alles aus einem und demselben Gesichtspunkte, nämlich der Vernunft, erwögen, so
würden wir einen Widerspruch in unserm eigenen Willen
antreffen, nämlich, daß ein gewisses Prinzip objektiv als allgemeines Gesetz notwendig sei und doch subjektiv nicht
allgemein gelten, sondern Ausnahmen verstatten sollte. Da
wir aber einmal unsere Handlung aus dem Gesichtspunkte
eines ganz der Vernunft gemäßen, dann aber auch eben dieselbe Handlung aus dem Gesichtspunkte eines durch Neigung affizierten Willens betrachten, so ist wirklich hier kein
Widerspruch, wohl aber ein Widerstand der Neigung gegen
die Vorschrift der Vernunft (antagonismus), wodurch die
Allgemeinheit des Prinzips (universalitas) in eine bloße Ge-
meingültigkeit (generalitas) verwandelt wird, dadurch das
praktische Vernunftprinzip mit der Maxime auf dem halben
Wege zusammenkommen soll. Ob nun dieses gleich in unserm eigenen unparteiisch angestellten Urteile nicht ge-
rechtfertigt werden kann, so beweiset es doch, daß wir die

[1] A: »*werden*«.

Gültigkeit des kategorischen Imperativs wirklich anerken-
nen, und uns (mit aller Achtung für denselben) nur einige, ||
wie es uns scheint, unerhebliche und uns abgedrungene Ausnahmen erlauben.

Wir haben so viel also wenigstens dargetan, daß, wenn
Pflicht ein Begriff ist, der Bedeutung und wirkliche Gesetzgebung für unsere Handlungen enthalten soll, diese nur in
kategorischen Imperativen, keinesweges aber in hypothetischen ausgedrückt werden könne; imgleichen haben wir,
welches schon viel ist, den Inhalt des kategorischen Imperativs, der das Prinzip aller Pflicht (wenn es überhaupt
dergleichen gäbe) enthalten müßte, deutlich und zu jedem Gebrauche bestimmt dargestellt. Noch sind wir aber
nicht so weit, a priori zu beweisen, daß dergleichen Imperativ wirklich stattfinde, daß es ein praktisches Gesetz
gebe, welches schlechterdings und ohne alle Triebfedern
für sich gebietet, und daß die Befolgung dieses Gesetzes
Pflicht sei.

Bei der Absicht, dazu zu gelangen, ist es von der äußersten Wichtigkeit, sich dieses zur Warnung dienen zu lassen,
daß man es sich ja nicht in den Sinn kommen lasse, die
Realität dieses Prinzips aus der besondern Eigenschaft
der menschlichen Natur ableiten zu wollen. Denn
Pflicht soll praktisch-unbedingte Notwendigkeit der Handlung sein; sie muß also für alle vernünftige Wesen (auf die
nur überall ein Imperativ treffen kann) gelten, und allein
darum auch für allen menschlichen Willen ein Gesetz sein.
Was dagegen aus der || besondern Naturanlage der Mensch-
heit, was aus gewissen Gefühlen und Hange, ja so gar, wo
möglich, aus einer besonderen Richtung, die der menschlichen Vernunft eigen wäre, und nicht notwendig für den
Willen eines jeden vernünftigen Wesens gelten müßte, abgeleitet wird, das kann zwar eine Maxime für uns, aber kein
Gesetz abgeben, ein subjektiv Prinzip, nach welchem wir
handeln zu dürfen Hang und Neigung haben, aber nicht ein
objektives, nach welchem wir angewiesen wären zu handeln, wenn gleich aller unser Hang, Neigung und Naturein-
richtung dawider wäre, so gar, daß es um desto mehr die

Erhabenheit und innere Würde des Gebots in einer Pflicht beweiset, je weniger die subjektiven Ursachen dafür, je mehr sie dagegen sein[1], ohne doch deswegen die Nötigung durchs Gesetz nur im mindesten zu schwächen, und seiner Gültigkeit etwas zu benehmen.

Hier sehen wir nun die Philosophie in der Tat auf einen mißlichen Standpunkt gestellet, der fest sein soll, unerachtet er weder im Himmel, noch auf der Erde, an etwas gehängt, oder woran gestützt wird. Hier soll sie ihre Lauterkeit beweisen, als Selbsthalterin ihrer Gesetze, nicht als Herold derjenigen, welche ihr ein eingepflanzter Sinn, oder wer weiß welche vormundschaftliche Natur einflüstert, die insgesamt, sie mögen immer besser sein als gar nichts, doch niemals Grundsätze abgeben können, die die Vernunft diktiert, und die durchaus völlig a priori ihren Quell, und hiemit zugleich ihr gebietendes An||sehen haben müssen: nichts von der Neigung des Menschen, sondern alles von der Obergewalt des Gesetzes und der schuldigen Achtung für dasselbe zu erwarten, oder den Menschen widrigenfalls zur Selbstverachtung und innern Abscheu zu verurteilen.

Alles also, was empirisch ist, ist, als Zutat zum Prinzip der Sittlichkeit, nicht allein dazu ganz untauglich, sondern der Lauterkeit der Sitten selbst höchst nachteilig, an welchen der eigentliche und über allen Preis erhabene Wert eines schlechterdings guten Willens eben darin besteht, daß das Prinzip der Handlung von allen Einflüssen zufälliger Gründe, die nur Erfahrung an die Hand geben kann, frei sei. Wider diese Nachlässigkeit oder gar niedrige Denkungsart, in Aufsuchung des Prinzips unter empirischen Bewegursachen und Gesetzen, kann man auch nicht zu viel und zu oft Warnungen ergehen lassen, indem die menschliche Vernunft in ihrer Ermüdung gern auf diesem Polster ausruht, und in dem Traume süßer Vorspiegelungen (die sie doch statt der Juno eine Wolke umarmen lassen) der Sittlichkeit einen aus Gliedern ganz verschiedener Abstammung zusammengeflickten Bastard unterschiebt, der allem ähnlich sieht, was man daran sehen will, nur der Tu-

[1] Akad.-Ausg.: »sind«.

gend nicht, für den, der sie einmal in ihrer wahren Gestalt erblickt hat.*

‖ Die Frage ist also diese: ist es ein notwendiges Gesetz für alle vernünftige Wesen, ihre Handlungen jederzeit nach solchen Maximen zu beurteilen, von denen sie selbst wollen können, daß sie zu allgemeinen Gesetzen dienen sollen? Wenn es ein solches ist, so muß es (völlig a priori) schon mit dem Begriffe des Willens eines vernünftigen Wesens überhaupt verbunden sein. Um aber diese Verknüpfung zu entdecken, muß man, so sehr man sich auch sträubt, einen Schritt hinaus tun, nämlich zur Metaphysik, obgleich in ein Gebiet derselben, welches von dem der spekulativen Philosophie unterschieden ist, nämlich in die Metaphysik der Sitten. In einer praktischen Philosophie, wo es uns nicht darum zu tun ist, Gründe anzunehmen, von dem, was geschieht, sondern Gesetze von dem, was geschehen soll, ob es gleich niemals geschieht, d. i. objektiv-praktische Gesetze: da haben wir nicht nötig, über die Gründe Untersuchung anzustellen, warum etwas gefällt oder mißfällt, wie das Vergnügen der bloßen Empfindung vom Geschmacke, und ob dieser von einem allgemeinen Wohlgefallen der Vernunft unterschieden sei; worauf Gefühl der Lust und Unlust beruhe, und wie hieraus Begierden und Neigungen, aus diesen aber, durch Mitwirkung der Vernunft, Maximen ‖ entspringen; denn das gehört alles zu einer empirischen Seelenlehre, welche den zweiten Teil der Naturlehre ausmachen würde, wenn man sie als Philosophie der Natur betrachtet, so fern sie auf empirischen Gesetzen gegründet ist. Hier aber ist vom objektiv-praktischen Gesetze die Rede, mithin von dem Verhältnisse eines Willens zu sich selbst, so fern er sich bloß durch Vernunft bestimmt, da denn alles[1], was aufs

* Die Tugend in ihrer eigentlichen Gestalt erblicken, ist nichts anders, als die Sittlichkeit, von aller Beimischung des Sinn‖lichen und allem unechten Schmuck des Lohns, oder der Selbstliebe, entkleidet, darzustellen. Wie sehr sie alsdenn alles übrige, was den Neigungen reizend erscheint, verdunkele, kann jeder vermittelst des mindesten Versuchs seiner nicht ganz für alle Abstraktion verdorbenen Vernunft leicht inne werden.

[1] A: »denn *also* alles«.

Empirische Beziehung hat, von selbst wegfällt; weil, wenn die Vernunft für sich allein das Verhalten bestimmt (wovon wir die Möglichkeit jetzt eben untersuchen wollen), sie dieses notwendig a priori tun muß.

Der Wille wird als ein Vermögen gedacht, der Vorstellung gewisser Gesetze gemäß sich selbst zum Handeln zu bestimmen. Und ein solches Vermögen kann nur in vernünftigen Wesen anzutreffen sein. Nun ist das, was dem Willen zum objektiven Grunde seiner Selbstbestimmung dient, der Zweck, und dieser, wenn er durch bloße Vernunft gegeben wird, muß für alle vernünftige Wesen gleich gelten. Was dagegen bloß den Grund der Möglichkeit der Handlung enthält, deren Wirkung Zweck ist, heißt das Mittel. Der subjektive Grund des Begehrens ist die Triebfeder, der objektive des Wollens der Bewegungsgrund; daher der Unterschied zwischen subjektiven Zwecken, die auf Triebfedern beruhen, und objektiven, die auf Bewegungsgründe ankommen, welche für || jedes vernünftige Wesen gelten. Praktische Prinzipien sind formal, wenn sie von allen subjektiven Zwecken abstrahieren; sie sind aber material, wenn sie diese, mithin gewisse Triebfedern, zum Grunde legen. Die Zwecke, die sich ein vernünftiges Wesen als Wirkungen seiner Handlung nach Belieben vorsetzt (materiale Zwecke), sind insgesamt nur relativ; denn nur bloß ihr Verhältnis auf ein besonders geartetes Begehrungsvermögen des Subjekts gibt ihnen den Wert, der daher keine allgemeine für alle vernünftige Wesen, und auch nicht für jedes Wollen gültige und notwendige Prinzipien, d. i. praktische Gesetze, an die Hand geben kann. Daher sind alle diese relative Zwecke nur der Grund von hypothetischen Imperativen.

Gesetzt aber, es gäbe etwas, dessen Dasein an sich selbst einen absoluten Wert hat, was, als Zweck an sich selbst, ein Grund bestimmter Gesetze sein könnte, so würde in ihm, und nur in ihm allein, der Grund eines möglichen kategorischen Imperativs, d. i. praktischen Gesetzes, liegen.

Nun sage ich: der Mensch, und überhaupt jedes vernünftige Wesen, existiert als Zweck an sich selbst, nicht bloß als Mittel zum beliebigen Gebrauche für diesen oder jenen

Willen, sondern muß in allen seinen, sowohl auf sich selbst, als auch auf andere vernünftige Wesen gerich||teten Handlungen jederzeit zugleich als Zweck betrachtet werden. Alle Gegenstände der Neigungen haben nur einen bedingten Wert; denn, wenn die Neigungen und darauf gegründete Bedürfnisse nicht wären, so würde ihr Gegenstand ohne Wert sein. Die Neigungen selber aber, als Quellen der Bedürfnis, haben so wenig einen absoluten Wert, um sie selbst zu wünschen, daß vielmehr, gänzlich davon frei zu sein, der allgemeine Wunsch eines jeden vernünftigen Wesens sein muß. Also ist der Wert aller durch unsere Handlung zu erwerbenden Gegenstände jederzeit bedingt. Die Wesen, deren Dasein zwar nicht auf unserm Willen, sondern der Natur beruht, haben dennoch, wenn sie vernunftlose Wesen sind, nur einen relativen Wert, als Mittel, und heißen daher Sachen, dagegen vernünftige Wesen Personen genannt werden, weil ihre Natur sie schon als Zwecke an sich selbst, d. i. als etwas, das nicht bloß als Mittel gebraucht werden darf, auszeichnet, mithin so fern alle Willkür einschränkt (und ein Gegenstand der Achtung ist). Dies sind also nicht bloß subjektive Zwecke, deren Existenz, als Wirkung unserer Handlung, für uns einen Wert hat; sondern objektive Zwecke, d. i. Dinge, deren Dasein an sich selbst Zweck ist, und zwar einen solchen[1], an dessen Statt kein anderer Zweck gesetzt werden kann, dem sie bloß als Mittel zu Diensten stehen sollten, weil ohne dieses überall gar nichts von absolutem Werte würde angetroffen werden; wenn aber al||ler Wert bedingt, mithin zufällig wäre, so könnte für die Vernunft überall kein oberstes praktisches Prinzip angetroffen werden.

Wenn es denn also ein oberstes praktisches Prinzip, und, in Ansehung des menschlichen Willens, einen kategorischen Imperativ geben soll, so muß es ein solches sein, das aus der Vorstellung dessen, was notwendig für jedermann Zweck ist, weil es Zweck an sich selbst ist, ein objektives Prinzip des Willens ausmacht, mithin zum allgemeinen praktischen Gesetz dienen kann. Der Grund dieses Prinzips ist: die

[1] Akad.-Ausg.: »ein solcher«.

vernünftige Natur existiert als Zweck an sich selbst. So stellt sich notwendig der Mensch sein eignes Dasein vor; so fern ist es also ein subjektives Prinzip menschlicher Handlungen. So stellt sich aber auch jedes andere vernünftige Wesen sein Dasein, zufolge eben desselben Vernunftgrundes, der auch für mich gilt, vor;* also ist es zugleich ein objektives Prinzip, woraus, als einem obersten praktischen Grunde, alle Gesetze des Willens müssen abgeleitet werden können. Der praktische Imperativ wird also folgender sein: Handle so, daß du die Menschheit, sowohl in deiner Person, als in der Person eines jeden andern, jederzeit zugleich als Zweck, niemals ‖ bloß als Mittel brauchest. Wir wollen sehen, ob sich dieses bewerkstelligen lasse.

Um bei den vorigen Beispielen zu bleiben, so wird Erstlich, nach dem Begriffe der notwendigen Pflicht gegen sich selbst, derjenige, der mit Selbstmorde umgeht, sich fragen, ob seine Handlung mit der Idee der Menschheit, als Zwecks an sich selbst, zusammen bestehen könne. Wenn er, um einem beschwerlichen Zustande zu entfliehen, sich selbst zerstört, so bedient er sich einer Person, bloß als eines Mittels, zu Erhaltung eines erträglichen Zustandes bis zu Ende des Lebens. Der Mensch aber ist keine Sache, mithin nicht etwas, das bloß als Mittel gebraucht werden kann, sondern muß bei allen seinen Handlungen jederzeit als Zweck an sich selbst betrachtet werden. Also kann ich über den Menschen in meiner Person *nichts*[1] disponieren, ihn zu verstümmeln, zu verderben, oder zu töten. (Die nähere Bestimmung dieses Grundsatzes zur Vermeidung alles Mißverstandes, z. B. der Amputation der Glieder, um mich zu erhalten, der Gefahr, der ich mein Leben aussetze, um mein Leben zu erhalten etc., muß ich hier vorbeigehen; sie gehört zur eigentlichen Moral.)

Zweitens, was die notwendige oder schuldige Pflicht gegen andere betrifft, so wird der, so ein lügenhaftes Ver-

* Diesen Satz stelle ich hier als Postulat auf. Im letzten Abschnitte wird man die Gründe dazu finden.

[1] A: *»nicht«.*

sprechen gegen andere zu tun im Sinne hat, so fort einsehen,
daß er sich eines andern Menschen ‖ bloß als Mittels bedienen will, ohne daß dieser zugleich den Zweck in sich enthalte. Denn der, den ich durch ein solches Versprechen zu
meinen Absichten brauchen will, kann unmöglich in meine
Art, gegen ihn zu verfahren, einstimmen und also selbst den
Zweck dieser Handlung enthalten. Deutlicher fällt dieser
Widerstreit gegen das Prinzip anderer Menschen in die
Augen, wenn man Beispiele von Angriffen auf Freiheit und
Eigentum anderer herbeizieht. Denn da leuchtet klar ein,
daß der Übertreter der Rechte der Menschen, sich der Person anderer bloß als Mittel zu bedienen, gesonnen sei, ohne
in Betracht zu ziehen, daß sie, als vernünftige Wesen, jederzeit zugleich als Zwecke, d. i. nur als solche, die von eben
derselben Handlung auch in sich den Zweck müssen enthalten können, geschätzt werden sollen.*

Drittens, in Ansehung der zufälligen (verdienstlichen)
Pflicht gegen sich selbst ist's nicht genug, daß die ‖ Handlung nicht der Menschheit in unserer Person, als Zweck an
sich selbst, widerstreite, sie muß auch dazu zusammenstimmen. Nun sind in der Menschheit Anlagen zu größerer
Vollkommenheit, die zum Zwecke der Natur in Ansehung
der Menschheit in unserem Subjekt gehören; diese zu ver-
nachlässigen, würde allenfalls wohl mit der Erhaltung der
Menschheit, als Zwecks an sich selbst, aber nicht der Beförderung dieses Zwecks bestehen können.

Viertens, in Betreff der verdienstlichen Pflicht gegen
andere, ist der Naturzweck, den alle Menschen haben, ihre

---

* Man denke ja nicht, daß hier das triviale: quod tibi non vis fieri
etc.[1] zur Richtschnur oder Prinzip dienen könne. Denn es ist, obzwar
mit verschiedenen Einschränkungen, nur aus jenem abgeleitet; es kann
kein allgemeines Gesetz sein, denn es enthält nicht den Grund der
Pflichten gegen sich selbst, nicht der Liebespflichten gegen andere (denn
mancher würde es gerne eingehen, daß andere ihm nicht wohltun sollen,
wenn er es nur überhoben sein dürfte, ihnen Wohltat zu erzeigen), endlich nicht der schuldigen Pflichten gegen einander; denn der Verbrecher
würde aus diesem Grunde gegen seine strafenden Richter argumentie-
ren, u.s.w.

[1] Übersetzung des Herausgebers: »Was du nicht willst, daß man dir
tu, usw.«

eigene Glückseligkeit. Nun würde zwar die Menschheit bestehen können, wenn niemand zu des andern Glückseligkeit was beitrüge, *dabei*[1] aber ihr nichts vorsätzlich entzöge; allein es ist dieses doch nur eine negative und nicht positive Übereinstimmung zur Menschheit, als Zweck an sich selbst, wenn jedermann auch nicht die Zwecke anderer, so viel an ihm ist, zu befördern trachtete. Denn das Subjekt, welches Zweck an sich selbst ist, dessen Zwecke müssen, wenn jene Vorstellung bei mir alle Wirkung tun soll, auch, so viel möglich, meine Zwecke sein.

Dieses Prinzip der Menschheit und jeder vernünftigen Natur überhaupt, als Zwecks an sich selbst (welche die oberste einschränkende Bedingung der Frei‖heit der Handlungen eines jeden Menschen ist), ist nicht aus der Erfahrung entlehnt, erstlich, wegen seiner Allgemeinheit, da es auf alle vernünftige Wesen überhaupt geht, worüber etwas zu bestimmen keine Erfahrung zureicht; zweitens, weil darin die Menschheit nicht als Zweck *der*[2] Menschen (subjektiv), d. i. als Gegenstand, den man sich von selbst wirklich zum Zwecke macht, sondern als objektiver Zweck, der, wir mögen Zwecke haben, welche wir wollen, als Gesetz die oberste einschränkende Bedingung aller subjektiven Zwecke ausmachen soll, vorgestellt wird, mithin aus[3] reiner Vernunft entspringen muß. Es liegt nämlich der Grund aller praktischen Gesetzgebung objektiv in der Regel und der Form der Allgemeinheit, die sie ein Gesetz (allenfalls Naturgesetz) zu sein fähig macht (nach dem ersten Prinzip), subjektiv aber im Zwecke; das Subjekt aller Zwecke aber ist jedes vernünftige Wesen, als Zweck an sich selbst (nach dem zweiten Prinzip): hieraus folgt nun das dritte praktische Prinzip des Willens, als oberste Bedingung der Zusammenstimmung desselben mit der allgemeinen praktischen Vernunft, die Idee des Willens jedes vernünftigen Wesens als eines allgemein gesetzgebenden Willens.

Alle Maximen werden nach diesem Prinzip verworfen, die mit der eigenen allgemeinen Gesetzgebung des Willens nicht

---

[1] A: »doch«. - [2] A: »des«. - [3] Akad.-Ausg.: »es aus«.

zusammen bestehen können. Der Wille wird also nicht[1] lediglich dem Gesetze unterwor||fen, sondern so unterworfen, daß er auch als selbstgesetzgebend, und eben um deswillen allererst dem Gesetze (davon er selbst sich als Urheber betrachten kann) unterworfen, angesehen werden muß.

Die Imperativen nach der vorigen Vorstellungsart, nämlich der allgemein einer Naturordnung ähnlichen Gesetzmäßigkeit der Handlungen, oder des allgemeinen Zwecksvorzuges vernünftiger Wesen an sich selbst, schlossen zwar von ihrem gebietenden Ansehen alle Beimischung irgend eines Interesse, als Triebfeder, aus, eben dadurch, daß sie als kategorisch vorgestellt wurden; sie wurden aber nur als kategorisch angenommen, weil man dergleichen annehmen mußte, wenn man den Begriff von Pflicht erklären wollte. Daß es aber praktische Sätze gäbe, die kategorisch geböten, könnte für sich nicht bewiesen werden, so wenig, wie es überhaupt in diesem Abschnitte auch hier noch *nicht*[2] geschehen kann; allein eines hätte doch geschehen können, nämlich: daß die Lossagung von allem Interesse beim Wollen aus Pflicht, als das spezifische Unterscheidungszeichen des kategorischen vom hypothetischen Imperativ, in dem Imperativ selbst, durch irgend eine Bestimmung, die er enthielte, mit angedeutet würde, und dieses geschieht in gegenwärtiger dritten Formel des Prinzips, nämlich der Idee des Willens eines jeden vernünftigen Wesens, als allgemein-gesetzgebenden Willens.

|| Denn wenn wir einen solchen denken, so kann, obgleich ein Wille, der unter Gesetzen steht, noch vermittelst eines Interesse an dieses Gesetz gebunden sein mag, dennoch ein Wille, der selbst zu oberst gesetzgebend ist, unmöglich so fern von irgend einem Interesse abhängen; denn ein solcher abhängender Wille würde selbst noch eines andern Gesetzes bedürfen, welches das Interesse seiner Selbstliebe auf die Bedingung einer Gültigkeit zum allgemeinen Gesetz einschränkte.

Also würde das Prinzip eines jeden menschlichen Willens, als eines durch alle seine Maximen allgemein

---

[1] A: »nicht *als*«. – [2] Zusatz von B.

gesetzgebenden Willens,* wenn es sonst mit ihm nur seine Richtigkeit hätte, sich zum kategorischen Imperativ darin gar wohl schicken, daß es, eben um der Idee der allgemeinen Gesetzgebung willen, sich auf kein Interesse gründet und also unter *allen*[1] möglichen Imperativen allein unbedingt sein kann; oder noch besser, indem wir den Satz umkehren: wenn es einen kategorischen Imperativ gibt (d. i. ein Gesetz für jeden Willen eines vernünftigen Wesens), so kann er nur gebieten, alles aus der Maxime seines Willens, als eines solchen, zu tun, der zugleich sich selbst als allgemein gesetzgebend ‖ zum Gegenstande haben könnte; denn alsdenn nur ist das praktische Prinzip und der Imperativ, dem er gehorcht, unbedingt, weil er gar kein Interesse zum Grunde haben kann.

Es ist nun kein Wunder, wenn wir auf alle bisherige Bemühungen, die jemals unternommen worden, um das Prinzip der Sittlichkeit ausfündig zu machen, zurücksehen, warum sie insgesamt haben fehlschlagen müssen. Man sahe den Menschen durch seine Pflicht an Gesetze gebunden, man ließ es sich aber nicht einfallen, daß er nur seiner eigenen und dennoch allgemeinen Gesetzgebung unterworfen sei, und daß er nur verbunden sei, seinem[2] eigenen, dem Naturzwecke nach aber allgemein gesetzgebenden, Willen gemäß zu handeln. Denn, wenn man sich ihn nur als einem Gesetz (welches es auch sei) unterworfen dachte: so mußte dieses irgend ein Interesse als Reiz oder Zwang bei sich führen, weil es nicht als Gesetz aus seinem Willen entsprang, sondern dieser gesetzmäßig von etwas anderm genötigt wurde, auf gewisse Weise zu handeln. Durch diese ganz notwendige Folgerung aber war alle Arbeit, einen obersten Grund der Pflicht zu finden, unwiederbringlich verloren. Denn man bekam niemals Pflicht, sondern Notwendigkeit der Handlung aus einem gewissen Interesse heraus.

* Ich kann hier, Beispiele zur Erläuterung dieses Prinzips anzuführen, überhoben sein, denn die, so zuerst den kategorischen Imperativ und seine Formel erläuterten, können hier alle zu eben dem Zwecke dienen.

[1] Zusatz von B. - [2] A: »*nach* seinem«.

Dieses mochte nun ein eigenes oder fremdes Interesse sein. Aber alsdann mußte der Imperativ jederzeit bedingt || ausfallen, und konnte zum moralischen Gebote gar nicht taugen. Ich will also *diesen Grundsatz das* Prinzip[1] der Autonomie des Willens, im Gegensatz mit jedem andern, das ich deshalb zur Heteronomie zähle, nennen.

Der Begriff eines jeden vernünftigen Wesens, das sich durch alle Maximen seines Willens als allgemein gesetzgebend betrachten muß, um aus diesem Gesichtspunkte sich selbst und seine Handlungen zu beurteilen, führt auf einen ihm anhängenden sehr fruchtbaren Begriff, nämlich den eines Reichs der Zwecke.

Ich verstehe aber unter einem Reiche die systematische Verbindung verschiedener vernünftiger Wesen durch gemeinschaftliche Gesetze. Weil nun Gesetze die Zwecke ihrer allgemeinen Gültigkeit nach bestimmen, so wird, wenn man von dem persönlichen Unterschiede vernünftiger Wesen, imgleichen allem Inhalte ihrer Privatzwecke abstrahiert, ein Ganzes aller Zwecke (sowohl der vernünftigen Wesen als Zwecke an sich, als auch der eigenen Zwecke, die ein jedes sich selbst setzen mag), in systematischer Verknüpfung, d. i. ein Reich der Zwecke gedacht werden können, welches nach obigen Prinzipien möglich ist.

Denn vernünftige Wesen stehen alle unter dem Gesetz, daß jedes derselben sich selbst und alle andere nie||mals bloß als Mittel, sondern jederzeit zugleich als Zweck an sich selbst behandeln *solle*[2]. Hiedurch aber entspringt eine systematische Verbindung vernünftiger Wesen durch gemeinschaftliche objektive Gesetze, d. i. ein Reich, welches, weil diese Gesetze eben die Beziehung *dieser Wesen*[3] auf einander, als Zwecke und Mittel, zur Absicht haben, ein Reich der Zwecke (freilich nur ein Ideal) heißen kann.

Es gehört aber ein vernünftiges Wesen als Glied zum Reiche der Zwecke, wenn es darin zwar allgemein gesetzgebend, aber auch diesen Gesetzen selbst unterworfen ist. Es gehört dazu als Oberhaupt, wenn es als gesetzgebend keinem Willen eines andern unterworfen ist.

[1] A: »also *dieses* Prinzip«. – [2] A: »*dürfe*«. – [3] A: »Beziehung *derselben*«.

Das vernünftige Wesen muß sich jederzeit als gesetzgebend in einem durch Freiheit des Willens möglichen Reiche der Zwecke betrachten, es mag nun sein als Glied, oder als Oberhaupt. Den Platz des letztern kann es aber nicht bloß durch die Maxime seines Willens, sondern nur alsdann, wenn es ein völlig unabhängiges Wesen, ohne Bedürfnis und Einschränkung seines dem Willen adäquaten Vermögens ist, behaupten.

Moralität besteht also in der Beziehung aller Handlung auf die Gesetzgebung, dadurch allein ein Reich der Zwecke möglich ist. Diese Gesetzgebung muß aber in je‖dem vernünftigen Wesen selbst angetroffen werden, und aus seinem Willen entspringen können, dessen Prinzip also ist: keine Handlung nach einer andern Maxime zu tun, als so, daß es auch mit ihr bestehen könne, daß sie ein allgemeines Gesetz sei, und also nur so, daß der Wille durch seine Maxime sich selbst zugleich als allgemein gesetzgebend betrachten könne. Sind nun die Maximen mit diesem objektiven Prinzip der vernünftigen Wesen, als allgemein gesetzgebend, nicht durch ihre Natur schon notwendig einstimmig, so heißt die Notwendigkeit der Handlung nach jenem Prinzip praktische Nötigung, d. i. Pflicht. Pflicht kommt nicht dem Oberhaupte im Reiche der Zwecke, wohl aber jedem Gliede, und zwar allen in gleichem Maße, zu.

Die praktische Notwendigkeit, nach diesem Prinzip zu handeln, d. i. die Pflicht, beruht gar nicht auf Gefühlen, Antrieben und Neigungen, sondern bloß auf dem Verhältnisse vernünftiger Wesen zu einander, in welchem der Wille eines vernünftigen Wesens jederzeit zugleich als gesetzgebend betrachtet werden muß, weil es sie sonst nicht als Zweck an sich selbst denken könnte. Die Vernunft bezieht also jede Maxime des Willens als allgemein gesetzgebend auf jeden anderen Willen, und auch auf jede Handlung gegen sich selbst, und dies zwar nicht um irgend eines andern praktischen Bewegungsgrundes oder künftigen Vorteils willen, sondern aus der Idee der ‖ Würde eines vernünftigen Wesens, das keinem Gesetze gehorcht, als dem, das es zugleich selbst gibt.

Im Reiche der Zwecke hat alles entweder einen Preis,
oder eine Würde. Was einen Preis hat, an dessen Stelle
kann auch etwas anderes, als Äquivalent, gesetzt werden;
was dagegen über allen Preis erhaben ist, mithin kein Äquivalent verstattet, das hat eine Würde.

Was sich auf die allgemeinen menschlichen Neigungen
und Bedürfnisse bezieht, hat einen Marktpreis; das, was,
auch ohne ein Bedürfnis vorauszusetzen, einem gewissen
Geschmacke, d. i. einem Wohlgefallen am bloßen zweck-
losen Spiel unserer Gemütskräfte, gemäß ist, einen Affektionspreis; das aber, was die Bedingung ausmacht, unter
der allein etwas Zweck an sich selbst sein kann, hat nicht
bloß einen relativen Wert, d. i. einen Preis, sondern einen
innern Wert, d. i. Würde.

Nun ist Moralität die Bedingung, unter der allein ein
vernünftiges Wesen Zweck an sich selbst sein kann; weil nur
durch sie es möglich ist, ein gesetzgebend Glied im Reiche
der Zwecke zu sein. Also ist Sittlichkeit und die Menschheit, so fern sie derselben fähig ist, dasjenige, was allein
Würde hat. Geschicklichkeit und Fleiß im Arbeiten haben
einen Marktpreis; Witz, lebⅠⅠhafte Einbildungskraft und
Launen einen Affektionspreis; dagegen Treue im Versprechen, Wohlwollen aus Grundsätzen (nicht aus Instinkt) haben einen innern Wert. Die Natur sowohl als Kunst enthalten nichts, was sie, in Ermangelung derselben, an ihre Stelle
setzen könnten; denn ihr Wert besteht nicht in den Wirkungen, die daraus entspringen, im Vorteil und Nutzen, den
sie schaffen, sondern in den Gesinnungen, d. i. den Maximen
des Willens, die sich auf diese Art in Handlungen zu offenbaren bereit sind, obgleich auch der Erfolg sie nicht begün-
stigte. Diese Handlungen bedürfen auch keiner Empfehlung
von irgend einer subjektiven Disposition oder Geschmack,
sie mit unmittelbarer Gunst und Wohlgefallen anzusehen,
keines unmittelbaren Hanges oder Gefühles für dieselbe:
sie stellen den Willen, der sie ausübt, als Gegenstand einer
unmittelbaren Achtung dar, dazu nichts als Vernunft gefodert wird, um sie dem Willen aufzuerlegen[1], nicht von

[1] A: »zu auferlegen«.

ihm zu erschmeicheln, welches letztere bei Pflichten ohnedem ein Widerspruch wäre. Diese Schätzung gibt also den Wert einer solchen Denkungsart als Würde zu erkennen, und setzt sie über allen Preis unendlich weg, mit dem sie gar nicht in Anschlag und Vergleichung gebracht werden kann, ohne sich gleichsam an der Heiligkeit derselben zu vergreifen.

Und was ist es denn nun, was die sittlich gute Gesinnung oder die Tugend berechtigt, so hohe Ansprü‖che zu machen? Es ist nichts Geringeres als der Anteil, den sie dem vernünftigen Wesen an der allgemeinen Gesetzgebung verschafft, und es hiedurch zum Gliede in einem möglichen Reiche der Zwecke tauglich macht, wozu es durch seine eigene Natur schon bestimmt war, als Zweck an sich selbst und eben darum als gesetzgebend im Reiche der Zwecke, in Ansehung aller Naturgesetze als frei, nur denjenigen allein gehorchend, die es selbst gibt und nach welchen seine Maximen zu einer allgemeinen Gesetzgebung (der er[1] sich zugleich selbst unterwirft) gehören können. Denn es hat nichts einen Wert, als *den, welchen* ihm[2] das Gesetz bestimmt. Die Gesetzgebung selbst aber, die allen Wert bestimmt, muß eben darum eine Würde, d. i. unbedingten, unvergleichbaren Wert haben, für welchen das Wort Achtung allein den geziemenden Ausdruck der Schätzung abgibt, die ein vernünftiges Wesen über sie anzustellen hat. Autonomie ist also der Grund der Würde der menschlichen und jeder vernünftigen Natur.

Die angeführten drei Arten, das Prinzip der Sittlichkeit vorzustellen, sind aber im Grunde nur so viele Formeln eben desselben Gesetzes, deren die eine die anderen zwei von selbst in sich vereinigt. Indessen ist doch eine Verschiedenheit in ihnen, die zwar eher subjektiv als objektiv-praktisch ist, nämlich, um eine Idee der Vernunft der Anschauung (nach einer gewissen Analogie) ‖ und dadurch dem Gefühle näher zu bringen. Alle Maximen haben nämlich

1) eine Form, welche in der Allgemeinheit besteht, und da ist die Formel des sittlichen Imperativs so ausgedrückt:

[1] Akad.-Ausg.: »es«. – [2] A: »als *der* ihm«.

daß die Maximen so müssen gewählt werden, als ob sie wie allgemeine Naturgesetze gelten sollten;

2) eine Maxime[1], nämlich einen Zweck, und da sagt die Formel: daß das vernünftige Wesen, als Zweck seiner Natur nach, mithin als Zweck an sich selbst, jeder Maxime zur einschränkenden Bedingung aller bloß relativen und willkürlichen Zwecke dienen müsse;

3) eine vollständige Bestimmung aller Maximen durch jene Formel, nämlich: daß alle Maximen *aus*[2] eigener Gesetzgebung zu einem möglichen Reiche der Zwecke, als einem Reiche der Natur*, zusammenstimmen sollen. Der Fortgang geschieht hier, wie durch die Kategorien der Einheit der Form des Willens (der Allgemeinheit desselben), der Vielheit der Materie (der Objekte, d. i. der Zwecke), und der Allheit oder Totalität des Systems derselben. Man tut aber besser, wenn man in der sittlichen Beurteilung immer nach || der strengen Methode verfährt, und die allgemeine Formel des kategorischen Imperativs zum Grunde legt: handle nach der Maxime, die sich selbst zugleich zum allgemeinen Gesetze machen kann. Will man aber dem sittlichen Gesetze zugleich Eingang verschaffen: so ist sehr nützlich, ein und eben dieselbe Handlung durch benannte drei Begriffe zu führen, und sie dadurch, so viel sich tun läßt, der Anschauung zu nähern.

Wir können nunmehr da endigen, von wo wir im Anfange ausgingen, nämlich dem Begriffe eines unbedingt guten Willens. Der Wille ist schlechterdings gut, der nicht böse sein, mithin dessen Maxime, wenn sie zu einem allgemeinen Gesetze gemacht wird, sich selbst niemals widerstreiten kann. Dieses Prinzip ist also auch sein oberstes Gesetz: handle jederzeit nach derjenigen Maxime, deren Allgemeinheit als Gesetzes du zugleich wollen kannst; dieses ist

* Die Teleologie erwägt die Natur als ein Reich der Zwecke, die Moral ein mögliches Reich der Zwecke als ein Reich der Natur. Dort ist das Reich der Zwecke eine theoretische Idee, zu Erklärung dessen, was da ist. Hier ist es eine praktische Idee, um das, was nicht da ist, aber durch unser Tun und Lassen wirklich werden kann, und zwar eben dieser Idee gemäß, zu Stande zu bringen.

[1] Akad.-Ausg.: »Materie«. – [2] A: »*als*«.

die einzige Bedingung, unter der ein Wille niemals mit sich
selbst im Widerstreite sein kann, und ein solcher Imperativ
ist kategorisch. Weil die Gültigkeit des Willens, als eines
allgemeinen Gesetzes für mögliche Handlungen, mit der allgemeinen Verknüpfung des Daseins der Dinge nach allgemeinen Gesetzen, die das Formale der Natur überhaupt ist,
Analogie hat, so kann der kategorische Imperativ auch so
ausgedrückt werden: Handle nach Maximen, die sich
selbst zugleich als allgemeine Naturgesetze zum
Gegenstande haben ‖ können. So ist also die Formel
eines schlechterdings guten Willens beschaffen.

Die vernünftige Natur nimmt sich dadurch vor den übrigen aus, daß sie ihr selbst einen Zweck setzt. Dieser würde
die Materie eines jeden guten Willens sein. Da aber, in der
Idee eines ohne einschränkende Bedingung (der Erreichung
dieses oder jenes Zwecks) schlechterdings guten Willens,
durchaus von allem zu bewirkenden Zwecke abstrahiert
werden muß (als der jeden Willen nur relativ gut machen
würde), so wird der Zweck hier nicht als ein zu bewirkender,
sondern selbständiger Zweck, mithin nur negativ, gedacht werden müssen, d. i. dem niemals zuwider gehandelt,
der also niemals bloß als Mittel, sondern jederzeit zugleich
als Zweck in jedem Wollen geschätzt werden muß. Dieser
kann nun nichts anders als das Subjekt aller möglichen
Zwecke selbst sein, weil dieses zugleich das Subjekt eines
möglichen schlechterdings guten Willens ist; denn dieser
kann, ohne Widerspruch, keinem andern Gegenstande nach-
gesetzt werden. Das Prinzip[1]: handle in Beziehung auf ein
jedes vernünftiges Wesen (auf dich selbst und andere) so,
daß es in deiner Maxime zugleich als Zweck an sich selbst
gelte, ist demnach mit dem Grundsatze: handle nach einer
Maxime, die ihre eigene allgemeine Gültigkeit für jedes vernünftige Wesen zugleich in sich enthält, im Grunde einerlei.
Denn, daß ich meine Maxime im Gebrau‖che der Mittel zu
jedem Zwecke auf die Bedingung ihrer Allgemeingültigkeit,
als eines Gesetzes für jedes Subjekt einschränken soll, sagt
eben so viel, als: das Subjekt der Zwecke, d. i. das vernünf-

[1] A: »Prinzip *aber*«.

tige Wesen selbst, muß niemals bloß als Mittel, sondern als
oberste einschränkende Bedingung im Gebrauche aller Mittel, d. i. jederzeit zugleich als Zweck, allen Maximen der
Handlungen zum Grunde gelegt werden.

Nun folgt hieraus unstreitig: daß jedes vernünftige Wesen, als Zweck an sich selbst, sich in Ansehung aller Gesetze,
denen es nur immer unterworfen sein mag, zugleich als allgemein gesetzgebend müsse ansehen können, weil eben diese
Schicklichkeit seiner Maximen zur allgemeinen Gesetzgebung es als Zweck an sich selbst auszeichnet, imgleichen,
daß dieses seine Würde (Prärogativ) vor allen bloßen Natur-
wesen es mit sich bringe, seine Maximen jederzeit aus dem
Gesichtspunkte seiner selbst, zugleich aber auch jedes andern vernünftigen als gesetzgebenden Wesens (die darum
auch Personen heißen), nehmen zu müssen. Nun ist auf solche Weise eine Welt vernünftiger Wesen (mundus intelligi-
bilis) als ein Reich der Zwecke möglich, und zwar durch die
eigene Gesetzgebung aller Personen als Glieder. *Demnach* [1]
muß ein jedes vernünftige Wesen so handeln, als ob es durch
seine Maximen jederzeit ein gesetzgebendes Glied im allgemeinen Reiche der Zwecke wäre. Das formale Prinzip dieser
Maximen ist: ‖ handle so, als ob deine Maxime zugleich zum
allgemeinen Gesetze (aller vernünftigen Wesen) dienen sollte.
Ein Reich der Zwecke ist also nur möglich nach der Analogie
mit einem Reiche der Natur, jenes aber nur nach Maximen,
d. i. sich selbst auferlegten Regeln, diese nur nach Gesetzen
äußerlich [2] genötigter wirkenden Ursachen. Dem unerachtet gibt man doch auch dem Naturganzen, ob es schon
als Maschine angesehen wird, dennoch, so fern es auf vernünftige Wesen, als seine Zwecke, Beziehung hat, aus diesem Grunde den Namen eines Reichs der Natur. Ein solches
Reich der Zwecke würde nun durch Maximen, deren Regel
der kategorische Imperativ aller [3] vernünftigen Wesen vorschreibt, wirklich zu Stande kommen, wenn sie allgemein befolgt würden. Allein, obgleich das vernünftige
Wesen darauf nicht rechnen kann, daß, wenn es auch gleich

---

[1] A: »*Dennoch*«. – [2] A: » Gesetzen *auch* äußerlich«. – [3] Akad.-Ausg.:
»allen«.

diese Maxime selbst pünktlich befolgte, darum jedes andere
eben derselben treu sein würde, imgleichen, daß das Reich
der Natur und die zweckmäßige Anordnung desselben, mit
ihm, als einem schicklichen Gliede, zu einem durch ihn[1]
selbst möglichen Reiche der Zwecke zusammenstimmen,
d. i. seine Erwartung der Glückseligkeit begünstigen werde:
so bleibt doch jenes Gesetz: handle nach Maximen eines allgemein gesetzgebenden Gliedes zu einem bloß möglichen
Reiche der Zwecke, in seiner vollen Kraft, weil es kategorisch gebietend ist. Und hierin liegt eben das Paradoxon:
daß bloß die Würde der Menschheit, als vernünf tiger Natur, ohne irgend einen andern dadurch zu erreichenden
Zweck, oder Vorteil, mithin die Achtung für eine bloße Idee,
dennoch zur unnachlaßlichen Vorschrift des Willens dienen
sollte, und daß gerade in dieser Unabhängigkeit der Maxime
von allen solchen Triebfedern die Erhabenheit derselben bestehe, und die Würdigkeit eines jeden vernünftigen Subjekts,
ein gesetzgebendes Glied im Reiche der Zwecke zu sein;
denn sonst würde es nur als dem Naturgesetze seiner Bedürfnis unterworfen vorgestellt werden müssen. Obgleich
auch das Naturreich sowohl, als das Reich der Zwecke, als
unter einem Oberhaupte vereinigt gedacht würde, und dadurch das letztere nicht mehr bloße Idee bliebe, sondern
wahre Realität erhielte, so würde hiedurch zwar jener der
Zuwachs einer starken Triebfeder, niemals aber Vermehrung
ihres innern Werts zu statten kommen; denn, diesem ungeachtet, müßte doch selbst dieser alleinige unumschränkte
Gesetzgeber immer so vorgestellt werden, wie er den Wert
der vernünftigen Wesen, nur nach ihrem uneigennützigen,
bloß aus jener Idee ihnen selbst vorgeschriebenen Verhalten,
beurteilte. Das Wesen der Dinge ändert sich durch ihre
äußere Verhältnisse nicht, und was, ohne an das letztere zu
denken, den absoluten Wert des Menschen allein ausmacht,
darnach muß er auch, von wem es auch sei, selbst vom
höchsten Wesen, beurteilt werden. Moralität ist also das
Verhältnis der Handlungen zur Autonomie des Willens, das
ist, zur möglichen allgemeinen ‖ Gesetzgebung durch die

[1] Akad.-Ausg.: » es «.

Maximen desselben. Die Handlung, die mit der Autonomie des Willens zusammen bestehen kann, ist erlaubt; die nicht damit stimmt, ist unerlaubt. Der Wille, dessen Maximen notwendig mit den Gesetzen der Autonomie zusammenstimmen, ist ein heiliger, schlechterdings guter Wille. Die Abhängigkeit eines nicht schlechterdings guten Willens vom Prinzip der Autonomie (die moralische Nötigung) ist Verbindlichkeit. Diese kann also auf ein heiliges Wesen nicht gezogen werden. Die objektive Notwendigkeit einer Handlung aus Verbindlichkeit heißt Pflicht.

Man kann aus dem kurz Vorhergehenden sich es jetzt leicht erklären, wie es zugehe: daß, ob wir gleich unter dem Begriffe von Pflicht uns eine Unterwürfigkeit unter dem Gesetze denken, wir uns dadurch doch zugleich eine gewisse Erhabenheit und Würde an derjenigen Person vorstellen, die alle ihre Pflichten erfüllt. Denn so fern ist zwar keine Erhabenheit an ihr, als sie dem moralischen Gesetze unterworfen ist, wohl aber, so fern sie in Ansehung eben desselben zugleich gesetzgebend und nur darum ihm untergeordnet ist. Auch haben wir oben gezeigt, wie weder Furcht, noch Neigung, sondern lediglich Achtung fürs Gesetz, diejenige Triebfeder sei, die der Handlung einen moralischen Wert geben kann. Unser eigener Wille, so fern er, nur unter der Bedingung einer durch seine Maximen möglichen allgemeinen Gesetz||gebung, handeln würde, dieser uns mögliche Wille in der Idee, ist der eigentliche Gegenstand der Achtung, und die Würde der Menschheit besteht eben in dieser Fähigkeit, allgemein gesetzgebend, obgleich mit dem Beding, eben dieser Gesetzgebung zugleich selbst unterworfen zu sein.

### DIE AUTONOMIE DES WILLENS
#### ALS OBERSTES PRINZIP DER SITTLICHKEIT

Autonomie des Willens ist die Beschaffenheit des Willens, dadurch derselbe ihm selbst (unabhängig von aller Beschaffenheit der Gegenstände des Wollens) ein Gesetz ist. Das Prinzip der Autonomie ist also: nicht anders zu wählen, als so, daß die Maximen seiner Wahl in demselben Wollen zugleich als allgemeines Gesetz mit begriffen sein [1]. Daß diese praktische Regel ein Imperativ sei, d. i. der Wille jedes vernünftigen Wesens an *sie* [2] als Bedingung notwendig gebunden sei, kann durch bloße Zergliederung der in ihm vorkommenden Begriffe nicht bewiesen werden, weil es ein synthetischer Satz ist; man müßte über die Erkenntnis der Objekte und zu einer Kritik des Subjekts, d. i. der reinen praktischen Vernunft, hinausgehen, denn völlig a priori muß dieser synthetische Satz, der apodiktisch gebietet, erkannt werden können, dieses Geschäft aber gehört nicht in gegenwärti||gen Abschnitt. Allein, daß gedachtes Prinzip der Autonomie das alleinige Prinzip der Moral sei, läßt sich durch bloße Zergliederung der Begriffe der Sittlichkeit gar wohl dartun. Denn dadurch findet sich, daß ihr Prinzip ein kategorischer Imperativ sein müsse, dieser aber nichts mehr oder weniger als gerade diese Autonomie gebiete.

### DIE HETERONOMIE DES WILLENS ALS DER QUELL ALLER UNÉCHTEN PRINZIPIEN DER SITTLICHKEIT

Wenn der Wille irgend worin anders, als in der Tauglichkeit seiner Maximen zu seiner eigenen allgemeinen Gesetzgebung, mithin, wenn er, *indem er* über sich selbst hinausgeht, in [3] der Beschaffenheit irgend eines seiner Objekte das Gesetz sucht, das ihn bestimmen soll, so kommt jederzeit Heteronomie heraus. Der Wille gibt alsdenn sich nicht selbst, sondern das Objekt durch sein Verhältnis zum Willen gibt diesem das Gesetz. Dies Verhältnis, es beruhe nun auf der Neigung, oder auf Vorstellungen der Vernunft, läßt nur hypothetische Imperativen möglich werden: ich soll etwas tun darum, weil ich etwas anderes will. Dagegen sagt der moralische, mithin kategorische Imperativ: ich soll so oder so handeln, ob ich gleich nichts anderes wollte. Z. E. jener sagt: ich soll nicht lügen, wenn ich bei Ehren bleiben will; dieser || aber: ich soll nicht lügen, ob es

---

[1] Akad.-Ausg.: »seien«. – [2] A: »*ihr*«. – [3] A: »mithin, wenn er über sich selbst hinausgeht *und* in«.

mir gleich nicht die mindeste Schande zuzöge. Der letztere
muß also von allem Gegenstande so fern abstrahieren, daß
dieser gar keinen Einfluß auf den Willen habe, damit praktische Vernunft (Wille) nicht fremdes Interesse bloß ad-
ministriere, sondern bloß ihr eigenes gebietendes Ansehen,
als oberste Gesetzgebung, beweise. So soll ich z. B. fremde
Glückseligkeit zu befördern suchen, nicht als wenn mir an
deren Existenz was gelegen wäre (es sei durch unmittelbare
Neigung, oder irgend ein Wohlgefallen indirekt durch Vernunft), sondern bloß deswegen, weil die Maxime, die sie ausschließt, nicht in einem und demselben Wollen, als allgemeinen Gesetz begriffen werden kann.

EINTEILUNG

ALLER MÖGLICHEN PRINZIPIEN DER SITTLICHKEIT

AUS DEM ANGENOMMENEN GRUNDBEGRIFFE

DER HETERONOMIE

Die menschliche Vernunft hat hier, wie allerwärts in
ihrem reinen Gebrauche, so lange es ihr an Kritik fehlt, vorher alle mögliche unrechte Wege versucht, ehe es ihr gelingt,
den einzigen wahren zu treffen.

Alle Prinzipien, die man aus diesem Gesichtspunkte nehmen mag, sind entweder empirisch oder ra‖tional. Die
ersteren, aus dem Prinzip der Glückseligkeit, sind aufs
physische oder moralische Gefühl, die zweiten, aus dem
Prinzip der Vollkommenheit, entweder auf den Vernunftbegriff derselben, als möglicher Wirkung, oder auf den Begriff einer selbständigen Vollkommenheit (den Willen Gottes), als bestimmende Ursache unseres Willens, gebauet.

Empirische Prinzipien taugen überall nicht dazu,
um moralische Gesetze darauf zu gründen. Denn die Allgemeinheit, mit der sie für alle vernünftige Wesen ohne
Unterschied gelten sollen, die unbedingte praktische Notwendigkeit, die ihnen dadurch auferlegt wird, fällt weg,
wenn der Grund derselben von der besonderen Einrich-
tung der menschlichen Natur, oder den zufälligen
Umständen hergenommen wird, darin sie gesetzt ist. Doch

ist das Prinzip der eigenen Glückseligkeit am meisten
verwerflich, nicht bloß deswegen, weil es falsch ist, und die
Erfahrung dem Vorgeben, als ob das Wohlbefinden sich
jederzeit nach dem Wohlverhalten richte, widerspricht, auch
nicht bloß, weil es gar nichts zur Gründung der Sittlichkeit
beiträgt, indem es ganz was anderes ist, einen glücklichen,
als einen guten Menschen, und diesen klug und auf seinen
Vorteil abgewitzt, als ihn tugendhaft zu machen: sondern,
weil es der Sittlichkeit Triebfedern unterlegt, die sie eher
untergraben und ihre ganze Erhabenheit zernichten, indem
sie die Beweg||ursachen zur Tugend mit denen zum Laster
in eine Klasse stellen und nur den Kalkül besser ziehen lehren, den spezifischen Unterschied beider aber ganz und gar
auslöschen; dagegen das moralische Gefühl, dieser vermeint-
liche besondere Sinn * (so seicht auch die Berufung auf sel-
bigen ist, indem diejenigen, die nicht denken können,
selbst in dem, was bloß auf allgemeine Gesetze ankommt,
sich durchs Fühlen auszuhelfen glauben, so wenig auch
Gefühle, die dem Grade nach von Natur unendlich von einander unterschieden sind, einen gleichen Maßstab des Guten
und Bösen abgeben, auch einer durch sein Gefühl für andere
gar nicht gültig urteilen kann), dennoch der Sittlichkeit und
ihrer Würde dadurch näher *bleibt*[1], daß er der Tugend die
Ehre beweist, das Wohlgefallen und die Hochschätzung für
sie ihr unmittelbar zuzuschreiben, und ihr nicht gleichsam ins Gesicht sagt, daß es nicht ihre Schönheit, sondern
nur der Vorteil sei, der uns an sie knüpfe.

Unter den rationalen, oder Vernunftgründen der Sitt-
lichkeit ist doch der ontologische Begriff der Voll||kom-
menheit (so leer, so unbestimmt, mithin unbrauchbar er
auch ist, um in dem unermeßlichen Felde möglicher Reali-

---

* Ich rechne das Prinzip des moralischen Gefühls zu dem der Glückseligkeit, weil ein jedes empirisches Interesse durch die Annehmlichkeit,
die etwas nur gewährt, es mag nun unmittelbar und ohne Absicht auf
Vorteile, oder in Rücksicht auf dieselbe geschehen, einen Beitrag zum
Wohlbefinden verspricht. Imgleichen muß man das Prinzip der Teilnehmung an anderer Glückseligkeit, mit Hutcheson, zu demselben
von ihm angenommenen moralischen Sinne rechnen.

[1] A: »*treibt*«.

tät die für uns schickliche größte Summe auszufinden, so
sehr er auch, um die Realität, von der hier die Rede ist,
spezifisch von jeder anderen zu unterscheiden, einen unvermeidlichen Hang hat, sich im Zirkel zu drehen, und die Sittlichkeit, die er erklären soll, ingeheim vorauszusetzen nicht
vermeiden kann) dennoch besser als der theologische Begriff, sie von einem göttlichen allervollkommensten Willen
abzuleiten, nicht bloß deswegen, weil wir seine Vollkommenheit doch nicht anschauen, sondern sie von unseren Begriffen, unter denen der der Sittlichkeit der vornehmste ist,
allein ableiten können, sondern weil, wenn wir dieses nicht
tun (wie es denn, wenn es geschähe, ein grober Zirkel im
Erklären sein würde), der uns noch übrige Begriff seines
Willens aus den Eigenschaften der Ehr- und Herrschbe-
gierde, mit den furchtbaren Vorstellungen der Macht und
des Racheifers verbunden, zu einem System der Sitten, welches der Moralität gerade entgegen gesetzt wäre, die Grundlage machen müßte.

Wenn ich aber zwischen dem Begriff des moralischen
Sinnes und dem der Vollkommenheit überhaupt (die beide
der Sittlichkeit wenigstens nicht Abbruch tun, ob sie gleich
dazu gar nichts taugen, sie als Grundlagen zu unterstützen)
wählen müßte: so würde ich mich für den letz‖teren bestimmen, weil, da er [1] wenigstens die Entscheidung der Frage
von der Sinnlichkeit ab und an den Gerichtshof der reinen
Vernunft zieht, ob er gleich auch hier nichts entscheidet,
dennoch die unbestimmte Idee (eines an sich guten Willens)
zur nähern Bestimmung unverfälscht aufbehält.

Übrigens glaube ich einer weitläuftigen Widerlegung aller
dieser Lehrbegriffe überhoben sein zu können. Sie ist so
leicht, sie ist von denen selbst, deren Amt es erfodert, sich
doch für eine dieser Theorien zu erklären (weil Zuhörer den
Aufschub des Urteils nicht wohl leiden mögen), selbst vermutlich so wohl eingesehen, daß dadurch nur überflüssige
Arbeit geschehen würde. Was uns aber hier mehr interessiert, ist, zu wissen: daß diese Prinzipien überall nichts als
Heteronomie des Willens zum ersten Grunde der Sittlich-

[1] Akad.-Ausg.: »weil er, da er«.

keit aufstellen, und eben darum notwendig ihres Zwecks
verfehlen müssen.

Allenthalben, wo ein Objekt des Willens zum Grunde gelegt werden muß, um diesem die Regel vorzuschreiben, die
ihn bestimme, da ist die Regel nichts als Heteronomie; der
Imperativ ist bedingt, nämlich: wenn oder weil man dieses Objekt will, soll man so oder so handeln; mithin kann er
niemals moralisch, d. i. kategorisch, gebieten. *Er* [1] mag nun
das Objekt vermittelst der Neigung, wie beim Prinzip der
eigenen Glückselig‖keit, oder vermittelst der auf Gegenstände unseres möglichen Wollens überhaupt gerichteten
Vernunft, im Prinzip der Vollkommenheit, den Willen bestimmen, so bestimmt sich der Wille niemals unmittelbar
selbst durch die Vorstellung der Handlung, sondern nur
durch die Triebfeder, welche die vorausgesehene Wirkung
der Handlung auf den Willen hat; ich soll etwas tun,
darum, weil ich etwas anderes will, und hier muß
noch ein anderes Gesetz in meinem Subjekt zum Grunde
gelegt werden, nach welchem ich dieses andere notwendig
will, welches Gesetz wiederum eines Imperativs bedarf, der
diese Maxime einschränke. Denn weil der Antrieb, der [2] die
Vorstellung eines durch unsere Kräfte möglichen Objekts
nach der Naturbeschaffenheit des Subjekts auf seinen Willen ausüben soll, zur Natur des Subjekts gehöret, es sei der
Sinnlichkeit (der Neigung und des Geschmacks), oder des
Verstandes und der Vernunft, *die nach der besonderen Ein-
richtung ihrer Natur an einem Objekte sich mit Wohlgefallen
üben*, so gäbe [3] eigentlich die Natur das Gesetz, welches, als
ein solches, nicht allein durch Erfahrung erkannt und bewiesen werden muß, mithin an sich zufällig ist und zur apodiktischen praktischen Regel, dergleichen die moralische
sein muß, dadurch untauglich wird, sondern es ist immer
nur Heteronomie des Willens, der Wille gibt sich nicht
selbst, sondern ein fremder Antrieb gibt ihm, vermittelst

---

[1] A: »*Es*«. – [2] Akad.-Ausg.: »den«. – [3] A: »Verstandes und der
Vernunft *an Vollkommenheit überhaupt nimmt (deren Existenz entweder
von ihr selbst oder nur von der höchsten selbständigen Vollkommenheit
abhängt)*, so gäbe «.

einer auf die ‖ Empfänglichkeit desselben gestimmten Natur des Subjekts, das Gesetz.

Der schlechterdings gute Wille, dessen Prinzip ein kategorischer Imperativ sein muß, wird also, in Ansehung aller Objekte unbestimmt, bloß die Form des Wollens überhaupt enthalten, und zwar als Autonomie, d. i. die Tauglichkeit der Maxime eines jeden guten Willens, sich selbst zum allgemeinen Gesetze zu machen, ist selbst das alleinige Gesetz, das sich der Wille eines jeden vernünftigen Wesens selbst auferlegt, ohne irgend eine Triebfeder und Interesse derselben als Grund unterzulegen.

Wie ein solcher synthetischer praktischer Satz a priori möglich und warum er notwendig sei, ist eine Aufgabe, deren Auflösung nicht mehr binnen den Grenzen der Metaphysik der Sitten liegt, auch haben wir seine Wahrheit hier nicht behauptet, vielweniger vorgegeben, einen Beweis derselben in unserer Gewalt zu haben. Wir zeigten nur durch Entwickelung des einmal allgemein im Schwange gehenden Begriffs der Sittlichkeit: daß eine Autonomie des Willens demselben, unvermeidlicher Weise, anhänge, oder vielmehr zum Grunde liege. Wer also Sittlichkeit für Etwas, und nicht für eine chimärische Idee ohne Wahrheit, hält, muß das angeführte Prinzip derselben zugleich einräumen. Dieser ‖ Abschnitt war also, eben so, wie der erste, bloß analytisch. Daß nun Sittlichkeit kein Hirngespinst sei, welches alsdenn folgt, wenn der kategorische Imperativ und mit ihm die Autonomie des Willens wahr, und als ein Prinzip a priori schlechterdings notwendig ist, erfodert einen möglichen synthetischen Gebrauch der reinen praktischen Vernunft, den wir aber nicht wagen dürfen, ohne eine Kritik dieses Vernunftvermögens selbst voranzuschicken, von welcher wir in dem letzten Abschnitte die zu unserer Absicht hinlängliche Hauptzüge darzustellen haben.

‖ DRITTER ABSCHNITT

ÜBERGANG
VON DER METAPHYSIK DER SITTEN
ZUR KRITIK DER REINEN PRAKTISCHEN VERNUNFT

DER BEGRIFF DER FREIHEIT
IST DER SCHLÜSSEL ZUR ERKLÄRUNG
DER AUTONOMIE DES WILLENS

Der Wille ist eine Art von Kausalität lebender Wesen, so fern sie vernünftig sind, und Freiheit würde diejenige Eigenschaft dieser Kausalität sein, da sie unabhängig von fremden sie bestimmenden Ursachen wirkend sein kann; so wie Naturnotwendigkeit die Eigenschaft der Kausalität aller vernunftlosen Wesen, durch den Einfluß fremder Ursachen zur Tätigkeit bestimmt zu werden.

Die angeführte Erklärung der Freiheit ist negativ, und daher, um ihr Wesen einzusehen, unfruchtbar; allein es fließt aus ihr ein positiver Begriff derselben, der desto reichhaltiger und fruchtbarer ist. Da der Begriff einer Kausalität den von Gesetzen bei sich führt, nach welchen durch etwas, was wir Ursache nennen, etwas ‖ anderes, nämlich die Folge, gesetzt werden muß: so ist die Freiheit, ob sie zwar nicht eine Eigenschaft des Willens nach Naturgesetzen ist, darum doch nicht gar gesetzlos, sondern muß vielmehr eine Kausalität nach unwandelbaren Gesetzen, aber von besonderer Art, sein; denn sonst wäre ein freier Wille ein Unding. Die Naturnotwendigkeit war eine Heteronomie der wirkenden Ursachen; denn jede Wirkung war nur nach dem Gesetze möglich, daß etwas anderes die wirkende Ursache zur Kausalität bestimmte; was kann denn wohl die Freiheit des Willens sonst sein, als Autonomie, d. i. die Eigenschaft des Willens, sich selbst ein Gesetz zu sein? Der Satz aber: der Wille ist in allen Handlungen sich selbst ein Gesetz, bezeichnet nur das Prinzip, nach keiner anderen Maxime zu handeln, als die sich selbst auch als ein allgemeines Gesetz zum Gegenstande haben kann. Dies ist aber gerade die Formel des kategorischen Imperativs und das Prinzip der Sitt-

lichkeit: also ist ein freier Wille und ein Wille unter sittlichen Gesetzen einerlei.

Wenn also Freiheit des Willens vorausgesetzt wird, so
folgt die Sittlichkeit samt ihrem Prinzip daraus, durch bloße
Zergliederung ihres Begriffs. Indessen ist das letztere doch
immer ein synthetischer Satz: ein schlechterdings guter
Wille ist derjenige, dessen Maxime jederzeit sich selbst, als
allgemeines Gesetz betrachtet, in sich ‖ enthalten kann;
denn durch Zergliederung des Begriffs von einem schlechthin guten Willen kann jene Eigenschaft der Maxime nicht
gefunden werden. Solche synthetische Sätze sind aber nur
dadurch möglich[1], daß beide Erkenntnisse durch die Verknüpfung mit einem dritten, darin sie beiderseits anzutreffen sind, unter einander verbunden werden. Der positive
Begriff der Freiheit schafft dieses dritte, welches nicht, wie
bei den physischen Ursachen, die Natur der Sinnenwelt sein
kann (in deren Begriff die Begriffe von etwas als Ursache, in
Verhältnis auf etwas anderes als Wirkung, zusammenkommen). Was dieses dritte sei, worauf uns die Freiheit
weiset, und von dem wir a priori eine Idee haben, läßt sich
hier sofort noch nicht anzeigen, und die Deduktion des Begriffs der Freiheit aus der reinen praktischen Vernunft, mit
ihr auch die Möglichkeit eines kategorischen Imperativs, begreiflich machen, sondern bedarf noch einiger Vorbereitung.

### FREIHEIT MUSS ALS EIGENSCHAFT
### DES WILLENS ALLER VERNÜNFTIGEN WESEN
### VORAUSGESETZT WERDEN

Es ist nicht genug, daß wir unserem Willen, es sei aus
welchem Grunde, Freiheit zuschreiben, wenn wir nicht
ebendieselbe auch allen vernünftigen Wesen bei‖zulegen hinreichenden Grund haben. Denn da Sittlichkeit für uns bloß
als *für*[2] vernünftige Wesen zum Gesetze dient, so muß
sie auch für alle vernünftige Wesen gelten, und da sie lediglich aus der Eigenschaft der Freiheit abgeleitet werden muß,
so muß auch Freiheit als Eigenschaft des Willens aller ver-

---

[1] A: »möglich, dadurch«. – [2] Zusatz von B.

nünftigen Wesen bewiesen werden, und es ist nicht genug, sie aus gewissen vermeintlichen Erfahrungen von der menschlichen Natur darzutun (wiewohl dieses auch schlechterdings unmöglich ist und lediglich a priori dargetan werden kann), sondern man muß sie als zur Tätigkeit vernünftiger und mit einem Willen begabter Wesen überhaupt[1] beweisen. Ich sage nun: Ein jedes Wesen, das nicht anders als unter der Idee der Freiheit handeln kann, ist eben darum, in praktischer Rücksicht, wirklich frei, d. i. es gelten für *dasselbe*[2] alle Gesetze, die mit der Freiheit unzertrennlich verbunden sind, eben so, als ob sein Wille auch an sich selbst, und in der theoretischen Philosophie gültig, für frei erklärt würde.* Nun behaupte ich: daß wir jedem ‖ vernünftigen Wesen, das einen Willen hat, notwendig auch die Idee der Freiheit leihen müssen, unter der es allein handle. Denn in einem solchen Wesen denken wir uns eine Vernunft, die praktisch ist, d. i. Kausalität in Ansehung ihrer Objekte hat. Nun kann man sich unmöglich eine Vernunft denken, die mit ihrem eigenen Bewußtsein in Ansehung ihrer Urteile anderwärts her eine Lenkung empfinge, denn alsdenn würde das Subjekt nicht seiner Vernunft, sondern einem Antriebe, die Bestimmung der Urteilskraft zuschreiben. Sie muß sich selbst als Urheberin ihrer Prinzipien ansehen, unabhängig von fremden Einflüssen, folglich muß sie als praktische Vernunft, oder als Wille eines vernünftigen Wesens, von ihr selbst als frei angesehen werden; d. i. der Wille desselben kann nur unter der Idee der Freiheit ein eigener Wille sein, und muß also in praktischer Absicht allen vernünftigen Wesen beigelegt werden.

* Diesen Weg, die Freiheit nur, als von vernünftigen Wesen bei ihren Handlungen bloß in der Idee zum Grunde gelegt, zu unserer Absicht hinreichend anzunehmen, schlage ich deswegen ein, damit ich mich nicht verbindlich machen dürfte, die Freiheit auch in ihrer theoretischen Absicht zu beweisen. Denn wenn dieses letztere auch unausgemacht gelassen wird, so gelten doch dieselben Gesetze für ein Wesen, das nicht anders als unter der Idee seiner eigenen Freiheit handeln kann, die ein Wesen, das wirklich frei wäre, verbinden würden. Wir können uns hier also von der Last befreien, die die Theorie drückt.

[1] Akad.-Ausg.: »überhaupt gehörig«. – [2] A: »ihn«.

## VON DEM INTERESSE,
### WELCHES DEN IDEEN DER SITTLICHKEIT ANHÄNGT

Wir haben den bestimmten Begriff der Sittlichkeit auf die Idee der Freiheit zuletzt zurückgeführt; diese aber konnten wir, als etwas Wirkliches, nicht einmal in uns selbst und in der menschlichen Natur beweisen; wir sahen nur, daß wir sie voraussetzen müssen, wenn wir || uns ein Wesen als vernünftig und mit Bewußtsein seiner Kausalität in Ansehung der Handlungen, d. i. mit einem Willen begabt, uns denken wollen, und so finden wir, daß wir aus eben demselben Grunde jedem mit Vernunft und Willen begabten Wesen diese Eigenschaft, sich unter der Idee seiner Freiheit zum Handeln zu bestimmen, beilegen müssen.

Es floß aber aus der Voraussetzung dieser Ideen auch das Bewußtsein eines Gesetzes zu handeln: daß die subjektiven Grundsätze der Handlungen, d. i. Maximen, jederzeit so genommen werden müssen, daß sie auch objektiv, d. i. allgemein als Grundsätze, gelten, mithin zu unserer eigenen allgemeinen Gesetzgebung dienen können. Warum aber soll ich mich denn diesem Prinzip unterwerfen und zwar als vernünftiges Wesen überhaupt, mithin auch dadurch alle andere mit Vernunft begabte Wesen? Ich will einräumen, daß mich hiezu kein Interesse treibt, denn das würde keinen kategorischen Imperativ geben; aber ich muß doch hieran notwendig ein Interesse nehmen, und einsehen, wie das zugeht; denn dieses Sollen ist eigentlich ein Wollen, das unter der Bedingung für jedes vernünftige Wesen gilt, wenn die Vernunft bei ihm ohne Hindernisse praktisch wäre; für Wesen, die, wie wir, noch durch Sinnlichkeit, als Triebfedern anderer Art, affiziert werden, bei denen es nicht immer geschieht, was die Vernunft für sich allein tun || würde, heißt jene Notwendigkeit der Handlung nur ein Sollen, und die subjektive Notwendigkeit wird von der objektiven unterschieden.

Es scheint also, als setzten wir in der Idee der Freiheit eigentlich das moralische Gesetz, nämlich das Prinzip der Autonomie des Willens selbst, nur voraus, und könnten seine Realität und objektive Notwendigkeit nicht für sich beweisen, und da hätten wir zwar noch immer etwas ganz Beträchtliches dadurch gewonnen, daß wir wenigstens das echte Prinzip genauer, als wohl sonst geschehen, bestimmt hätten, in Ansehung seiner Gültigkeit aber, und der praktischen Notwendigkeit, sich ihm zu unterwerfen, wären wir um nichts weiter gekommen; denn wir könnten dem, der uns fragte, warum denn die Allgemeingültigkeit unserer Maxime, als eines Gesetzes, die einschränkende Bedingung unserer Handlungen sein müsse, und worauf wir den Wert gründen, den wir dieser Art zu handeln beilegen, der so groß sein soll, daß es überall kein höheres Interesse geben kann, und wie es zugehe, daß der Mensch dadurch allein seinen persönlichen Wert zu fühlen glaubt, gegen den der, eines angenehmen oder unangenehmen Zustandes, für nichts zu halten sei, keine genugtuende Antwort geben.

Zwar finden wir wohl, daß wir an einer persönlichen Beschaffenheit ein Interesse nehmen können, die gar || kein Interesse des Zustandes bei sich führt, wenn jene uns nur fähig macht, des letzteren teilhaftig zu werden, im Falle die Vernunft die Austeilung desselben bewirken sollte, d. i. daß die bloße Würdigkeit, glücklich zu sein, auch ohne den Bewegungsgrund, dieser Glückseligkeit teilhaftig zu werden, für sich interessieren könne: aber dieses Urteil ist in der Tat nur die Wirkung von der schon vorausgesetzten Wichtigkeit moralischer Gesetze (wenn wir uns durch die Idee der Freiheit von allem empirischen Interesse trennen), aber, daß wir uns von diesem trennen, d. i. uns als frei im Handeln betrachten, und so uns dennoch für gewissen Gesetzen unterworfen halten sollen, um einen Wert bloß in unserer Person zu finden, der uns allen Verlust dessen, was unserem Zustande einen Wert verschafft, vergüten könne, und wie dieses möglich sei, mithin woher das moralische Gesetz verbinde, können wir auf solche Art noch nicht einsehen.

Es zeigt sich hier, man muß *es*[1] frei gestehen, eine Art von Zirkel, aus dem, wie es scheint, nicht heraus zu kommen ist. Wir nehmen uns in der Ordnung der wirkenden Ur-

[1] Zusatz von B.

sachen als frei an, um uns in der Ordnung der Zwecke unter sittlichen Gesetzen zu denken, und wir denken uns nachher als diesen Gesetzen unterworfen, weil wir uns die Freiheit des Willens beigelegt haben, denn Freiheit und eigene Gesetzgebung des Willens sind bei||des Autonomie, mithin Wechselbegriffe, davon aber einer eben um deswillen nicht dazu gebraucht werden kann, um den anderen zu erklären und von ihm Grund anzugeben, sondern höchstens nur, um, in logischer Absicht, verschieden scheinende Vorstellungen von eben demselben Gegenstande auf einen einzigen Begriff (wie verschiedne Brüche gleiches Inhalts auf die kleinsten Ausdrücke) zu bringen.

Eine Auskunft bleibt uns aber noch übrig, nämlich zu suchen: ob wir, wenn wir uns, durch Freiheit, als a priori wirkende Ursachen denken, nicht einen anderen Standpunkt einnehmen, als wenn wir uns *selbst*[1] nach unseren Handlungen als Wirkungen, die wir vor unseren Augen sehen, *uns*[1] vorstellen.

Es ist eine Bemerkung, welche anzustellen eben kein subtiles Nachdenken erfodert wird, sondern von der man annehmen kann, daß sie wohl der gemeinste Verstand, obzwar, nach seiner Art, durch eine dunkele Unterscheidung der Urteilskraft, die er Gefühl nennt, machen mag: daß alle Vorstellungen, die uns ohne unsere Willkür kommen (wie die der Sinne), uns die Gegenstände nicht anders zu erkennen geben, als sie uns affizieren, wobei, was sie an sich sein mögen, uns unbekannt bleibt, mithin daß, was diese Art Vorstellungen betrifft, wir dadurch, auch bei der angestrengtesten Auf||merksamkeit und Deutlichkeit, die der Verstand nur immer hinzufügen mag, doch bloß zur Erkenntnis der Erscheinungen, niemals der Dinge an sich selbst gelangen können. Sobald dieser Unterschied (allenfalls bloß durch die bemerkte Verschiedenheit zwischen den Vorstellungen, die uns anders woher gegeben werden, und dabei wir leidend sind, von denen, die wir lediglich aus uns selbst hervorbringen, und dabei wir unsere Tätigkeit beweisen) einmal gemacht ist, so folgt von selbst, daß man hinter den Erscheinungen doch noch etwas anderes, was nicht Erschei-

[1] Zusatz von B.

nung ist, nämlich die Dinge an sich, einräumen und annehmen müsse, ob wir gleich uns von selbst bescheiden, daß,
da sie uns niemals bekannt werden können, sondern immer
nur, wie sie uns affizieren, wir ihnen nicht näher treten, und,
was sie an sich sind, niemals wissen können. *Dieses* [1] muß
eine, obzwar rohe, Unterscheidung einer Sinnenwelt von
der Verstandeswelt abgeben, davon die erstere, nach Verschiedenheit der Sinnlichkeit in mancherlei Weltbeschauern,
auch sehr verschieden sein kann, indessen die zweite, die ihr
zum Grunde liegt, immer dieselbe bleibt. So gar sich selbst
und zwar nach der Kenntnis, die der Mensch durch innere
Empfindung von sich hat, darf er sich nicht anmaßen zu erkennen, wie er an sich selbst sei. Denn da er doch sich selbst
nicht gleichsam schafft, und seinen Begriff nicht a priori,
sondern empirisch bekömmt, so ist natürlich, daß er auch
von sich durch den innern Sinn und ‖ folglich nur durch die
Erscheinung seiner Natur, und die Art, wie sein Bewußtsein
affiziert wird, Kundschaft einziehen könne, indessen er doch
notwendiger Weise über diese aus lauter Erscheinungen zu-
sammengesetzte Beschaffenheit seines eigenen Subjekts
noch etwas anderes zum Grunde Liegendes, nämlich sein
Ich, so wie es an sich selbst beschaffen sein mag, annehmen,
und sich also in Absicht auf die bloße Wahrnehmung und
Empfänglichkeit der Empfindungen zur Sinnenwelt, in
Ansehung dessen aber, was in ihm reine Tätigkeit sein mag
(dessen, was gar nicht durch Affizierung der Sinne, sondern
unmittelbar zum Bewußtsein gelangt), sich zur intellektuellen Welt zählen muß, die er doch nicht weiter kennt.

Dergleichen Schluß muß der nachdenkende Mensch von
allen Dingen, die ihm vorkommen mögen, fällen; vermutlich ist er auch im gemeinsten Verstande anzutreffen, der,
wie bekannt, sehr geneigt ist, hinter den Gegenständen der
Sinne noch immer etwas Unsichtbares, für sich selbst Täti-
ges, zu erwarten, es aber wiederum dadurch verdirbt, daß er
dieses Unsichtbare sich bald wiederum versinnlicht, d. i.
zum Gegenstande der Anschauung machen will, und dadurch also nicht um einen Grad klüger wird.

[1] A: »*Diese*«.

Nun findet der Mensch in sich wirklich ein Vermögen, da-durch er sich von allen andern Dingen, ja von ‖ sich selbst, so fern er durch Gegenstände affiziert wird, unterscheidet, und das ist die Vernunft. Diese, als reine Selbsttätigkeit, ist sogar darin noch über den Verstand erhoben: daß, obgleich dieser auch Selbsttätigkeit ist, und nicht, wie der Sinn, bloß Vorstellungen enthält, die nur entspringen, wenn man von Dingen affiziert (mithin leidend) ist, er dennoch aus seiner Tätigkeit keine andere Begriffe hervorbringen kann, als die, so bloß dazu dienen, um die sinnlichen Vorstellungen unter Regeln zu bringen und sie dadurch in einem Be-wußtsein zu vereinigen, ohne welchen Gebrauch der Sinn-lichkeit er gar nichts denken würde, da hingegen die Ver-nunft unter dem Namen der Ideen eine so reine Spontanei-tät zeigt, daß er[1] dadurch weit über alles, was ihm[2] Sinn-lichkeit nur liefern kann, hinausgeht, und ihr vornehmstes Geschäfte darin beweiset, Sinnenwelt und Verstandeswelt von einander zu unterscheiden, dadurch aber dem Verstande selbst seine Schranken vorzuzeichnen.

Um deswillen muß ein vernünftiges Wesen sich selbst, als Intelligenz (also nicht von Seiten seiner untern Kräf-te), nicht als zur Sinnen-, sondern zur Verstandeswelt ge-hörig, ansehen; mithin hat es zwei Standpunkte, daraus es sich selbst betrachten, und Gesetze des Gebrauchs seiner Kräfte, folglich aller seiner Handlungen, erkennen kann, einmal, so fern es zur Sinnenwelt ‖ gehört, unter Natur-gesetzen (Heteronomie), zweitens, als zur intelligibelen Welt gehörig, unter Gesetzen, die, von der Natur unab-hängig, nicht empirisch, sondern bloß in der Vernunft ge-gründet sein[3].

Als ein vernünftiges, mithin zur intelligibelen Welt gehö-riges Wesen kann der Mensch die Kausalität seines eigenen Willens niemals anders als unter der Idee der Freiheit den-ken; denn Unabhängigkeit von den bestimmten[4] Ursachen der Sinnenwelt (dergleichen die Vernunft jederzeit sich selbst beilegen muß) ist Freiheit. Mit der Idee der Freiheit ist nun

---

[1] Akad.-Ausg.: »sie«. – [2] Akad.-Ausg.: »ihr«. – [3] Akad.-Ausg.: »sind«. – [4] Akad.-Ausg.: »bestimmenden«.

der Begriff der Autonomie unzertrennlich verbunden, mit diesem aber das allgemeine Prinzip der Sittlichkeit, welches in der Idee allen Handlungen vernünftiger Wesen eben so zum Grunde liegt, als[1] Naturgesetz allen Erscheinungen.

Nun ist der Verdacht, den wir oben rege machten, gehoben, als wäre ein geheimer Zirkel in unserm Schlusse aus der Freiheit auf die Autonomie und aus dieser aufs sittliche Gesetz enthalten, daß wir nämlich vielleicht die Idee der Freiheit nur um des sittlichen Gesetzes willen zum Grunde legten, um dieses nachher aus der Freiheit wiederum zu schließen, mithin von jenem gar keinen Grund angeben könnten, sondern es nur als Erbittung eines Prinzips, das uns gutgesinnte Seelen wohl gerne einräumen werden, welches wir aber nie‖mals als einen erweislichen Satz aufstellen könnten. Denn jetzt sehen wir, daß, wenn wir uns als frei denken, so versetzen wir uns als Glieder in die Verstandeswelt, und erkennen die Autonomie des Willens, samt *ihrer*[2] Folge, der Moralität; denken wir uns aber als verpflichtet, so betrachten wir uns als zur Sinnenwelt und doch zugleich *zur* Verstandeswelt gehörig[3].

### WIE IST EIN KATEGORISCHER IMPERATIV MÖGLICH?

Das vernünftige Wesen zählt sich als Intelligenz zur Verstandeswelt, und, bloß als eine zu dieser gehörige wirkende Ursache, nennt es seine Kausalität einen Willen. Von der anderen Seite ist es sich seiner doch auch als eines Stücks der Sinnenwelt bewußt, in welcher seine Handlungen, als bloße Erscheinungen jener Kausalität, angetroffen werden, deren Möglichkeit aber aus dieser, die wir nicht kennen, nicht eingesehen werden kann, sondern an deren Statt jene Handlungen als bestimmt durch andere Erscheinungen, nämlich Begierden und Neigungen, als zur Sinnenwelt gehörig, eingesehen werden müssen. Als bloßen Gliedes der Verstandeswelt würden also alle meine Handlungen dem

---

[1] Akad.-Ausg.: »als das«. – [2] A: »*seiner*«. – [3] A: »uns als gehörig zur Sinnenwelt und doch zugleich *der* Verstandeswelt«.

Prinzip der Autonomie des reinen Willens vollkommen gemäß sein; als bloßen Stücks der Sinnenwelt würden sie
gänzlich dem Naturgesetz der Begierden und Neigungen,
mithin der Heteronomie der ‖ Natur gemäß genommen werden müssen. (Die ersteren würden auf dem obersten Prinzip
der Sittlichkeit, die zweiten der Glückseligkeit, beruhen.)
Weil aber die Verstandeswelt den Grund der Sinnenwelt, mithin auch der Gesetze derselben, enthält, also in Ansehung meines Willens (der ganz zur Verstandeswelt gehört) unmittelbar gesetzgebend ist, und also
auch als solche gedacht werden muß, so werde ich mich als
Intelligenz, obgleich andererseits wie ein zur Sinnenwelt ge-
höriges Wesen, dennoch dem Gesetze der ersteren, d. i. der
Vernunft, die in der Idee der Freiheit das Gesetz derselben
enthält, und also der Autonomie des Willens unterworfen
erkennen, folglich die Gesetze der Verstandeswelt für mich
als Imperativen und die diesem Prinzip gemäße Handlungen als Pflichten ansehen müssen.

Und so sind kategorische Imperativen möglich, dadurch,
daß die Idee der Freiheit mich zu einem Gliede einer intelligibelen Welt macht, wodurch, wenn ich solches allein wäre,
alle meine Handlungen der Autonomie des Willens jederzeit
gemäß sein würden, da ich mich aber zugleich als Glied der
Sinnenwelt anschaue, gemäß sein sollen, welches kategorische Sollen einen synthetischen Satz a priori vorstellt,
dadurch, daß über meinen durch sinnliche Begierden affizierten Willen noch die Idee ebendesselben, aber zur Verstandeswelt gehörigen, reinen, für sich selbst praktischen
Willens hinzukommt, wel‖cher die oberste Bedingung des
ersteren nach der Vernunft enthält; ohngefähr so, wie zu
den Anschauungen der Sinnenwelt Begriffe des Verstandes,
die für sich selbst nichts als gesetzliche Form überhaupt bedeuten, hinzu kommen, und dadurch synthetische Sätze
a priori, auf welchen alle Erkenntnis einer Natur beruht,
möglich machen.

Der praktische Gebrauch der gemeinen Menschenvernunft bestätigt die Richtigkeit dieser Deduktion. Es ist niemand, selbst der ärgste Bösewicht, wenn er nur sonst Ver-

nunft zu brauchen gewohnt ist, der nicht, wenn man ihm Beispiele der Redlichkeit in Absichten, der Standhaftigkeit in Befolgung guter Maximen, der Teilnehmung und des allgemeinen Wohlwollens (und noch dazu mit großen Aufopferungen von Vorteilen und Gemächlichkeit verbunden) vorlegt, nicht wünsche, daß er auch so gesinnt sein möchte. Er kann es aber nur wegen seiner Neigungen und Antriebe nicht wohl in sich zu Stande bringen; wobei er dennoch zugleich wünscht, von solchen ihm selbst lästigen Neigungen frei zu sein. Er beweiset hiedurch also, daß er mit einem Willen, der von Antrieben der Sinnlichkeit frei ist, sich in Gedanken in eine ganz andere Ordnung der Dinge versetze, als die seiner Begierden im Felde der Sinnlichkeit, weil er von jenem Wunsche keine Vergnügung der Begierden, mithin keinen für irgend eine seiner wirklichen oder sonst ‖ erdenklichen Neigungen befriedigenden Zustand (denn dadurch würde selbst die Idee, welche ihm den Wunsch ablockt, ihre Vorzüglichkeit einbüßen), sondern nur einen größeren inneren Wert seiner Person erwarten kann. Diese bessere Person glaubt er aber zu sein, wenn er sich in den Standpunkt eines Gliedes der Verstandeswelt versetzt, dazu die Idee der Freiheit, *d. i. Unabhängigkeit*[1] von bestimmenden Ursachen der Sinnenwelt ihn unwillkürlich nötigt, und in welchem er sich eines guten Willens bewußt ist, der für seinen bösen Willen, als Gliedes der Sinnenwelt, nach seinem eigenen Geständnisse das Gesetz ausmacht, dessen Ansehen er kennt, indem er es übertritt. Das moralische Sollen ist also eigenes notwendiges Wollen als Gliedes einer intelligibelen Welt, und wird nur so fern von ihm als Sollen gedacht, als er sich zugleich wie ein Glied der Sinnenwelt betrachtet.

VON DER ÄUSSERSTEN GRENZE
ALLER PRAKTISCHEN PHILOSOPHIE

Alle Menschen denken sich dem Willen nach als frei. Daher kommen alle Urteile über Handlungen als solche, die hätten geschehen sollen, ob sie gleich nicht gesche-

[1] Zusatz von B.

hen sind. Gleichwohl ist diese Freiheit kein Erfahrungsbegriff, und kann es auch nicht sein, weil er immer bleibt,
obgleich die Erfahrung das Gegenteil || von denjenigen Fo-
derungen zeigt, die unter Voraussetzung derselben als notwendig vorgestellt werden. Auf der anderen Seite ist es eben
so notwendig, daß alles, was geschieht, nach Naturgesetzen
unausbleiblich bestimmt sei, und diese Naturnotwendigkeit
ist auch kein Erfahrungsbegriff, eben darum, weil er den Begriff der Notwendigkeit, mithin einer Erkenntnis a priori,
bei sich führet. Aber dieser Begriff von einer Natur wird
durch Erfahrung bestätigt, und muß selbst unvermeidlich
vorausgesetzt werden, wenn Erfahrung, d. i. nach allgemeinen Gesetzen zusammenhängende Erkenntnis der Gegenstände der Sinne, möglich sein soll. Daher ist Freiheit
nur eine Idee der Vernunft, deren objektive Realität an
sich zweifelhaft ist, Natur aber ein Verstandesbegriff,
der seine Realität an Beispielen der Erfahrung beweiset und
notwendig beweisen muß.

Ob nun gleich hieraus eine Dialektik der Vernunft entspringt, da in Ansehung des Willens die ihm beigelegte Freiheit mit der Naturnotwendigkeit im Widerspruch zu stehen
scheint, und, bei dieser Wegescheidung, die Vernunft in
spekulativer Absicht den Weg der Naturnotwendigkeit
viel gebähnter und brauchbarer findet, als den der Freiheit:
so ist doch in praktischer Absicht der Fußsteig der
Freiheit der einzige, auf welchem es möglich ist, von seiner
Vernunft bei unserem Tun und Lassen Gebrauch zu machen;
daher wird es der subtilsten || Philosophie eben so unmög-
lich, wie der gemeinsten Menschenvernunft, die Freiheit
wegzuvernünfteln. Diese muß also wohl voraussetzen: daß
kein wahrer Widerspruch zwischen Freiheit und Naturnotwendigkeit ebenderselben menschlichen Handlungen angetroffen werde, denn sie kann eben so wenig den Begriff der
Natur, als den der Freiheit aufgeben.

Indessen muß dieser Scheinwiderspruch wenigstens auf
überzeugende Art vertilgt werden, wenn man gleich, wie
Freiheit möglich sei, niemals begreifen könnte. Denn, wenn
sogar der Gedanke von der Freiheit sich selbst, oder der

Natur, die eben so notwendig ist, widerspricht, so mußte[1] sie gegen die Naturnotwendigkeit durchaus aufgegeben werden.

Es ist aber unmöglich, diesem Widerspruch zu entgehen, wenn das Subjekt, was sich frei dünkt, sich selbst in demselben Sinne, oder in eben demselben Verhältnisse dächte, wenn es sich frei nennt, als wenn es sich in Absicht auf die nämliche Handlung dem Naturgesetze unterworfen annimmt. Daher ist es eine unnachlaßliche Aufgabe der spekulativen Philosophie: wenigstens zu zeigen, daß ihre Täuschung wegen des Widerspruchs darin beruhe, daß wir den Menschen in einem anderen Sinne und Verhältnisse denken, wenn wir ihn frei nennen, als wenn wir ihn, als Stück der Natur, dieser ‖ ihren Gesetzen für unterworfen halten, und daß beide nicht allein gar wohl beisammen stehen können, sondern auch, als notwendig vereinigt, in demselben Subjekt gedacht werden müssen, weil sonst nicht Grund angegeben werden könnte, warum wir die Vernunft mit einer Idee belästigen sollten, die, ob sie sich gleich ohne Widerspruch mit einer anderen genugsam bewährten vereinigen läßt, dennoch uns in ein Geschäfte verwickelt, wodurch die Vernunft in ihrem theoretischen Gebrauche sehr in die Enge gebracht wird. Diese Pflicht liegt aber bloß der spekulativen Philosophie ob, damit sie der praktischen freie Bahn schaffe. Also ist es nicht in das Belieben des Philosophen gesetzt, ob er den scheinbaren Widerstreit heben, oder ihn unangerührt lassen will; denn im letzteren Falle ist die Theorie hierüber bonum vacans, in dessen Besitz sich der Fatalist mit Grunde setzen und alle Moral aus ihrem ohne Titel besessenem vermeinten Eigentum verjagen kann.

Doch kann man hier noch nicht sagen, daß die Grenze der praktischen Philosophie anfange. Denn jene Beilegung der Streitigkeit gehört gar nicht ihr zu[2], sondern sie fodert nur von der spekulativen Vernunft, daß diese die Uneinigkeit, darin sie sich in theoretischen Fragen selbst verwickelt, zu Ende bringe, damit praktische Vernunft Ruhe und Sicherheit für äußere Angriffe habe, die ihr den Boden, worauf sie sich anbauen will, streitig machen könnten.

[1] Akad.-Ausg.: »müßte«. – [2] A: »zu ihr«.

‖ Der Rechtsanspruch aber, selbst der gemeinen Menschenvernunft, auf Freiheit des Willens, gründet sich auf das Bewußtsein und die zugestandene Voraussetzung der Unabhängigkeit der Vernunft, von bloß subjektiv-bestimmten[1] Ursachen, die insgesamt das ausmachen, was bloß zur Empfindung, mithin unter die allgemeine Benennung der Sinnlichkeit, gehört. Der Mensch, der sich auf solche Weise als Intelligenz betrachtet, setzt sich dadurch in eine andere Ordnung der Dinge und in ein Verhältnis zu bestimmenden Gründen von ganz anderer Art, wenn er sich als Intelligenz mit einem Willen, folglich mit Kausalität begabt, denkt, als wenn er sich wie[2] Phänomen in der Sinnenwelt (welches er wirklich auch ist) wahrnimmt, und seine Kausalität, äußerer Bestimmung nach, Naturgesetzen unterwirft. Nun wird er bald inne, daß beides zugleich stattfinden könne, ja sogar müsse. Denn, daß ein Ding in der Erscheinung (das zur Sinnenwelt gehörig) gewissen Gesetzen unterworfen ist, von welchen eben dasselbe, als Ding oder Wesen an sich selbst, unabhängig ist, enthält nicht den mindesten Widerspruch; daß er sich selbst aber auf diese zwiefache Art vorstellen und denken müsse, beruht, was das erste betrifft, auf dem Bewußtsein seiner selbst als durch Sinne affizierten Gegenstandes, was das zweite anlangt, auf dem Bewußtsein seiner selbst als Intelligenz, d. i. als unabhängig im Vernunftgebrauch von sinnlichen Eindrücken (mithin als zur Verstandeswelt gehörig).

‖ Daher kommt es, daß der Mensch sich eines Willens anmaßt, der nichts auf seine Rechnung kommen läßt, was bloß zu seinen Begierden und Neigungen gehört, und dagegen Handlungen durch sich als möglich, ja gar als notwendig, denkt, die nur mit Hintansetzung aller Begierden und sinnlichen *Anreizungen*[3] geschehen können. Die Kausalität derselben liegt in ihm als Intelligenz und in den Gesetzen der Wirkungen und Handlungen nach Prinzipien einer intelligibelen Welt, von der er wohl nichts weiter weiß, als daß darin lediglich die Vernunft, und zwar reine, von Sinnlich-

---

[1] Akad.-Ausg.: »subjektiv-bestimmenden«. – [2] Akad.-Ausg.: »wie ein«. – [3] A: »*Anreizen*«.

keit unabhängige Vernunft, das Gesetz gebe, imgleichen da
er daselbst nur als Intelligenz das eigentliche Selbst (als
Mensch hingegen nur Erscheinung seiner selbst) ist, jene
Gesetze ihn unmittelbar und kategorisch angehen, so daß,
wozu Neigungen und Antriebe (mithin die ganze Natur der
Sinnenwelt) anreizen, den Gesetzen seines Wollens, als Intelligenz, keinen Abbruch tun können[1], so gar, daß er die
erstere nicht verantwortet und seinem eigentlichen Selbst,
d. i. seinem Willen nicht zuschreibt, wohl aber die Nach-
sicht, die er gegen sie tragen möchte, wenn er ihnen, zum
Nachteil der Vernunftgesetze des Willens, Einfluß auf seine
Maximen einräumete.

Dadurch, daß die praktische Vernunft sich in eine Verstandeswelt hinein denkt, überschreitet sie gar nicht ihre
Grenzen, wohl aber, wenn sie sich hineinschauen, hin-
einempfinden wollte. Jenes ist nur ein negativer || Ge-
danke, in Ansehung der Sinnenwelt, die der Vernunft in Bestimmung des Willens keine Gesetze gibt, und nur in diesem
einzigen Punkte positiv, daß jene Freiheit, als negative Bestimmung, zugleich mit einem (positiven) Vermögen und sogar mit einer Kausalität der Vernunft verbunden sei, welche
wir einen Willen nennen, so zu handeln, daß das Prinzip der
Handlungen der wesentlichen Beschaffenheit einer Ver-
nunfturs ache, d. i. der Bedingung der Allgemeingültigkeit
der Maxime, als eines Gesetzes, gemäß sei. Würde sie aber
noch ein Objekt des Willens, d. i. eine Bewegursache
aus der Verstandeswelt herholen, so überschritte sie ihre
Grenzen, und maßte sich an, etwas zu kennen, wovon sie
nichts weiß. Der Begriff einer Verstandeswelt ist also nur
ein Standpunkt, den die Vernunft sich genötigt sieht
außer den Erscheinungen zu nehmen, um sich selbst als
praktisch zu denken, welches, wenn die Einflüsse der
Sinnlichkeit für den Menschen bestimmend wären, nicht
möglich sein würde, welches aber doch notwendig ist, wofern ihm nicht das Bewußtsein seiner selbst, als Intelligenz,
mithin als vernünftige und durch Vernunft tätige, d. i. frei
wirkende Ursache, abgesprochen werden soll. Dieser Ge-

[1] Akad.-Ausg.: »kann«.

danke führt freilich die Idee einer anderen Ordnung und
Gesetzgebung, als die des Naturmechanismus, der die Sinnenwelt trifft, herbei, und macht den Begriff einer intelligibelen Welt (d. i. das Ganze vernünftiger Wesen, als Dinge
an sich selbst) not||wendig, aber ohne die mindeste An-
maßung, hier weiter, als bloß ihrer formalen Bedingung
nach, d. i. der Allgemeinheit der Maxime des Willens, als
Gesetze[1], mithin der Autonomie des letzteren, die allein mit
der Freiheit desselben bestehen kann, gemäß zu denken; da
hingegen alle Gesetze, die auf ein Objekt bestimmt sind,
Heteronomie geben, die nur an Naturgesetzen angetroffen
werden und auch nur die Sinnenwelt treffen kann.

Aber alsdenn würde die Vernunft alle ihre Grenze über-
schreiten, wenn sie es sich zu erklären unterfinge, wie
reine Vernunft praktisch sein könne, welches völlig einerlei
mit der Aufgabe sein würde, zu erklären, wie Freiheit
möglich sei.

Denn wir können nichts erklären, als was wir auf Gesetze
zurückführen können, deren Gegenstand in irgend ·einer
möglichen Erfahrung gegeben werden kann. Freiheit aber
ist eine bloße Idee, deren objektive Realität auf keine Weise
nach Naturgesetzen, mithin auch nicht in irgend einer möglichen Erfahrung, dargetan werden kann, die also darum,
weil ihr selbst niemals nach irgend einer Analogie ein Beispiel untergelegt werden mag, niemals begriffen, oder auch
nur eingesehen werden kann. Sie gilt nur als notwendige
Voraussetzung der Vernunft in einem Wesen, das sich eines
Willens, d. i. eines vom bloßen Begehrungsvermögen noch
verschiedenen Vermögens (nämlich sich zum Handeln als
Intelligenz, mithin nach Gesetzen der Vernunft, unabhängig
von || Naturinstinkten, zu bestimmen), bewußt zu sein
glaubt. Wo aber Bestimmung nach Naturgesetzen aufhört,
da hört auch alle Erklärung auf, und es bleibt nichts
übrig, als Verteidigung, d. i. Abtreibung der Einwürfe
derer, die tiefer in das Wesen der Dinge geschaut zu haben
vorgeben, und darum die Freiheit dreust vor unmöglich erklären. Man kann ihnen nur zeigen, daß der vermeintlich

[1]   Akad.-Ausg.: »Gesetz«.

von ihnen darin entdeckte Widerspruch nirgend anders liege, als darin, daß, da sie, um das Naturgesetz in Ansehung menschlicher Handlungen geltend zu machen, den Menschen notwendig als Erscheinung betrachten mußten, und nun, da man von ihnen fodert, daß sie ihn als Intelligenz auch[1] als Ding an sich selbst denken sollten, sie ihn immer auch da noch als Erscheinung betrachten, wo denn freilich die Absonderung seiner Kausalität (d. i. seines Willens) von allen Naturgesetzen der Sinnenwelt in einem und demselben Subjekte im Widerspruche stehen würde, welcher aber wegfällt, wenn sie sich besinnen, und, wie billig, eingestehen wollten, daß hinter den Erscheinungen doch die Sachen an sich selbst (obzwar verborgen) zum Grunde liegen müssen, von deren Wirkungsgesetzen man nicht verlangen kann, daß sie mit denen einerlei sein sollten, unter denen ihre Erscheinungen stehen.

Die subjektive Unmöglichkeit, die Freiheit des Willens zu erklären, ist mit der Unmöglichkeit, ein In‖teresse* ausfindig und begreiflich zu machen, welches der Mensch an moralischen Gesetzen nehmen könne, einerlei; und gleichwohl nimmt er wirklich daran ein Interesse, wozu wir die Grundlage in uns das moralische Gefühl nennen, welches fälschlich für das Richtmaß unserer sittlichen Beurteilung von einigen ausgegeben worden, da es vielmehr als die sub-

---

* Interesse ist das, wodurch Vernunft praktisch, d. i. eine den Willen bestimmende Ursache wird. Daher sagt man nur von einem vernünftigen Wesen, daß es woran ein Interesse nehme, vernunftlose Geschöpfe fühlen nur sinnliche Antriebe. Ein unmittelbares Interesse nimmt die Vernunft nur alsdenn an der Handlung, wenn die Allgemeingültigkeit der Maxime derselben ein gnugsamer Bestimmungsgrund des Willens ist. Ein solches Interesse ist allein rein. Wenn sie aber den Willen nur vermittelst eines anderen Objekts des Begehrens, oder unter Voraussetzung eines besonderen Gefühls des Subjekts bestimmen kann, so nimmt die Vernunft nur ein mittelbares Interesse an der Handlung, und, da Vernunft für sich allein weder Objekte des Willens, noch ein besonderes ihm zu Grunde liegendes Gefühl ohne Erfahrung ausfindig machen kann, so würde das letztere Interesse nur empirisch und kein reines Vernunftinteresse sein. Das logische Interesse der Vernunft (ihre Einsichten zu befördern) ist niemals unmittelbar, sondern setzt Absichten ihres Gebrauchs voraus.

[1] A: »Intelligenz, *doch* auch«.

jektive Wirkung, die das Gesetz auf den Willen ausübt, angesehen werden muß, wozu Vernunft allein die objektiven Gründe hergibt.

Um das zu wollen, wozu die Vernunft allein dem sinnlich-affizierten vernünftigen Wesen das Sollen vorschreibt, dazu gehört freilich ein Vermögen der Vernunft, ein Gefühl der Lust oder des Wohlgefallens an der Erfüllung der Pflicht einzuflößen, mithin eine Kausali‖tät derselben, die Sinnlichkeit ihren Prinzipien gemäß zu bestimmen. Es ist aber gänzlich unmöglich, einzusehen, d. i. a priori begreiflich zu machen, wie ein bloßer Gedanke, der selbst nichts Sinnliches in sich enthält, eine Empfindung der Lust oder Unlust hervorbringe; denn das ist eine besondere Art von Kausalität, von der, wie von aller Kausalität, wir gar nichts a priori bestimmen können, sondern darum allein die Erfahrung befragen müssen. Da diese aber kein Verhältnis der Ursache zur Wirkung, als zwischen zwei Gegenständen der Erfahrung, an die Hand geben kann, hier aber reine Vernunft durch bloße Ideen (die gar keinen Gegenstand für Erfahrung abgeben) die Ursache von einer Wirkung, die freilich in der Erfahrung liegt, sein soll, so ist die Erklärung, wie und warum uns die Allgemeinheit der Maxime als Gesetzes, mithin die Sittlichkeit, interessiere, uns Menschen gänzlich unmöglich. So viel ist nur gewiß: daß es nicht darum für uns Gültigkeit hat, weil es interessiert (denn das ist Heteronomie und Abhängigkeit der praktischen Vernunft von Sinnlichkeit, nämlich einem zum Grunde liegenden Gefühl, wobei sie niemals sittlich gesetzgebend sein könnte), sondern daß es interessiert, weil es für uns als Menschen gilt, da es aus unserem Willen als Intelligenz, mithin aus unserem eigentlichen Selbst, entsprungen ist; was aber zur bloßen Erscheinung gehört, wird von der Vernunft notwendig der Beschaffenheit der Sache an sich selbst untergeordnet.

‖ Die Frage also: wie ein kategorischer Imperativ möglich sei, kann zwar so weit beantwortet werden, als man die einzige Voraussetzung angeben kann, unter der er allein möglich ist, nämlich die Idee der Freiheit, imgleichen als man die Notwendigkeit dieser Voraussetzung einsehen kann, welches zum praktischen Gebrauche der Vernunft, d. i. zur Überzeugung von der Gültigkeit dieses Imperativs, mithin auch des sittlichen Gesetzes, hinreichend ist, aber wie diese Voraussetzung selbst möglich sei, läßt sich durch keine menschliche Vernunft jemals einsehen. Unter Voraussetzung der Freiheit des Willens einer Intelligenz aber ist die Autonomie desselben, als die formale Bedingung, unter der er allein bestimmt werden kann, eine notwendige Folge. Diese Freiheit des Willens vorauszusetzen, ist auch nicht allein (ohne in Widerspruch mit dem Prinzip der Naturnotwendigkeit in der Verknüpfung der Erscheinungen der Sinnenwelt zu geraten) ganz wohl möglich (wie die spekulative Philosophie zeigen kann), sondern auch, sie praktisch, d. i. in der Idee allen seinen willkürlichen Handlungen, als Bedingung, unterzulegen, ist einem vernünftigen Wesen, das sich seiner Kausalität durch Vernunft, mithin eines Willens (der von Begierden unterschieden ist) bewußt ist, ohne weitere Bedingung notwendig. Wie nun aber reine Vernunft, ohne andere Triebfedern, die irgend woher sonsten genommen sein mögen, für sich selbst praktisch sein, d. i. wie das bloße Prinzip der Allgemein-‖ gültigkeit aller ihrer Maximen als Gesetze (welches freilich die Form einer reinen praktischen Vernunft sein würde), ohne alle Materie (Gegenstand) des Willens, woran man zum voraus irgend ein Interesse nehmen dürfe, für sich selbst eine Triebfeder abgeben, und ein Interesse, welches rein moralisch heißen würde, bewirken, oder mit anderen Worten: wie reine Vernunft praktisch sein könne, das zu erklären, dazu ist alle menschliche Vernunft gänzlich unvermögend, und alle Mühe und Arbeit, hievon Erklärung zu suchen, ist verloren.

Es ist eben dasselbe, als ob ich zu ergründen suchte, wie Freiheit selbst als Kausalität eines Willens möglich sei. Denn da verlasse ich den philosophischen Erklärungsgrund, und habe keinen anderen. Zwar könnte ich nun in der intelligibelen Welt, die mir noch übrig bleibt, in der Welt der Intelligenzen herumschwärmen; aber, ob ich gleich davon eine I d e e habe, die ihren guten Grund hat, so habe ich doch von ihr nicht die mindeste Kenntnis, und kann auch zu dieser durch alle Bestrebung meines natürlichen Vernunftvermögens niemals gelangen. Sie bedeutet nur ein Etwas, das da übrig bleibt, wenn ich alles, was zur Sinnenwelt gehöret, von den Bestimmungsgründen meines Willens ausgeschlossen habe, bloß um das Prinzip der Bewegursachen aus dem Felde der Sinnlichkeit einzuschränken, dadurch, daß ich es begrenze, und zeige, daß es nicht alles in allem in sich fasse, sondern daß außer ihm noch mehr sei; dieses Mehrere aber || kenne ich nicht weiter. Von der reinen Vernunft, die dieses Ideal denkt, bleibt nach Absonderung aller Materie, d. i. Erkenntnis der Objekte, mir nichts, als die Form übrig, nämlich das praktische Gesetz der Allgemeingültigkeit der Maximen, und, diesem gemäß, die Vernunft in Beziehung auf eine reine Verstandeswelt als mögliche wirkende, d. i. als den Willen bestimmende, Ursache zu denken; die Triebfeder muß hier gänzlich fehlen; es müßte denn diese Idee einer intelligibelen Welt selbst die Triebfeder, oder dasjenige sein, woran die Vernunft ursprünglich ein Interesse nähme; welches aber begreiflich zu machen gerade die Aufgabe ist, die wir nicht auflösen können.

Hier ist nun die oberste Grenze aller moralischen Nachforschung; welche aber zu bestimmen auch schon darum von großer Wichtigkeit ist, damit die Vernunft nicht einerseits in der Sinnenwelt, auf eine den Sitten schädliche Art, nach der obersten Bewegursache und einem begreiflichen aber empirischen Interesse herumsuche, anderer Seits aber, damit sie auch nicht in dem für sie leeren Raum transzendenter Begriffe, unter dem Namen der intelligibelen Welt, kraftlos ihre Flügel schwinge, ohne von der Stelle zu kommen, und sich unter Hirngespinsten verliere. Übrigens bleibt die Idee einer reinen Verstandeswelt, als eines Ganzen aller Intelligenzen, wozu wir selbst, als vernünftige Wesen (obgleich andererseits zugleich Glieder der Sinnenwelt) gehören, immer eine brauchbare und erlaubte Idee zum Behufe eines vernünf||tigen Glaubens, wenn gleich alles Wissen an der Grenze derselben ein Ende hat, um durch das herrliche Ideal eines allgemeinen Reichs der Zwecke an sich selbst (vernünftiger Wesen), zu welchen[1] wir nur alsdann als Glieder gehören können, wenn wir uns nach Maximen der Freiheit, als ob sie Gesetze der Natur wären, sorgfältig verhalten, ein lebhaftes Interesse an dem moralischen Gesetze in uns zu bewirken.

## SCHLUSSANMERKUNG

Der spekulative Gebrauch der Vernunft, in Ansehung der Natur, führt auf absolute Notwendigkeit irgend einer obersten Ursache der Welt; der praktische Gebrauch der Vernunft, in Absicht auf die Freiheit, führt auch auf absolute Notwendigkeit, aber nur der Gesetze der Handlungen eines vernünftigen Wesens, als eines solchen. Nun ist es ein wesentliches Prinzip alles Gebrauchs unserer Vernunft, ihr Erkenntnis bis zum Bewußtsein ihrer Notwendigkeit zu treiben (denn ohne diese wäre sie nicht Erkenntnis der Vernunft). Es ist aber auch eine eben so wesentliche Einschränkung eben derselben Vernunft, daß sie weder die Notwendigkeit dessen, was da ist, oder was geschieht, noch dessen, was geschehen soll, einsehen kann, wenn nicht eine Bedingung, unter der es da ist, oder geschieht, oder geschehen soll, zum Grunde gelegt wird. Auf diese Weise aber wird, durch die beständige Nachfrage nach der Be||dingung, die Befriedigung der Vernunft nur immer weiter aufgeschoben. Daher sucht sie rastlos das Unbedingtnotwendige, und sieht sich genötigt, es anzunehmen, ohne irgend ein Mittel, es sich begreiflich zu machen; glücklich gnug, wenn sie nur den Begriff ausfindig machen kann, der sich mit dieser Voraussetzung verträgt. Es ist also kein Tadel für unsere Deduktion des obersten Prinzips der Moralität, sondern ein Vorwurf, den man der menschlichen Vernunft überhaupt machen müßte, daß sie ein unbedingtes praktisches Gesetz (dergleichen der kategorische Imperativ sein muß) seiner absoluten Notwendigkeit nach nicht begreiflich machen kann; denn, daß sie dieses nicht durch eine

[1] Akad.-Ausg.: »welchem«.

Bedingung, nämlich vermittelst irgend eines zum Grunde gelegten Interesse, tun will, kann ihr nicht verdacht werden, weil es alsdenn kein moralisches, d. i. oberstes Gesetz der Freiheit, sein würde. Und so begreifen wir zwar nicht die praktische unbedingte Notwendigkeit des moralischen Imperativs, wir begreifen aber doch seine Unbegreiflichkeit, welches alles ist, was billigermaßen von einer Philosophie, die bis zur Grenze der menschlichen Vernunft in Prinzipien strebt, gefodert werden kann.

# KRITIK
## DER PRAKTISCHEN VERNUNFT

Critik

der practischen Vernunft

von Immanuel Kant.


Riga,

bey Johann Friedrich Hartknoch

1788.

| VORREDE

Warum diese Kritik nicht eine Kritik der **reinen** praktischen, sondern schlechthin der praktischen Vernunft überhaupt betitelt wird, obgleich der Parallelism derselben mit
der spekulativen das erstere zu erfodern scheint, darüber
gibt diese Abhandlung hinreichenden Aufschluß. Sie soll
bloß dartun, daß es **reine praktische Vernunft gebe**,
und kritiziert in dieser Absicht ihr ganzes **praktisches
Vermögen**. Wenn es ihr hiemit gelingt, so bedarf sie das
**reine Vermögen selbst** nicht zu kritisieren, um zu sehen,
ob sich die Vernunft mit einem solchen, als einer bloßen An-
maßung, nicht **übersteige** (wie es wohl mit der spekulativen geschieht). Denn wenn sie, als reine Vernunft, wirklich
praktisch ist, so beweiset sie ihre und ihrer Begriffe Realität
durch die Tat, und alles Vernünfteln wider die Möglichkeit,
es zu sein, ist vergeblich.

| Mit diesem Vermögen steht auch die transzendentale
**Freiheit** nunmehro fest, und zwar in derjenigen absoluten
Bedeutung genommen, worin die spekulative Vernunft beim
Gebrauche des Begriffs der Kausalität sie bedurfte, um sich
wider die Antinomie zu retten, darin sie unvermeidlich gerät, wenn sie in der Reihe der Kausalverbindung sich das
**Unbedingte** denken will, welchen Begriff sie aber nur problematisch, als nicht unmöglich zu denken, aufstellen konnte, ohne ihm seine objektive Realität zu sichern, sondern
allein, um nicht durch vorgebliche Unmöglichkeit dessen,
was sie doch wenigstens als denkbar gelten lassen muß, in
ihrem Wesen angefochten und in einen Abgrund des Skepti-
zisms gestürzt zu werden.

Der Begriff der Freiheit, so fern dessen Realität durch
ein apodiktisches Gesetz der praktischen Vernunft bewiesen
ist, macht nun den **Schlußstein** von dem ganzen Gebäude
eines Systems der reinen, selbst der spekulativen, Vernunft
aus, und alle andere Begriffe (die von Gott und Unsterblichkeit), welche, als bloße Ideen, in dieser ohne Haltung bleiben, schließen sich nun an ihn an, und bekommen mit ihm
und durch ihn Bestand und objektive Realität, d. i. die

| Möglichkeit derselben wird dadurch bewiesen, daß Freiheit wirklich ist; denn diese Idee offenbaret sich durchs moralische Gesetz.

Freiheit ist aber auch die einzige unter allen Ideen der spek. Vernunft, wovon wir die Möglichkeit a priori wissen, ohne sie doch einzusehen, weil sie die Bedingung* des moralischen Gesetzes ist, welches wir wissen. Die Ideen von Gott und Unsterblichkeit sind aber nicht Bedingungen des moralischen Gesetzes, sondern nur Bedingungen des notwendigen | Objekts eines durch dieses Gesetz bestimmten Willens, d. i. des bloß praktischen Gebrauchs unserer reinen Vernunft; also können wir von jenen Ideen auch, ich will nicht bloß sagen, nicht die Wirklichkeit, sondern auch nicht einmal die Möglichkeit zu erkennen und einzusehen behaupten. Gleichwohl aber sind sie die Bedingungen der Anwendung des moralisch bestimmten Willens auf sein ihm a priori gegebenes Objekt (das höchste Gut). Folglich kann und muß ihre Möglichkeit in dieser praktischen Beziehung angenommen werden, ohne sie doch theoretisch zu erkennen und einzusehen. Für die letztere Foderung ist in praktischer Absicht genug, daß sie keine innere Unmöglichkeit (Widerspruch) enthalten. Hier ist nun ein, in Vergleichung mit der spekulativen Vernunft, bloß subjektiver Grund des Fürwahrhaltens, der doch einer eben so reinen, aber praktischen Vernunft objektiv gültig ist, dadurch den Ideen von Gott und Unsterblichkeit vermittelst des Begriffs der Freiheit objektive Realität und Befugnis, ja subjektive Notwendigkeit (Bedürfnis der reinen Vernunft) sie anzunehmen verschafft wird, ohne daß dadurch doch die

* Damit man hier nicht Inkonsequenzen anzutreffen wähne, wenn ich jetzt die Freiheit die Bedingung des moralischen Gesetzes nenne, und in der Abhandlung nachher behaupte, daß das moralische Gesetz die Bedingung sei, unter der wir uns allererst der Freiheit bewußt werden können, so will ich nur erinnern, daß die Freiheit allerdings die ratio essendi des moralischen Gesetzes, das moralische Gesetz aber die ratio cognoscendi der Freiheit sei. Denn, wäre nicht das moralische Gesetz in unserer Vernunft eher deutlich gedacht, so würden wir uns niemals berechtigt halten, so etwas, als Freiheit ist (ob diese gleich sich nicht widerspricht), anzunehmen. Wäre aber keine Freiheit, so würde das moralische Gesetz in uns gar nicht anzutreffen sein.

Vernunft im theoretischen Erkenntnisse erweitert, sondern nur die Möglichkeit, die vorher nur Problem war, hier | Assertion wird, gegeben, und so der praktische Gebrauch der Vernunft mit den Elementen des theoretischen verknüpft wird. Und dieses Bedürfnis ist nicht etwa ein hypothetisches, einer beliebigen Absicht der Spekulation, daß man etwas annehmen müsse, wenn man zur Vollendung des Vernunftgebrauchs in der Spekulation hinaufsteigen will, sondern ein gesetzliches, etwas anzunehmen, ohne welches nicht geschehen kann, was man sich zur Absicht seines Tuns und Lassens unnachlaßlich setzen soll.

Es wäre allerdings befriedigender für unsere spekulative Vernunft, ohne diesen Umschweif jene Aufgaben für sich aufzulösen, und sie als Einsicht zum praktischen Gebrauche aufzubewahren; allein es ist einmal mit unserem Vermögen der Spekulation nicht so gut bestellt. Diejenige, welche sich solcher hohen Erkenntnisse rühmen, sollten damit nicht zurückhalten, sondern sie öffentlich zur Prüfung und Hochschätzung darstellen. Sie wollen beweisen; wohlan! so mögen sie denn beweisen, und die Kritik legt ihnen, als Siegern, ihre ganze Rüstung zu Füßen. Quid statis? Nolint. Atqui licet esse beatis.[1] – Da sie also in der Tat nicht wollen, vermutlich weil sie nicht | können, so müssen wir jene doch nur wiederum zur Hand nehmen, um die Begriffe von Gott, Freiheit und Unsterblichkeit, für welche die Spekulation nicht hinreichende Gewährleistung ihrer Möglichkeit findet, in moralischem Gebrauche der Vernunft zu suchen und auf demselben zu gründen.

Hier erklärt sich auch allererst das Rätsel der Kritik, wie man dem übersinnlichen Gebrauche der Kategorien in der Spekulation objektive Realität absprechen, und ihnen doch, in Ansehung der Objekte der reinen praktischen Vernunft, diese Realität zugestehen könne; denn vorher muß dieses notwendig inkonsequent aussehen, so lange man einen solchen praktischen Gebrauch nur dem Namen nach kennt. Wird man aber jetzt durch eine voll-

---

[1] Übersetzung des Herausgebers: »(Spräche ein Gott: ›...‹) Was verweilt ihr?‹ So wollten sie nicht. Und könnten doch glücklich sein.«

ständige Zergliederung der[1] letzteren inne, daß gedachte Realität hier gar auf keine theoretische Bestimmung der Kategorien und Erweiterung des Erkenntnisses zum Übersinnlichen hinausgehe, sondern nur hiedurch gemeinet sei, daß ihnen in dieser Beziehung überall ein Objekt zukomme; weil sie entweder in der notwendigen Willensbestimmung a priori enthalten, oder mit dem Gegenstande derselben unzertrennlich verbunden | sind, so verschwindet jene Inkonsequenz; weil man einen andern Gebrauch von jenen Begriffen macht, als spekulative Vernunft bedarf. Dagegen eröffnet sich nun eine vorher kaum zu erwartende und sehr befriedigende Bestätigung der konsequenten Denkungsart der spekulativen Kritik darin, daß, da diese die Gegenstände der Erfahrung, als solche, und darunter selbst unser eigenes Subjekt, nur für Erscheinungen gelten zu lassen, ihnen aber gleichwohl Dinge an sich selbst zum Grunde zu legen, also nicht alles Übersinnliche für Erdichtung und dessen Begriff für leer an Inhalt zu halten, einschärfte: praktische Vernunft jetzt für sich selbst, und ohne mit der spekulativen Verabredung getroffen zu haben, einem übersinnlichen Gegenstande der Kategorie der Kausalität, nämlich der Freiheit, Realität verschafft (obgleich, als praktischem Begriffe, auch nur zum praktischen Gebrauche), also dasjenige, was dort bloß gedacht werden konnte, durch ein Faktum bestätigt. Hiebei erhält nun zugleich die befremdliche, obzwar unstreitige, Behauptung der spekulativen Kritik, daß sogar das denkende Subjekt ihm selbst, in der inneren Anschauung, bloß Erscheinung sei, in der Kritik der praktischen Vernunft auch ihre volle Bestätigung, so gut, daß | man auf sie kommen muß, wenn die erstere diesen Satz auch gar nicht bewiesen hätte. *

* Die Vereinigung der Kausalität, als Freiheit, mit ihr, als Naturmechanism, davon die erste durchs Sittengesetz, die zweite durchs Naturgesetz, und zwar in einem und demselben Subjekte, dem Menschen, fest steht, ist unmöglich, ohne diesen in Beziehung auf das erstere als Wesen an sich selbst, auf das zweite aber als Erscheinung, jenes im reinen, dieses im empirischen Bewußtsein, vorzustellen. Ohne dieses ist der Widerspruch der Vernunft mit sich selbst unvermeidlich.

[1] Akad.-Ausg.: »des«.

Hiedurch verstehe ich auch, warum die erheblichsten Einwürfe wider die Kritik, die mir bisher noch vorgekommen sind, sich gerade um diese zwei Angel drehen: nämlich, einerseits, im theoretischen Erkenntnis geleugnete und im praktischen behauptete objektive Realität der auf Noumenen angewandten Kategorien, andererseits die paradoxe Foderung, sich als Subjekt der Freiheit zum Noumen, zugleich aber auch in Absicht auf die Natur zum Phänomen in seinem eigenen empirischen Bewußtsein zu machen. Denn, so lange man sich noch keine bestimmte Begriffe von Sittlichkeit und Freiheit machte, konnte man nicht | erraten, was man einerseits der vorgeblichen Erscheinung als Noumen zum Grunde legen wolle, und andererseits, ob es überall auch möglich sei, sich noch von ihm einen Begriff zu machen, wenn man vorher alle Begriffe des reinen Verstandes im theoretischen Gebrauche schon ausschließungsweise den bloßen Erscheinungen gewidmet hätte. Nur eine ausführliche Kritik der praktischen Vernunft kann alle diese Mißdeutung heben, und die konsequente Denkungsart, welche eben ihren größten Vorzug ausmacht, in ein helles Licht setzen.

So viel zur Rechtfertigung, warum in diesem Werke die Begriffe und Grundsätze der reinen spekulativen Vernunft, welche doch ihre besondere Kritik schon erlitten haben, hier hin und wieder nochmals der Prüfung unterworfen werden, welches dem systematischen Gange einer zu errichtenden Wissenschaft sonst nicht wohl geziemet (da abgeurteilte Sachen billig nur angeführt und nicht wiederum in Anregung gebracht werden müssen), doch hier erlaubt, ja nötig war; weil die Vernunft mit jenen Begriffen im Übergange zu einem ganz anderen Gebrauche betrachtet wird, als den sie dort von ihnen machte. Ein sol|cher Übergang macht aber eine Vergleichung des älteren mit dem neuern Gebrauche notwendig, um das neue Gleis von dem vorigen wohl zu unterscheiden und zugleich den Zusammenhang derselben bemerken zu lassen. Man wird also Betrachtungen dieser Art, unter andern diejenige, welche nochmals auf den Begriff der Freiheit, aber im praktischen Gebrauche der reinen Vernunft, gerichtet worden, nicht wie Einschiebsel betrachten, die etwa nur dazu dienen sollen, um Lücken des kritischen Systems der spekulativen Vernunft auszufüllen (denn dieses ist in seiner Absicht vollständig), und, wie es bei einem übereilten Baue herzugehen pflegt, hintennach noch Stützen und Strebepfeiler anzubringen, sondern als wahre Glieder, die den Zusammenhang des Systems bemerklich machen, und[1] Begriffe, die dort nur problematisch vorgestellt werden konnten, jetzt in ihrer realen Darstellung einsehen zu lassen. Diese Erinnerung geht vornehmlich den Begriff der Freiheit an, von dem man mit Befremdung bemerken muß, daß noch so viele ihn ganz wohl einzusehen und die Möglichkeit derselben erklären zu können sich rühmen, indem sie ihn bloß in psychologischer Beziehung betrachten, indessen daß, wenn sie ihn vorher in transzendentaler genau erwogen hät|ten, sie so wohl seine Unentbehrlichkeit, als problematischen Begriffs, in vollständigem Gebrauche der spekulativen Vernunft, als auch die völlige Unbegreiflichkeit desselben hätten erkennen, und, wenn sie nachher mit ihm zum praktischen Gebrauche gingen, gerade auf die nämliche Bestimmung des letzteren in Ansehung seiner Grundsätze von selbst hätten kommen müssen, zu welcher sie sich sonst so ungern verstehen wollen. Der Begriff der Freiheit ist der Stein des Anstoßes für alle Empiristen, aber auch der Schlüssel zu den erhabensten praktischen Grundsätzen für kritische Moralisten, die dadurch einsehen, daß sie notwendig rational verfahren müssen. Um deswillen ersuche ich den Leser, das, was zum Schlusse der Analytik über diesen Begriff gesagt wird, nicht mit flüchtigem Auge zu übersehen.

Ob ein solches System, als hier von der reinen praktischen Vernunft aus der Kritik der letzteren entwickelt wird, viel oder wenig Mühe gemacht habe, um vornehmlich den rechten Gesichtspunkt, aus dem das Ganze derselben richtig vorgezeichnet werden kann, nicht zu verfehlen, muß ich den Kennern einer dergleichen Arbeit zu beurteilen überlassen. Es setzt | zwar die Grundlegung zur Metaphysik der Sitten voraus, aber nur in so fern, als diese mit dem Prinzip der Pflicht vorläufige Bekanntschaft macht und eine be-

[1] Akad.-Ausg.: »um«.

stimmte Formel derselben angibt und rechtfertigt;* sonst
besteht es durch sich selbst. Daß die Einteilung aller
praktischen Wissenschaften zur Vollständigkeit nicht
mit beigefügt worden, wie es die Kritik der spekulativen
Vernunft leistete, dazu ist auch gültiger Grund in der Beschaffenheit dieses praktischen Vernunftvermögens anzutreffen. Denn die besondere Bestimmung der Pflichten, als
Menschen|pflichten, um sie einzuteilen, ist nur möglich,
wenn vorher das Subjekt dieser Bestimmung (der Mensch),
nach der Beschaffenheit, mit der er wirklich ist, obzwar nur
so viel als in Beziehung auf Pflicht überhaupt nötig ist, erkannt worden; diese aber gehört nicht in eine Kritik der
praktischen Vernunft überhaupt, die nur die Prinzipien ihrer
Möglichkeit, ihres Umfanges und Grenzen vollständig ohne
besondere Beziehung auf die menschliche Natur angeben
soll. Die Einteilung gehört also hier zum System der Wissenschaft, nicht zum System der Kritik.

Ich habe einem gewissen, wahrheitliebenden und schar-
fen, dabei also doch immer achtungswürdigen Rezensenten
jener Grundlegung zur Met. d. S. auf seinen Einwurf,
daß der Begriff des Guten dort nicht (wie es seiner
Meinung nach nötig gewesen wäre) vor dem moralischen
Prinzip festgesetzt worden,** in dem zweiten Haupt-

* Ein Rezensent, der etwas zum Tadel dieser Schrift sagen wollte,
hat es besser getroffen, als er wohl selbst gemeint haben mag, indem er
sagt: daß darin kein neues Prinzip der Moralität, sondern nur eine
neue Formel aufgestellet worden. Wer wollte aber auch einen neuen
Grundsatz aller Sittlichkeit einführen, und diese gleichsam zuerst erfinden? gleich als ob vor ihm die Welt, in dem was Pflicht sei, unwissend,
oder in durchgängigem Irrtume gewesen wäre. Wer aber weiß, was dem
Mathematiker eine Formel bedeutet, die das, was zu tun sei, um eine
Aufgabe zu befolgen, ganz genau bestimmt und nicht verfehlen läßt,
wird eine Formel, welche dieses in Ansehung aller Pflicht überhaupt
tut, nicht für etwas Unbedeutendes und Entbehrliches halten.

** Man könnte mir noch den Einwurf machen, warum ich nicht auch
den Begriff des Begehrungsvermögens, oder des Gefühls der
Lust vorher erklärt habe; obgleich | dieser Vorwurf unbillig sein würde,
weil man diese Erklärung, als in der Psychologie gegeben, billig sollte
voraussetzen können. Es könnte aber freilich die Definition daselbst
so eingerichtet sein, daß das Gefühl der Lust der Bestimmung des Begehrungsvermögens zum Grunde gelegt würde (wie es auch wirklich

stücke der Analytik, | wie ich hoffe, Genüge getan; eben so
auch auf manche andere Einwürfe Rücksicht genommen,
die | mir von Männern zu Händen gekommen sind, die den
Willen blicken lassen, daß die Wahrheit auszumitteln ihnen
am Herzen liegt (denn die, so nur ihr | altes System vor
Augen haben, und bei denen schon vorher beschlossen ist,
was gebilligt oder mißbilligt werden soll, verlangen doch
keine Erörterung, die ihrer Privatabsicht im Wege sein
könnte); und so werde ich es auch fernerhin halten.

Wenn es um die Bestimmung eines besonderen Vermögens der menschlichen Seele, nach seinen Quellen, Inhalte
und Grenzen zu tun ist, so kann man zwar, nach der Natur

gemeinhin so zu geschehen pflegt), dadurch aber das oberste Prinzip
der praktischen Philosophie notwendig empirisch ausfallen müßte,
welches doch allererst auszumachen ist, und in dieser Kritik gänzlich
widerlegt wird. Daher will ich diese Erklärung hier so geben, wie sie
sein muß, um diesen streitigen Punkt, wie billig, im Anfange unentschieden zu lassen. – Leben ist das Vermögen eines Wesens, nach Gesetzen des Begehrungsvermögens zu handeln. Das Begehrungsvermögen ist das Vermögen desselben, durch seine Vorstellungen
Ursache von der Wirklichkeit der Gegenstände dieser Vorstellungen zu sein. Lust ist die Vorstellung der Übereinstimmung des Gegenstandes oder der Handlung mit den subjektiven Bedingungen des Lebens, d. i. mit dem Vermögen der
Kausalität einer Vorstellung in Ansehung der Wirklichkeit ihres Objekts (oder der Bestimmung der Kräfte des Subjekts
zur Handlung, es hervorzubringen). Mehr brauche ich nicht zum Behuf
der Kritik von Begriffen, die aus der Psychologie entlehnt werden, das
übrige leistet die Kritik selbst. Man | wird leicht gewahr, daß die Frage,
ob die Lust dem Begehrungsvermögen jederzeit zum Grunde gelegt
werden müsse, oder ob sie auch unter gewissen Bedingungen nur auf die
Bestimmung desselben folge, durch diese Erklärung unentschieden
bleibt; denn sie ist aus lauter Merkmalen des reinen Verstandes, d. i.
Kategorien zusammengesetzt, die nichts Empirisches enthalten. Eine
solche Behutsamkeit ist in der ganzen Philosophie sehr empfehlungs-
würdig, und wird dennoch oft verabsäumt, nämlich, seinen Urteilen vor
der vollständigen Zergliederung des Begriffs, die oft nur sehr spät erreicht wird, durch gewagte Definition nicht vorzugreifen. Man wird
auch durch den ganzen Lauf der Kritik (der theoretischen sowohl als
praktischen Vernunft) bemerken, daß sich in demselben mannigfaltige
Veranlassung vorfinde, manche Mängel im alten dogmatischen Gange
der Philosophie zu ergänzen, und Fehler abzuändern, die nicht eher
bemerkt werden, als wenn man von Begriffen einen Gebrauch der Vernunft macht, der aufs Ganze derselben geht.

des menschlichen Erkenntnisses, nicht anders als von den Teilen derselben, ihrer genauen und (so viel als nach der jetzigen Lage unserer schon erworbenen Elemente derselben möglich ist) vollständigen Darstellung anfangen. Aber es ist noch eine zweite Aufmerksamkeit, die mehr philosophisch und architektonisch ist; nämlich, die Idee des Ganzen richtig zu fassen, und aus derselben alle jene Teile in ihrer wechselseitigen Beziehung auf einander, vermittelst der Ableitung derselben von dem Begriffe jenes Ganzen, in einem reinen Vernunftvermögen ins Auge zu fassen. Diese Prüfung und Ge|währleistung ist nur durch die innigste Bekanntschaft mit dem System möglich, und die, welche in Ansehung der ersteren Nachforschung verdrossen gewesen, also diese Bekanntschaft zu erwerben nicht der Mühe wert geachtet haben, gelangen nicht zur zweiten Stufe, nämlich der Übersicht, welche eine synthetische Wiederkehr zu demjenigen ist, was vorher analytisch gegeben worden, und es ist kein Wunder, wenn sie allerwärts Inkonsequenzen finden, obgleich die Lücken, die diese vermuten lassen, nicht im System selbst, sondern bloß in ihrem eigenen unzusammenhängenden Gedankengange anzutreffen sind.

Ich besorge in Ansehung dieser Abhandlung nichts von dem Vorwurfe, eine neue Sprache einführen zu wollen, weil die Erkenntnisart sich hier von selbst der Popularität nähert. Dieser Vorwurf konnte auch niemanden in Ansehung der ersteren Kritik beifallen, der sie nicht bloß durchgeblättert, sondern durchgedacht hatte. Neue Worte zu künsteln, wo die Sprache schon so an Ausdrücken für gegebene Be|griffe keinen Mangel hat, ist eine kindische Bemühung, sich unter der Menge, wenn nicht durch neue und wahre Gedanken, doch durch einen neuen Lappen auf dem alten Kleide auszuzeichnen. Wenn daher die Leser jener Schrift populärere Ausdrücke wissen, die doch dem Gedanken eben so angemessen sein[1], als mir jene zu sein scheinen, oder etwa die Nichtigkeit dieser Gedanken selbst, mithin zugleich jedes Ausdrucks, der ihn bezeichnet, darzutun sich getrauen: so würden sie mich durch das erstere sehr verbinden, denn ich will nur verstanden

[1] Akad.-Ausg.: »sind«.

sein; in Ansehung des zweiten aber sich ein Verdienst um die
Philosophie erwerben. So lange aber jene Gedanken noch stehen, zweifele ich sehr, daß ihnen angemessene und doch gang-
barere Ausdrücke dazu aufgefunden werden dürften.*

| Auf diese Weise wären denn nunmehr die Prinzipien
a priori zweier Vermögen des Gemüts, des | Erkenntnis- und
Begehrungsvermögens ausgemittelt, und, nach den Bedin-
gungen, dem Umfange und | Grenzen ihres Gebrauchs, be-
stimmt, hiedurch aber zu einer systematischen, theoretischen sowohl als praktischen Philosophie, als Wissenschaft,
sicherer Grund gelegt.

Was Schlimmeres könnte aber diesen Bemühungen wohl
nicht begegnen, als wenn jemand die unerwartete Entdek-
kung machte, daß es überall gar kein Erkenntnis a priori
gebe, noch geben könne. Allein es hat hiemit keine Not. Es
wäre eben so viel, als ob jemand durch Vernunft beweisen
wollte, daß es keine Vernunft gebe. Denn wir sagen nur, daß
wir etwas durch Vernunft erkennen, wenn wir uns bewußt
sind, daß wir es auch hätten wissen können, wenn es uns

---

* Mehr (als jene Unverständlichkeit) besorge ich hier hin und wieder
Mißdeutung in Ansehung einiger Ausdrücke, die ich mit größter Sorgfalt aussuchte, um den Begriff nicht verfehlen zu lassen, darauf sie
weisen. So hat in der Tafel der Kategorien der praktischen Vernunft,
in dem Titel der Modalität, das Erlaubte und Unerlaub|te (prak-
tisch-objektiv Mögliche und Unmögliche) mit der nächstfolgenden Kategorie der Pflicht und des Pflichtwidrigen im gemeinen Sprachgebrauche beinahe einerlei Sinn; hier aber soll das erstere dasjenige
bedeuten, was mit einer bloß möglichen praktischen Vorschrift in
Einstimmung oder Widerstreit ist (wie etwa die Auflösung aller Pro-
bleme der Geometrie und Mechanik), das zweite, was in solcher Beziehung auf ein in der Vernunft überhaupt wirklich liegendes Gesetz
steht; und dieser Unterschied der Bedeutung ist auch dem gemeinen
Sprachgebrauche nicht ganz fremd, wenn gleich etwas ungewöhnlich.
So ist es z. B. einem Redner, als solchem, unerlaubt, neue Worte oder
Wortfügungen zu schmieden; dem Dichter ist es in gewissem Maße
erlaubt; in keinem von beiden wird hier an Pflicht gedacht. Denn wer
sich um den Ruf eines Redners bringen will, dem kann es niemand
wehren. Es ist hier nur um den Unterschied der Imperativen, unter
problematischem, assertorischem und apodiktischem Bestimmungsgrunde, zu tun. Eben so habe ich in derjenigen Note, wo ich
die moralischen Ideen praktischer Vollkommenheit in ver|schiedenen
philosophischen Schulen gegen einander stellete, die Idee der Weisheit

auch nicht so in der Erfahrung vorgekom|men wäre; mithin
ist Vernunfterkenntnis und Erkenntnis a priori einerlei. Aus
einem Erfahrungssatze Notwendigkeit (ex pumice aquam[1])
auspressen wollen, mit dieser auch wahre Allgemeinheit
(ohne welche kein Vernunftschluß, mithin auch nicht der
Schluß aus der Analogie, welche eine wenigstens präsumierte
Allgemeinheit und objektive Notwendigkeit ist, und diese
also doch immer voraussetzt) einem Urteile verschaffen
wollen, ist gerader Widerspruch. Subjektive Notwendigkeit,
d. i. Gewohnheit, statt der objektiven, die nur in Urteilen
a priori stattfindet, unterschieben, heißt der Vernunft das
Vermögen absprechen, über den Gegenstand zu urteilen, d. i.
ihn, und was ihm zukomme, zu erkennen, und z. B. von
dem, was öfters und immer auf einen gewissen vorhergehenden Zustand folgte, nicht sagen, daß man aus diesem auf
jenes schließen könne (denn das würde objektive Notwendigkeit und Begriff von einer Verbindung a priori bedeuten),
sondern nur ähnliche Fälle (mit den Tieren auf ähnliche Art)
erwarten dürfe, d. i. den Begriff der Ursache im Grunde als

von der der Heiligkeit unterschieden, ob ich sie gleich selbst im
Grunde und objektiv für einerlei erkläret habe. Allein ich verstehe an
diesem Orte darunter nur diejenige Weisheit, die sich der Mensch (der
Stoiker) anmaßt, also subjektiv als Eigenschaft dem Menschen ange-
dichtet. (Vielleicht könnte der Ausdruck Tugend, womit der Stoiker
auch großen Staat trieb, besser das Charakteristische seiner Schule bezeichnen.) Aber der Ausdruck eines Postulats der r. pr. Vern. konnte
noch am meisten Mißdeutung veranlassen, wenn man damit die Bedeutung vermengete, welche die Postulate der reinen Mathematik haben, und welche apodiktische Gewißheit bei sich führen. Aber diese
postulieren die Möglichkeit einer Handlung, deren Gegenstand
man a priori theoretisch mit völliger Gewißheit als möglich voraus
erkannt hat. Jenes aber postuliert die Möglichkeit eines Gegenstandes (Gottes und der Unsterblichkeit der Seele) selbst aus apodiktischen
praktischen Gesetzen, also nur zum Behuf einer praktischen Ver-
nunft; da denn diese Gewißheit der postulierten Möglichkeit gar nicht |
theoretisch, mithin auch nicht apodiktisch, d. i. in Ansehung des Objekts erkannte Notwendigkeit, sondern in Ansehung des Subjekts, zu
Befolgung ihrer objektiven, aber praktischen Gesetze notwendige Annehmung, mithin bloß notwendige Hypothesis ist. Ich wußte für diese
subjektive, aber doch wahre und unbedingte Vernunftnotwendigkeit
keinen besseren Ausdruck auszufinden.

[1] Übersetzung des Herausgebers: »Aus Bimsstein Wasser«.

falsch und | bloßen Gedankenbetrug verwerfen. Diesem
Mangel der objektiven und daraus folgenden allgemeinen
Gültigkeit dadurch abhelfen wollen, daß man doch keinen
Grund sähe, andern vernünftigen Wesen eine andere Vorstellungsart beizulegen, wenn das einen gültigen Schluß
abgäbe, so würde uns unsere Unwissenheit mehr Dienste
zu Erweiterung unserer Erkenntnis leisten, als alles Nachdenken. Denn bloß deswegen, weil wir andere vernünftige
Wesen außer dem Menschen nicht kennen, würden wir ein
Recht haben, sie als so beschaffen anzunehmen, wie wir
uns erkennen, d. i. wir würden sie wirklich kennen. Ich er-
wähne hier nicht einmal, daß nicht die Allgemeinheit des
Fürwahrhaltens die objektive Gültigkeit eines Urteils (d. i.
die Gültigkeit desselben als Erkenntnisses) beweise, sondern, wenn jene auch zufälliger Weise zuträfe, dieses doch
noch nicht einen Beweis der Übereinstimmung mit dem
Objekt abgeben könne; vielmehr die objektive Gültigkeit
allein den Grund einer notwendigen allgemeinen Einstimmung ausmache.

| Hume würde sich bei diesem System des allgemei-
nen Empirisms in Grundsätzen auch sehr wohl befinden;
denn er verlangte, wie bekannt, nichts mehr, als daß, statt
aller objektiven Bedeutung der Notwendigkeit im Begriffe
der Ursache, eine bloß subjektive, nämlich Gewohnheit, angenommen werde, um der Vernunft alles Urteil über Gott,
Freiheit und Unsterblichkeit abzusprechen; und er verstand
sich gewiß sehr gut darauf, um, wenn man ihm nur die Prinzipien zugestand, Schlüsse mit aller logischen Bündigkeit
daraus zu folgern. Aber so allgemein hat selbst Hume den
Empirism nicht gemacht, um auch die Mathematik darin
einzuschließen. Er hielt ihre Sätze für analytisch, und,
wenn das seine Richtigkeit hätte, würden sie in der Tat auch
apodiktisch sein, gleichwohl aber daraus kein Schluß auf
ein Vermögen der Vernunft, auch in der Philosophie apodiktische Urteile, nämlich solche, die synthetisch wären (wie
der Satz der Kausalität), zu fällen, gezogen werden können.
Nähme man aber den Empirism der Prinzipien allgemein
an, so wäre auch Mathematik damit eingeflochten.

| Wenn nun diese mit der Vernunft, die bloß empirische Grundsätze zuläßt, in Widerstreit gerät, wie dieses in der Antinomie, da Mathematik die unendliche Teilbarkeit des Raumes unwidersprechlich beweiset, der Empirism aber sie nicht verstatten kann, unvermeidlich ist: so ist die größte mögliche Evidenz der Demonstration, mit den vorgeblichen Schlüssen aus Erfahrungsprinzipien, in offenbarem Widerspruch, und nun muß man, wie der Blinde des Cheselden fragen: was betrügt mich, das Gesicht oder Gefühl? (Denn der Empirism gründet sich auf einer gefühlten, der Rationalism aber auf einer eingesehenen Notwendigkeit.) Und so offenbaret sich der allgemeine Empirism als den echten Skeptizism, den man dem Hume fälschlich in so unbeschränkter Bedeutung beilegte,* da er wenigstens einen sicheren | Probierstein der Erfahrung an der Mathematik übrig ließ, statt daß jener schlechterdings keinen Probierstein derselben (der immer nur in Prinzipien a priori angetroffen werden kann) verstattet, obzwar diese doch nicht aus bloßen Gefühlen, sondern auch aus Urteilen besteht.

Doch, da es in diesem philosophischen und kritischen Zeitalter schwerlich mit jenem Empirism Ernst sein kann, und er vermutlich nur zur Übung der Urteilskraft, und, um durch den Kontrast die Notwendigkeit rationaler Prinzipien a priori in ein helleres Licht zu setzen, aufgestellet wird: so kann man es denen doch Dank wissen, die sich mit dieser sonst eben nicht belehrenden Arbeit bemühen wollen.

---

* Namen, welche einen Sektenanhang bezeichnen, haben zu aller Zeit viel Rechtsverdrehung bei sich geführt; ungefähr so, als wenn jemand sagte: N. ist ein Idealist. Denn, ob er gleich, durchaus, nicht allein einräumt, sondern darauf dringt, daß unseren Vorstellungen äuße|rer Dinge wirkliche Gegenstände äußerer Dinge korrespondieren, so will er doch, daß die Form der Anschauung derselben nicht ihnen, sondern nur dem menschlichen Gemüte anhänge.

| EINLEITUNG

VON DER IDEE EINER KRITIK DER PRAKTISCHEN VERNUNFT

Der theoretische Gebrauch der Vernunft beschäftigte sich mit Gegenständen des bloßen Erkenntnisvermögens, und eine Kritik derselben, in Absicht auf diesen Gebrauch, betraf eigentlich nur das reine Erkenntnisvermögen, weil dieses Verdacht erregte, der sich auch hernach bestätigte, daß es sich leichtlich über seine Grenzen, unter unerreichbare Gegenstände, oder gar einander widerstreitende Begriffe, verlöre. Mit dem praktischen Gebrauche der Vernunft verhält es sich schon anders. In diesem beschäftigt sich die Vernunft mit Bestimmungsgründen des Willens, welcher ein Vermögen ist, den Vorstellungen entsprechende Gegenstände entweder hervorzubringen, oder doch sich selbst zu Bewirkung derselben (das physische Vermögen mag nun hinreichend sein, | oder nicht), d. i. seine Kausalität zu bestimmen. Denn da kann wenigstens die Vernunft zur Willensbestimmung zulangen, und hat so fern immer objektive Realität, als es nur auf das Wollen ankommt. Hier ist also die erste Frage: ob reine Vernunft zur Bestimmung des Willens für sich allein zulange, oder ob sie nur als empirischbedingte ein Bestimmungsgrund derselben sein könne. Nun tritt hier ein durch die Kritik der reinen Vernunft gerechtfertigter, obzwar keiner empirischen Darstellung fähiger Begriff der Kausalität, nämlich der der Freiheit, ein, und wenn wir anjetzt Gründe ausfindig machen können, zu beweisen, daß diese Eigenschaft dem menschlichen Willen (und so auch dem Willen aller vernünftigen Wesen) in der Tat zukomme, so wird dadurch nicht allein dargetan, daß reine Vernunft praktisch sein könne, sondern daß sie allein, und nicht die empirisch-beschränkte, unbedingterweise praktisch sei. Folglich werden wir nicht eine Kritik der reinen praktischen, sondern nur der praktischen Vernunft überhaupt zu bearbeiten haben. Denn reine Vernunft, wenn allererst dargetan worden, daß es eine solche gebe, bedarf keiner Kritik. Sie ist es, welche selbst die Richtschnur zur Kritik alles ihres Gebrauchs enthält. Die | Kritik der praktischen Vernunft überhaupt hat also die Obliegenheit, die empirisch bedingte Vernunft von der Anmaßung abzuhalten, ausschließungsweise den Bestimmungsgrund des Willens allein abgeben zu wollen. Der Gebrauch der reinen Vernunft, wenn, daß es eine solche gebe, ausgemacht ist, ist allein immanent; der empirisch-bedingte, der sich die Alleinherrschaft anmaßt, ist dagegen transzendent, und äußert sich in Zumutungen und Geboten, die ganz über ihr Gebiet hinausgehen, welches gerade das umgekehrte Verhältnis von dem ist, was von der reinen Vernunft im spekulativen Gebrauche gesagt werden konnte.

Indessen, da es immer noch reine Vernunft ist, deren Erkenntnis hier dem praktischen Gebrauche zum Grunde liegt, so wird doch die Einteilung einer Kritik der praktischen Vernunft, dem allgemeinen Abrisse nach, der der spekulativen gemäß angeordnet werden müssen. Wir werden also eine Elementarlehre und Methodenlehre derselben, in jener, als dem ersten Teile, eine Analytik, als Regel der Wahrheit, und eine Dialektik, als Darstellung und Auflösung des Scheins in Urteilen der praktischen Vernunft haben müssen. Allein die Ordnung in der Unterabteilung | der Analytik wird wiederum das Umgewandte von der in der Kritik der reinen spekulativen Vernunft sein. Denn in der gegenwärtigen werden wir von Grundsätzen anfangend zu Begriffen und von diesen allererst, wo möglich, zu den Sinnen gehen; da wir hingegen bei der spekulativen Vernunft von den Sinnen anfingen, und bei den Grundsätzen endigen mußten. Hievon liegt der Grund nun wiederum darin: daß wir es jetzt mit einem Willen zu tun haben, und die Vernunft nicht im Verhältnis auf Gegenstände, sondern auf diesen Willen und dessen Kausalität zu erwägen haben, da denn die Grundsätze der empirisch unbedingten Kausalität den Anfang machen müssen, nach welchem der Versuch gemacht werden kann, unsere Begriffe von dem Bestimmungsgrunde eines solchen Willens, ihrer Anwendung auf Gegenstände, zuletzt auf das Subjekt und dessen Sinnlichkeit, allererst festzusetzen. Das Gesetz der Kausalität aus Freiheit, d. i. irgend ein reiner praktischer Grundsatz, macht hier unvermeidlich den Anfang, und bestimmt die Gegenstände, worauf er allein bezogen werden kann.

| DER KRITIK
DER PRAKTISCHEN VERNUNFT
ERSTER TEIL

ELEMENTARLEHRE
DER REINEN PRAKTISCHEN
VERNUNFT

| ERSTES BUCH

### DIE ANALYTIK DER REINEN
### PRAKTISCHEN VERNUNFT

### ERSTES HAUPTSTÜCK

#### VON DEN GRUNDSÄTZEN DER REINEN
#### PRAKTISCHEN VERNUNFT

##### § 1. ERKLÄRUNG

Praktische Grundsätze sind Sätze, welche eine allgemeine Bestimmung des Willens enthalten, die mehrere praktische Regeln unter sich hat. Sie sind subjektiv, oder Maximen, wenn die Bedingung nur als für den Willen des Subjekts gültig von ihm angesehen wird; objektiv aber, oder praktische Gesetze, wenn jene als objektiv, d. i. für den Willen jedes vernünftigen Wesens gültig erkannt wird.

#### Anmerkung

Wenn man annimmt, daß reine Vernunft einen praktisch, d. i. zur Willensbestimmung hinreichenden Grund in sich ent|halten könne, so gibt es praktische Gesetze; wo aber nicht, so werden alle praktische Grundsätze bloße Maximen sein. In einem pathologisch-affizierten Willen eines vernünftigen Wesens kann ein Widerstreit der Maximen, wider die von ihm selbst erkannte praktische Gesetze, angetroffen werden. Z. B. es kann sich jemand zur Maxime machen, keine Beleidigung ungerächet zu erdulden, und doch zugleich einsehen, daß dieses kein praktisches Gesetz, sondern nur seine Maxime sei, dagegen, als Regel für den Willen eines jeden vernünftigen Wesens, in einer und derselben Maxime, mit sich selbst nicht zusammen stimmen könne. In der Naturerkenntnis sind die Prinzipien dessen, was geschieht (z. B. das Prinzip der Gleichheit der Wirkung und Gegenwirkung in der Mitteilung der Bewegung), zugleich Gesetze der Natur; denn der Gebrauch der Vernunft ist dort theoretisch und durch die Beschaffenheit des Objekts bestimmt. In der praktischen Erkenntnis, d. i. derjenigen, welche es bloß mit Bestimmungsgründen des Willens zu tun hat, sind Grundsätze, die man sich macht, darum noch nicht Gesetze, darunter man unvermeidlich stehe, weil die Vernunft im Praktischen es mit dem Subjekte zu tun hat, nämlich dem Begehrungsvermögen, nach dessen besonderer Beschaffenheit sich die Regel vielfältig richten kann. – Die praktische Regel ist jederzeit ein Produkt der Vernunft, weil sie Handlung, als Mittel zur Wirkung, als Absicht vorschreibt. Diese Regel ist aber für ein Wesen, bei dem Vernunft nicht ganz allein Bestimmungsgrund des Willens ist, ein Imperativ, d. i. eine Regel, die durch ein Sollen, welches die objektive Nötigung der Handlung ausdrückt, bezeichnet wird, und bedeutet, daß, wenn die Vernunft den Willen gänzlich bestimmete, die Handlung unausbleiblich nach dieser Regel geschehen würde. Die Imperativen gelten also objektiv, | und sind von Maximen, als subjektiven Grundsätzen, gänzlich unterschieden. Jene bestimmen aber entweder die Bedingungen der Kausalität des vernünftigen Wesens, als wirkender Ursache, bloß in Ansehung der Wirkung und Zulänglichkeit zu derselben, oder sie bestimmen nur den Willen, er mag zur Wirkung hinreichend sein oder nicht. Die erstere würden hypothetische Imperativen sein, und bloße Vorschriften der Geschicklichkeit enthalten; die zweiten würden dagegen kategorisch und allein praktische Gesetze sein. Maximen sind also zwar Grundsätze, aber nicht Imperativen. Die Imperativen selber aber, wenn sie bedingt sind, d. i. nicht den Willen schlechthin als Willen, sondern nur in Ansehung einer begehrten Wirkung bestimmen, d. i. hypothetische Imperativen sind, sind zwar praktische Vorschriften, aber keine Gesetze. Die letztern müssen den Willen als Willen, noch ehe ich frage, ob ich gar das zu einer begehrten Wirkung erforderliche Vermögen habe, oder, was mir, um diese hervorzubringen, zu tun sei, hinreichend bestimmen, mithin kategorisch sein, sonst sind es keine Gesetze; weil ihnen die Notwendigkeit fehlt, welche, wenn sie praktisch sein soll, von pathologischen, mithin dem Willen zufällig anklebenden Bedingungen unabhängig sein muß. Saget jemanden, z. B., daß er in der Jugend arbeiten und sparen müsse, um im Alter nicht zu darben: so ist dieses eine richtige und zugleich wichtige praktische Vorschrift des Willens. Man sieht aber leicht, daß der Wille hier auf etwas anderes verwiesen werde, wovon man voraussetzt, daß er es begehre, und dieses Begehren muß man ihm, dem Täter selbst, überlassen, ob er noch andere Hülfsquellen, außer seinem selbst erworbenen Vermögen, vorhersehe, oder ob er gar nicht hoffe, alt zu werden, oder sich denkt im Falle der Not dereinst schlecht behelfen zu können. Die Vernunft, aus der allein | alle Regel, die Notwendigkeit enthalten soll, entspringen kann, legt in diese ihre Vorschrift zwar auch Notwendigkeit (denn ohne das wäre sie kein Imperativ), aber diese ist nur subjektiv bedingt, und man kann sie nicht in allen Subjekten in gleichem Grade voraussetzen. Zu ihrer Gesetzgebung aber wird erfodert, daß sie bloß sich selbst vorauszusetzen bedürfe, weil die Regel nur alsdenn objektiv und allgemein gültig ist, wenn sie ohne zufällige, subjektive Bedingungen gilt, die ein vernünftig Wesen von dem anderen unterscheiden. Nun sagt jemanden: er solle niemals lügenhaft versprechen, so ist dies eine Regel, die bloß seinen Willen betrifft; die Absichten, die der Mensch haben mag, mögen durch denselben erreicht werden können, oder nicht; das bloße Wollen ist das, was durch jene Regel völlig a priori bestimmt werden soll. Findet sich nun, daß diese Regel praktisch richtig sei, so ist sie ein Gesetz, weil sie ein kategorischer Imperativ ist. Also beziehen sich praktische Gesetze allein auf den Willen, unangesehen dessen, was durch die Kausalität desselben ausgerichtet wird, und man kann von der letztern (als zur Sinnenwelt gehörig) abstrahieren, um sie rein zu haben.

### § 2. LEHRSATZ I

Alle praktische Prinzipien, die ein Objekt (Materie) des Begehrungsvermögens, als Bestimmungsgrund des Willens, voraussetzen, sind insgesamt empirisch und können keine praktische Gesetze abgeben.

Ich verstehe unter der Materie des Begehrungsvermögens einen Gegenstand, dessen Wirklichkeit begehret wird. Wenn

die Begierde nach diesem Gegenstande | nun vor der prak-
tischen Regel vorhergeht, und die Bedingung ist, sie sich
zum Prinzip machen [1], so sage ich (erstlich): dieses Prinzip
ist alsdenn jederzeit empirisch. Denn der Bestimmungsgrund der Willkür ist alsdenn die Vorstellung eines Objekts,
und dasjenige Verhältnis derselben zum Subjekt, wodurch
das Begehrungsvermögen zur Wirklichmachung desselben
bestimmt wird. Ein solches Verhältnis aber zum Subjekt
heißt die Lust an der Wirklichkeit eines Gegenstandes.
Also müßte diese als Bedingung der Möglichkeit der Bestimmung der Willkür vorausgesetzt werden. Es kann aber
von keiner Vorstellung irgend eines Gegenstandes, welche
sie auch sei, a priori erkannt werden, ob sie mit Lust oder
Unlust verbunden, oder indifferent sein werde. Also
muß in solchem Falle der Bestimmungsgrund der Willkür
jederzeit empirisch sein, mithin auch das praktische materiale Prinzip, welches ihn als Bedingung voraussetzte.

Da nun (zweitens) ein Prinzip, das sich nur auf die subjektive Bedingung der Empfänglichkeit einer Lust oder Unlust (die jederzeit nur empirisch erkannt, und nicht für alle
vernünftige Wesen in gleicher Art gültig sein kann) gründet,
zwar wohl für das Subjekt, das sie besitzt, zu ihrer Maxime, aber auch für diese selbst (weil es ihm an objektiver
Notwendigkeit, die a priori erkannt werden muß, mangelt)
nicht zum | Gesetze dienen kann, so kann ein solches Prin-
zip niemals ein praktisches Gesetz abgeben.

### § 3. LEHRSATZ II

Alle materiale praktische Prinzipien sind, als solche, insgesamt von einer und derselben Art, und gehören unter das allgemeine Prinzip der Selbstliebe, oder eigenen Glückseligkeit.

Die Lust aus der Vorstellung der Existenz einer Sache,
so fern sie ein Bestimmungsgrund des Begehrens dieser
Sache sein soll, gründet sich auf der Empfänglichkeit
des Subjekts, weil sie von dem Dasein eines Gegenstandes
abhängt; mithin gehört sie dem Sinne (Gefühl) und nicht

Akad.-Ausg.: »zu machen«.

dem Verstande an, der eine Beziehung der Vorstellung auf ein Objekt, nach Begriffen, aber nicht auf das Subjekt, nach Gefühlen, ausdrückt. Sie ist also nur so fern praktisch, als die Empfindung der Annehmlichkeit, die das Subjekt von der Wirklichkeit des Gegenstandes erwartet, das Begehrungsvermögen bestimmt. Nun ist aber das Bewußtsein eines vernünftigen Wesens von der Annehmlichkeit des Lebens, die ununterbrochen sein ganzes Dasein begleitet, die Glückseligkeit, und das Prinzip, diese sich zum höchsten Bestimmungsgrunde der Willkür zu machen, das Prinzip der Selbstliebe. Also sind alle materiale Prinzipien, die den Bestimmungsgrund der | Willkür in der, aus irgend eines Gegenstandes Wirklichkeit zu empfindenden, Lust oder Unlust setzen, so fern gänzlich von einerlei Art, daß sie insgesamt zum Prinzip der Selbstliebe, oder eigenen Glückseligkeit gehören.

### Folgerung

Alle materiale praktische Regeln setzen den Bestimmungsgrund des Willens im unteren Begehrungsvermögen, und, gäbe es gar keine bloß formale Gesetze desselben, die den Willen hinreichend bestimmeten, so würde auch kein oberes Begehrungsvermögen eingeräumt werden können.

### Anmerkung I

Man muß sich wundern, wie sonst scharfsinnige Männer einen Unterschied zwischen dem unteren und oberen Begehrungsvermögen darin zu finden glauben können, ob die Vorstellungen, die mit dem Gefühl der Lust verbunden sind, in den Sinnen, oder dem Verstande ihren Ursprung haben. Denn es kommt, wenn man nach den Bestimmungsgründen des Begehrens frägt und sie in einer von irgend etwas erwarteten Annehmlichkeit setzt, gar nicht darauf an, wo die Vorstellung dieses vergnügenden Gegenstandes herkomme, sondern nur, wie sehr sie vergnügt. Wenn eine Vorstellung, sie mag immerhin im Verstande ihren Sitz und Ursprung haben, die Willkür nur dadurch bestimmen kann, daß sie ein Gefühl einer Lust im Subjekte voraussetzt, so ist, daß sie ein Bestimmungsgrund der Willkür sei, gänzlich von der Beschaffenheit des inneren Sinnes abhängig, daß dieser nämlich dadurch mit Annehmlichkeit affiziert werden kann. Die Vor|stellungen der Gegenstände mögen noch so ungleichartig, sie mögen Verstandes-, selbst Vernunftvorstellungen im Gegensatze der Vorstellungen der Sinne sein, so ist doch das Gefühl der Lust, wodurch jene doch eigentlich nur den Bestimmungsgrund des Willens ausmachen (die Annehmlichkeit, das Vergnügen, das man davon erwartet, welches die Tätigkeit zur Hervorbringung des Objekts antreibt), nicht allein so fern von einerlei Art, daß es jederzeit bloß empirisch erkannt werden kann, sondern auch so fern, als er[1] eine und dieselbe Lebenskraft, die sich im Begehrungsvermögen äußert, affiziert, und in dieser Beziehung von jedem anderen Bestimmungsgrunde in nichts, als dem Grade, verschieden sein kann. Wie würde man sonsten zwischen zwei der Vorstellungsart nach gänzlich verschiedenen Bestimmungsgründen eine Vergleichung der Größe nach anstellen können, um den, der am meisten das Begehrungsvermögen affiziert, vorzuziehen? Eben derselbe Mensch kann ein ihm lehrreiches Buch, das ihm nur einmal zu Händen kommt, ungelesen zurückgeben, um die Jagd nicht zu versäumen, in der Mitte einer schönen Rede weggehen, um zur Mahlzeit nicht zu spät zu kommen, eine Unterhaltung durch vernünftige Gespräche, die er sonst sehr schätzt, verlassen, um sich an den Spieltisch zu setzen, so gar einen Armen, dem wohlzutun ihm sonst Freude ist, abweisen, weil er jetzt eben nicht mehr Geld in der Tasche hat, als er braucht, um den Eintritt in die Komödie zu bezahlen. Beruht die Willensbestimmung auf dem Gefühle der Annehmlichkeit oder Unannehmlichkeit, die er aus irgend einer Ursache erwartet, so ist es ihm gänzlich einerlei, durch welche Vorstellungsart er affiziert werde. Nur wie stark, wie lange, wie leicht erworben und oft wiederholt diese Annehmlichkeit sei, daran liegt es ihm, um sich zur Wahl zu entschließen. So wie dem|jenigen, der Gold zur Ausgabe

[1] Akad.-Ausg.: »es«.

braucht, gänzlich einerlei ist, ob die Materie desselben, das Gold, aus dem Gebirge gegraben, oder aus dem Sande gewaschen ist, wenn es nur allenthalben für denselben Wert angenommen wird, so frägt kein Mensch, wenn es ihm bloß an der Annehmlichkeit des Lebens gelegen ist, ob Verstandes- oder Sinnesvorstellungen, sondern nur, wie viel und großes Vergnügen sie ihm auf die längste Zeit verschaffen. Nur diejenigen, welche der reinen Vernunft das Vermögen, ohne Voraussetzung irgend eines Gefühls den Willen zu bestimmen, gerne abstreiten möchten, können sich so weit von ihrer eigenen Erklärung verirren, das, was sie selbst vorher auf ein und eben dasselbe Prinzip gebracht haben, dennoch hernach für ganz ungleichartig zu erklären. So findet sich z. B., daß man auch an bloßer Kraftanwendung, an dem Bewußtsein seiner Seelenstärke in Überwindung der Hindernisse, die sich unserem Vorsatze entgegensetzen, an der Kultur der Geistestalente, u.s.w., Vergnügen finden könne, und wir nennen das mit Recht feinere Freuden und Ergötzungen, weil sie mehr, wie andere, in unserer Gewalt sind, sich nicht abnutzen, das Gefühl zu noch mehrerem Genuß derselben vielmehr stärken, und, indem sie ergötzen, zugleich kultivieren. Allein sie darum für eine andere Art, den Willen zu bestimmen, als bloß durch den Sinn, auszugeben, da sie doch einmal, zur Möglichkeit jener Vergnügen, ein darauf in uns angelegtes Gefühl, als erste Bedingung dieses Wohlgefallens, voraussetzen, ist gerade so, als wenn Unwissende, die gerne in der Metaphysik pfuschern möchten, sich die Materie so fein, so überfein, daß sie selbst darüber schwindlig werden möchten, denken, und dann glauben, auf diese Art sich ein geistiges und doch ausgedehntes Wesen erdacht zu haben. Wenn wir es, mit dem Epikur, bei der Tugend aufs | bloße Vergnügen aussetzen, das sie verspricht, um den Willen zu bestimmen: so können wir ihn hernach nicht tadeln, daß er dieses mit denen der gröbsten Sinne für ganz gleichartig hält; denn man hat gar nicht Grund, ihm aufzubürden, daß er die Vorstellungen, wodurch dieses Gefühl in uns erregt würde, bloß den körperlichen Sinnen beigemessen hätte. Er hat von vielen derselben den Quell, so viel man erraten kann, eben sowohl in dem Gebrauch des höheren Erkenntnisvermögens gesucht; aber das hinderte ihn nicht und konnte ihn auch nicht hindern, nach genanntem Prinzip das Vergnügen selbst, das uns jene allenfalls intellektuelle Vorstellungen gewähren, und wodurch sie allein Bestimmungsgründe des Willens sein können, gänzlich für gleichartig zu halten. Konsequent zu sein, ist die größte Obliegenheit eines Philosophen, und wird doch am seltensten angetroffen. Die alten griechischen Schulen geben uns davon mehr Beispiele, als wir in unserem synkretistischen Zeitalter antreffen, wo ein gewisses Koalitionssystem widersprechender Grundsätze voll Unredlichkeit und Seichtigkeit erkünstelt wird, weil es sich einem Publikum besser empfiehlt, das zufrieden ist, von allem etwas, und im ganzen nichts zu wissen, und dabei in allen Sätteln gerecht zu sein. Das Prinzip der eigenen Glückseligkeit, so viel Verstand und Vernunft bei ihm auch gebraucht werden mag, würde doch für den Willen keine andere Bestimmungsgründe, als die dem unteren Begehrungsvermögen angemessen sind, in sich fassen, und es gibt also entweder gar kein Begehrungsvermögen[1] oder reine Vernunft muß für sich allein praktisch sein, d.i. ohne Voraussetzung irgend eines Gefühls, mithin ohne Vorstellungen des Angenehmen oder Unangenehmen, als der Materie des Begehrungsvermögens, die jederzeit eine empirische Bedingung der Prinzipien ist, durch die bloße Form der praktischen Regel | den Willen bestimmen können. Alsdenn allein ist Vernunft nur, so fern sie für sich selbst den Willen bestimmt (nicht im Dienste der Neigungen ist), ein wahres oberes Begehrungsvermögen, dem das pathologisch bestimmbare untergeordnet ist, und wirklich, ja spezifisch von diesem unterschieden, so daß sogar die mindeste Beimischung von den Antrieben der letzteren ihrer Stärke und Vorzuge Abbruch tut, so wie das mindeste Empirische, als Bedingung in einer mathematischen Demonstration, ihre Würde und Nachdruck herabsetzt und vernichtet. Die Vernunft bestimmt in einem praktischen Gesetze unmittelbar

[1] Akad.-Ausg.: »oberes Begehrungsvermögen«.

den Willen, nicht vermittelst eines dazwischen kommenden Gefühls der Lust und Unlust, selbst nicht an diesem Gesetze, und nur, daß sie als reine Vernunft praktisch sein kann, macht es ihr möglich, gesetzgebend zu sein.

## Anmerkung II

Glücklich zu sein, ist notwendig das Verlangen jedes vernünftigen aber endlichen Wesens, und also ein unvermeidlicher Bestimmungsgrund seines Begehrungsvermögens. Denn die Zufriedenheit mit seinem ganzen Dasein ist nicht etwa ein ursprünglicher Besitz, und eine Seligkeit, welche ein Bewußtsein seiner unabhängigen Selbstgenugsamkeit voraussetzen würde, sondern ein durch seine endliche Natur selbst ihm aufgedrungenes Problem, weil es bedürftig ist, und dieses Bedürfnis betrifft die Materie seines Begehrungsvermögens, d. i. etwas, was sich auf ein subjektiv zum Grunde liegendes Gefühl der Lust oder Unlust bezieht, dadurch das, was es zur Zufriedenheit mit seinem Zustande bedarf, bestimmt wird. Aber eben darum, weil dieser materiale Bestimmungsgrund von dem Subjekte bloß empirisch erkannt werden kann, ist es unmöglich, diese Aufgabe als ein Gesetz zu betrachten, weil dieses als objektiv in allen Fällen und für alle vernünftige Wesen | eben denselben Bestimmungsgrund des Willens enthalten müßte. Denn obgleich der Begriff der Glückseligkeit der praktischen Beziehung der Objekte aufs Begehrungsvermögen allerwärts zum Grunde liegt, so ist er doch nur der allgemeine Titel der subjektiven Bestimmungsgründe, und bestimmt nichts spezifisch, darum es doch in dieser praktischen Aufgabe allein zu tun ist, und ohne welche Bestimmung sie gar nicht aufgelöset werden kann. Worin nämlich jeder seine Glückseligkeit zu setzen habe, kommt auf jedes sein besonderes Gefühl der Lust und Unlust an, und selbst in einem und demselben Subjekt auf die Verschiedenheit der Bedürfnis, nach den Abänderungen dieses Gefühls, und ein subjektiv notwendiges Gesetz (als Naturgesetz) ist also objektiv ein gar sehr zufälliges praktisches Prinzip, das in verschiedenen Subjekten sehr verschieden sein kann und muß, mithin niemals ein Gesetz abgeben kann, weil es, bei der Begierde nach Glückseligkeit, nicht auf die Form der Gesetzmäßigkeit, sondern lediglich auf die Materie ankommt, nämlich ob und wie viel Vergnügen ich in der Befolgung des Gesetzes zu erwarten habe. Prinzipien der Selbstliebe können zwar allgemeine Regeln der Geschicklichkeit (Mittel zu Absichten auszufinden) enthalten, alsdenn sind es aber bloß theoretische Prinzipien*, (z. B. wie | derjenige, der gerne Brot essen möchte, sich eine Mühle auszudenken habe). Aber praktische Vorschriften, die sich auf sie gründen, können niemals allgemein sein, denn der Bestimmungsgrund des Begehrungsvermögens ist auf das Gefühl der Lust und Unlust, das niemals als allgemein, auf dieselben Gegenstände gerichtet, angenommen werden kann, gegründet.

Aber gesetzt, endliche vernünftige Wesen dächten auch in Ansehung dessen, was sie für Objekte ihrer Gefühle des Vergnügens oder Schmerzens anzunehmen hätten, imgleichen sogar in Ansehung der Mittel, deren sie sich bedienen müssen, um die erstern zu erreichen, die andern abzuhalten, durchgehends einerlei, so würde das Prinzip der Selbstliebe dennoch von ihnen durchaus für kein praktisches Gesetz ausgegeben werden können; denn diese Einhelligkeit wäre selbst doch nur zufällig. Der Bestimmungsgrund wäre immer doch nur subjektiv gültig und bloß empirisch, und hätte diejenige Notwendigkeit nicht, die in einem jeden Gesetze gedacht wird, nämlich die objektive aus Gründen a priori; man müßte denn diese Notwendigkeit gar nicht für praktisch, sondern für bloß physisch ausgeben, nämlich daß die Handlung durch unsere Neigung uns eben so unausbleiblich abgenötigt würde, als das Gähnen, wenn wir an-

---

* Sätze, welche in der Mathematik oder Naturlehre praktisch genannt werden, sollten eigentlich technisch heißen. Denn um die Willensbestimmung ist es diesen Lehren gar nicht zu tun; sie zeigen nur das Mannigfaltige der möglichen Handlung an, welches eine gewisse Wirkung hervorzubringen hinreichend ist, und sind also eben so theoretisch, als alle Sätze, welche die Verknüpfung der Ursache mit einer Wirkung aussagen. Wem nun die letztere beliebt, der muß sich auch gefallen lassen, die erstere zu sein.

dere gähnen sehen. Man würde eher behaupten können, daß
es gar keine praktische Gesetze gebe, sondern nur Anra-
tungen zum Behuf unserer Begierden, als daß bloß subjektive Prinzipien zum Range praktischer Gesetze erhoben
würden, die durchaus objektive und nicht bloß subjektive
Notwendigkeit haben, und durch Vernunft a priori, nicht
durch Erfahrung (so empirisch allgemein diese auch sein
mag) erkannt sein müssen. Selbst die Regeln einstimmiger
Erscheinungen werden nur Naturgesetze (z. B. die mecha-
nischen) genannt, wenn man sie entweder wirklich a priori
erkennt, oder | doch (wie bei den chemischen) annimmt, sie
würden a priori aus objektiven Gründen erkannt werden,
wenn unsere Einsicht tiefer ginge. Allein bei bloß subjektiven praktischen Prinzipien wird das ausdrücklich zur Bedingung gemacht, daß ihnen nicht objektive, sondern subjektive Bedingungen der Willkür zum Grunde liegen müssen; mithin, daß sie jederzeit nur als bloße Maximen, niemals aber als praktische Gesetze, vorstellig gemacht werden
dürfen. Diese letztere Anmerkung scheint beim ersten Anblicke bloße Wortklauberei zu sein; allein die[1] Wortbestim-
mung des allerwichtigsten Unterschiedes, der nur in praktischen Untersuchungen in Betrachtung kommen mag.

### § 4. LEHRSATZ III

Wenn ein vernünftiges Wesen sich seine Maximen als
praktische allgemeine Gesetze denken soll, so kann es sich
dieselbe nur als solche Prinzipien denken, die, nicht der Materie, sondern bloß der Form nach, den Bestimmungsgrund
des Willens enthalten.

Die Materie eines praktischen Prinzips ist der Gegenstand des Willens. Dieser ist entweder der Bestimmungsgrund des letzteren, oder nicht. Ist er der Bestimmungsgrund desselben, so würde die Regel des Willens einer empirischen Bedingung (dem Verhältnisse der bestimmenden Vorstellung zum Gefühle der Lust und Unlust) unterworfen,
folglich kein praktisches Gesetz sein. Nun bleibt von einem

[1] Akad.-Ausg.: »allein sie ist die«.

Gesetze, wenn man alle Materie, d. i. jeden Gegenstand des Willens (als Bestimmungsgrund) davon absondert, nichts übrig, | als die bloße Form einer allgemeinen Gesetzgebung. Also kann ein vernünftiges Wesen sich seine subjektiv-praktische Prinzipien, d. i. Maximen, entweder gar nicht zugleich als allgemeine Gesetze denken, oder es muß annehmen, daß die bloße Form derselben, nach der jene sich zur allgemeinen Gesetzgebung schicken, sie für sich allein zum praktischen Gesetze mache.

## Anmerkung

Welche Form in der Maxime sich zur allgemeinen Gesetzgebung schicke, welche nicht, das kann der gemeinste Verstand ohne Unterweisung unterscheiden. Ich habe z. B. es mir zur Maxime gemacht, mein Vermögen durch alle sichere Mittel zu vergrößern. Jetzt ist ein Depositum in meinen Händen, dessen Eigentümer verstorben ist und keine Handschrift darüber zurückgelassen hat. Natürlicherweise ist dies der Fall meiner Maxime. Jetzt will ich nur wissen, ob jene Maxime auch als allgemeines praktisches Gesetz gelten könne. Ich wende jene also auf gegenwärtigen Fall an, und frage, ob sie wohl die Form eines Gesetzes annehmen, mithin ich wohl durch meine Maxime zugleich ein solches Gesetz geben könnte: daß jedermann ein Depositum ableugnen dürfe, dessen Niederlegung ihm niemand beweisen kann. Ich werde sofort gewahr, daß ein solches Prinzip, als Gesetz, sich selbst vernichten würde, weil es machen würde, daß es gar kein Depositum gäbe. Ein praktisches Gesetz, was ich dafür erkenne, muß sich zur allgemeinen Gesetzgebung qualifizieren; dies ist ein identischer Satz und also für sich klar. Sage ich nun, mein Wille steht unter einem praktischen Gesetze, so kann ich nicht meine Neigung (z. B. im gegenwärtigen Falle meine Habsucht) als den zu einem allgemeinen praktischen Gesetze schicklichen Bestim- | mungsgrund desselben anführen; denn diese, weit gefehlt, daß sie zu einer allgemeinen Gesetzgebung tauglich sein sollte, so muß sie vielmehr in der Form eines allgemeinen Gesetzes sich selbst aufreiben.

Es ist daher wunderlich, wie, da die Begierde zur Glück-seligkeit, mithin auch die Maxime, dadurch sich jeder diese letztere zum Bestimmungsgrunde seines Willens setzt, allgemein ist, es verständigen Männern habe in den Sinn kommen können, es darum für ein allgemein praktisches Gesetz auszugeben. Denn da sonst ein allgemeines Natur-gesetz alles einstimmig macht, so würde hier, wenn man der Maxime die Allgemeinheit eines Gesetzes geben wollte, grade das äußerste Widerspiel der Einstimmung, der ärgste Widerstreit und die gänzliche Vernichtung der Maxime selbst und ihrer Absicht erfolgen. Denn der Wille aller hat alsdenn nicht ein und dasselbe Objekt, sondern ein jeder hat das seinige (sein eigenes Wohlbefinden), welches sich zwar, zufälligerweise, auch mit anderer ihren Absichten, die sie gleichfalls auf sich selbst richten, vertragen kann, aber lange nicht zum Gesetze hinreichend ist, weil die Ausnah-men, die man gelegentlich zu machen befugt ist, endlos sind, und gar nicht bestimmt in eine allgemeine Regel befaßt werden können. Es kommt auf diese Art eine Harmonie heraus, die derjenigen ähnlich ist, welche ein gewisses Spott-gedicht auf die Seeleneintracht zweier sich zu Grunde rich-tenden Eheleute schildert: O wundervolle Harmonie, was er will, will auch sie etc., oder was von der An-heischigmachung König Franz des Ersten gegen Kaiser Karl den Fünften erzählt wird: was mein Bruder Karl haben will (Mailand), das will ich auch haben. Empirische Bestim-mungsgründe taugen zu keiner allgemeinen äußeren Ge-setzgebung, aber auch eben so wenig zur innern; denn jeder legt | sein Subjekt, ein anderer aber ein anderes Subjekt der Neigung zum Grunde, und in jedem Subjekt selber ist bald die, bald eine andere im Vorzuge des Einflusses. Ein Gesetz ausfindig zu machen, das sie insgesamt unter dieser Be-dingung, nämlich mit allerseitiger Einstimmung, regierte, ist schlechterdings unmöglich.

### § 5. AUFGABE I

Vorausgesetzt, daß die bloße gesetzgebende Form der Maximen allein der zureichende Bestimmungsgrund eines Willens sei: die Beschaffenheit desjenigen Willens zu finden, der dadurch allein bestimmbar ist.

Da die bloße Form des Gesetzes lediglich von der Vernunft vorgestellt werden kann, und mithin kein Gegenstand der Sinne ist, folglich auch nicht unter die Erscheinungen gehört: so ist die Vorstellung derselben als Bestimmungsgrund des Willens von allen Bestimmungsgründen der Begebenheiten in der Natur nach dem Gesetze der Kausalität unterschieden, weil bei diesen die bestimmenden Gründe selbst Erscheinungen sein müssen. Wenn aber auch kein anderer Bestimmungsgrund des Willens für diesen zum Gesetz dienen kann, als bloß jene allgemeine gesetzgebende Form: so muß ein solcher Wille als gänzlich unabhängig von dem Naturgesetz der Erscheinungen, nämlich dem Gesetze der Kausalität, beziehungsweise auf einander, gedacht werden. Eine solche Unabhängigkeit aber heißt F r e i h e i t im strengsten, d. i. transzendentalen Verstande. Also | ist ein Wille, dem die bloße gesetzgebende Form der Maxime allein zum Gesetze dienen kann, ein freier Wille.

### § 6. AUFGABE II

Vorausgesetzt, daß ein Wille frei sei: das Gesetz zu finden, welches ihn allein notwendig zu bestimmen tauglich ist.

Da die Materie des praktischen Gesetzes, d. i. ein Objekt der Maxime, niemals anders als empirisch gegeben werden kann, der freie Wille aber, als von empirischen (d. i. zur Sinnenwelt gehörigen) Bedingungen unabhängig, dennoch bestimmbar sein muß: so muß ein freier Wille, unabhängig von der M a t e r i e des Gesetzes, dennoch einen Bestimmungsgrund in dem Gesetze antreffen. Es ist aber, außer der Materie des Gesetzes, nichts weiter in demselben, als die gesetzgebende Form enthalten. Also ist die gesetzgebende Form, so fern sie in der Maxime enthalten ist, das einzige, was einen Bestimmungsgrund des Willens ausmachen kann.

## Anmerkung

Freiheit und unbedingtes praktisches Gesetz weisen also wechselsweise auf einander zurück. Ich frage hier nun nicht: ob sie auch in der Tat verschieden sein [1], und nicht vielmehr ein unbedingtes Gesetz bloß das Selbstbewußtsein einer reinen praktischen Vernunft, diese aber ganz einerlei mit dem positiven Begriffe der Freiheit sei; sondern wovon unsere Erkenntnis des unbedingt-Praktischen anhebe, ob von der | Freiheit, oder dem praktischen Gesetze. Von der Freiheit kann es nicht anheben; denn deren können wir uns weder unmittelbar bewußt werden, weil sein [2] erster Begriff negativ ist, noch darauf aus der Erfahrung schließen, denn Erfahrung gibt uns nur das Gesetz der Erscheinungen, mithin den Mechanism der Natur, das gerade Widerspiel der Freiheit, zu erkennen. Also ist es das moralische Gesetz, dessen wir uns unmittelbar bewußt werden (so bald wir uns Maximen des Willens entwerfen), welches sich uns zuerst darbietet, und, indem die Vernunft jenes als einen durch keine sinnliche Bedingungen zu überwiegenden, ja davon gänzlich unabhängigen Bestimmungsgrund darstellt, gerade auf den Begriff der Freiheit führt. Wie ist aber auch das Bewußtsein jenes moralischen Gesetzes möglich? Wir können uns reiner praktischer Gesetze bewußt werden, eben so, wie wir uns reiner theoretischer Grundsätze bewußt sind, indem wir auf die Notwendigkeit, womit sie uns die Vernunft vorschreibt, und auf Absonderung aller empirischen Bedingungen, dazu uns jene hinweiset, Acht haben. Der Begriff eines reinen Willens entspringt aus den ersteren, wie das Bewußtsein eines reinen Verstandes aus dem [3] letzteren. Daß dieses die wahre Unterordnung unserer Begriffe sei, und Sittlichkeit uns zuerst den Begriff der Freiheit entdecke, mithin praktische Vernunft zuerst der spekulativen das unauflöslichste Problem mit diesem Begriffe aufstelle, um sie durch denselben in die größte Verlegenheit zu setzen, erhellet schon daraus: daß, da aus dem Begriffe der

---

[1] Akad.-Ausg.: »seien«. – [2] Akad.-Ausg.: »ihr«. – [3] Akad.-Ausg. erwägt: »den«.

Freiheit in den Erscheinungen nichts erklärt werden kann, sondern hier immer Naturmechanism den Leitfaden ausmachen muß, überdem auch die Antinomie der reinen Vernunft, wenn sie zum Unbedingten in der Reihe der Ursachen aufsteigen will, sich, bei einem so sehr wie bei dem andern, in Unbegreiflich|keiten verwickelt, indessen daß doch der letztere (Mechanism) wenigstens Brauchbarkeit in Erklärung der Erscheinungen hat, man niemals zu dem Wagstücke gekommen sein würde, Freiheit in die Wissenschaft einzuführen, wäre nicht das Sittengesetz und mit ihm praktische Vernunft dazu gekommen, und hätte uns diesen Begriff nicht aufgedrungen. Aber auch die Erfahrung bestätigt diese Ordnung der Begriffe in uns. Setzet, daß jemand von seiner wollüstigen Neigung vorgibt, sie sei, wenn ihm der beliebte Gegenstand und die Gelegenheit dazu vorkämen, für ihn ganz unwiderstehlich: ob, wenn ein Galgen vor dem Hause, da er diese Gelegenheit trifft, aufgerichtet wäre, um ihn sogleich nach genossener Wollust daran zu knüpfen, er alsdenn nicht seine Neigung bezwingen würde. Man darf nicht lange raten, was er antworten würde. Fragt ihn aber, ob, wenn sein Fürst ihm, unter Androhung derselben unverzögerten Todesstrafe, zumutete, ein falsches Zeugnis wider einen ehrlichen Mann, den er gerne unter scheinbaren Vorwänden verderben möchte, abzulegen, ob er da, so groß auch seine Liebe zum Leben sein mag, sie wohl zu überwinden für möglich halte. Ob er es tun würde, oder nicht, wird er vielleicht sich nicht getrauen zu versichern; daß es ihm aber möglich sei, muß er ohne Bedenken einräumen. Er urteilet also, daß er etwas kann, darum, weil er sich bewußt ist, daß er es soll, und erkennt in sich die Freiheit, die ihm sonst ohne das moralische Gesetz unbekannt geblieben wäre.

### § 7. GRUNDGESETZ
#### DER REINEN PRAKTISCHEN VERNUNFT

Handle so, daß die Maxime deines Willens jederzeit zugleich als Prinzip einer allgemeinen Gesetzgebung gelten könne.

| Anmerkung

Die reine Geometrie hat Postulate als praktische Sätze, die aber nichts weiter enthalten, als die Voraussetzung, daß man etwas tun könne, wenn etwa gefodert würde, man solle es tun, und diese sind die einzigen Sätze derselben, die ein Dasein betreffen. Es sind also praktische Regeln unter einer problematischen Bedingung des Willens. Hier aber sagt die Regel: man solle schlechthin auf gewisse Weise verfahren. Die praktische Regel ist also unbedingt, mithin, als kategorisch praktischer Satz, a priori vorgestellt, wodurch der Wille schlechterdings und unmittelbar (durch die praktische Regel selbst, die also hier Gesetz ist) objektiv bestimmt wird. Denn reine, an sich praktische Vernunft ist hier unmittelbar gesetzgebend. Der Wille wird als unabhängig von empirischen Bedingungen, mithin, als reiner Wille, durch die bloße Form des Gesetzes als bestimmt gedacht, und dieser Bestimmungsgrund als die oberste Bedingung aller Maximen angesehen. Die Sache ist befremdlich genug, und hat ihres gleichen in der ganzen übrigen praktischen Erkenntnis nicht. Denn der Gedanke a priori von einer möglichen allgemeinen Gesetzgebung, der also bloß problematisch ist, wird, ohne von der Erfahrung oder irgend einem äußeren Willen etwas zu entlehnen, als Gesetz unbedingt geboten. Es ist aber auch nicht eine Vorschrift, nach welcher eine Handlung geschehen soll, dadurch eine begehrte Wirkung möglich ist (denn da wäre die Regel immer physisch bedingt), sondern eine Regel, die bloß den Willen, in Ansehung der Form seiner Maximen, a priori bestimmt, und da ist ein Gesetz, welches bloß zum Behuf der subjektiven Form der Grundsätze dient, als Bestimmungsgrund durch die objektive Form eines Gesetzes überhaupt, wenigstens zu denken, nicht unmöglich. Man kann das Be|wußtsein dieses Grundgesetzes ein Faktum der Vernunft nennen, weil man es nicht aus vorhergehenden Datis der Vernunft, z. B. dem Bewußtsein der Freiheit (denn dieses ist uns nicht vorher gegeben), herausvernünfteln kann, sondern weil es sich für sich selbst uns aufdringt als synthetischer Satz a priori, der auf keiner, weder reinen noch empirischen Anschauung gegründet ist, ob er gleich analytisch sein würde, wenn man die Freiheit des Willens voraussetzte, wozu aber, als positivem Begriffe, eine intellektuelle Anschauung erfodert werden würde, die man hier gar nicht annehmen darf. Doch muß man, um dieses Gesetz ohne Mißdeutung als gegeben anzusehen, wohl bemerken: daß es kein empirisches, sondern das einzige Faktum der reinen Vernunft sei, die sich dadurch als ursprünglich gesetzgebend (sic volo, sic iubeo [1]) ankündigt.

### Folgerung

Reine Vernunft ist für sich allein praktisch, und gibt (dem Menschen) ein allgemeines Gesetz, welches wir das Sittengesetz nennen.

### Anmerkung

Das vorher genannte Faktum ist unleugbar. Man darf nur das Urteil zergliedern, welches die Menschen über die Gesetzmäßigkeit ihrer Handlungen fällen: so wird man jederzeit finden, daß, was auch die Neigung dazwischen sprechen mag, ihre Vernunft dennoch, unbestechlich und durch sich selbst gezwungen, die Maxime des Willens bei einer Handlung jederzeit an den reinen Willen halte, d. i. an sich selbst, indem sie sich als a priori praktisch betrachtet. Dieses Prinzip der Sittlichkeit nun, eben um der Allgemeinheit der Gesetzgebung willen, die es zum formalen obersten Bestimmungsgrunde des Willens, unangesehen aller subjektiven Verschiedenheiten des|selben, macht, erklärt die Vernunft zugleich zu einem Gesetze für alle vernünftige Wesen, so fern sie überhaupt einen Willen, d. i. ein Vermögen haben, ihre Kausalität durch die Vorstellung von Regeln zu bestimmen, mithin so fern sie der Handlungen nach Grundsätzen, folglich auch nach praktischen Prinzipien a priori (denn diese haben allein diejenige Notwendigkeit, welche die Vernunft zum Grundsatze fodert), fähig sein [2]. Es

[1] Übersetzung des Herausgebers: »So will ich, so befehle ich«. –
[2] Akad.-Ausg.: »sind«.

schränkt sich also nicht bloß auf Menschen ein, sondern geht auf alle endliche Wesen, die Vernunft und Willen haben, ja schließt sogar das unendliche Wesen, als oberste Intelligenz, mit ein. Im ersteren Falle aber hat das Gesetz die Form eines Imperativs, weil man an jenem zwar, als vernünftigem Wesen, einen reinen, aber, als mit Bedürfnissen und sinnlichen Bewegursachen affiziertem Wesen, keinen heiligen Willen, d. i. einen solchen, der keiner dem moralischen Gesetze widerstreitenden Maximen fähig wäre, voraussetzen kann. Das moralische Gesetz ist daher bei jenen ein Imperativ, der kategorisch gebietet, weil das Gesetz unbedingt ist; das Verhältnis eines solchen Willens zu diesem Gesetze ist Abhängigkeit, unter dem Namen der Verbindlichkeit, welche eine Nötigung, obzwar durch bloße Vernunft und dessen[1] objektives Gesetz, zu einer Handlung bedeutet, die darum Pflicht heißt, weil eine pathologisch affizierte (obgleich dadurch nicht bestimmte, mithin auch immer freie) Willkür einen Wunsch bei sich führt, der aus subjektiven Ursachen entspringt, daher auch dem reinen objektiven Bestimmungsgrunde oft entgegen sein kann, und also eines Widerstandes der praktischen Vernunft, der ein innerer, aber intellektueller, Zwang genannt werden kann, als moralischer Nötigung bedarf. In der allergnugsamsten Intelligenz wird die Willkür, als keiner Maxime fähig, die nicht zugleich objektiv Gesetz sein konnte[2], mit Recht | vorgestellt, und der Begriff der Heiligkeit, der ihr um deswillen zukommt, setzt sie zwar nicht über alle praktische, aber doch über alle praktisch-einschränkende Gesetze, mithin Verbindlichkeit und Pflicht weg. Diese Heiligkeit des Willens ist gleichwohl eine praktische Idee, welche notwendig zum Urbilde dienen muß, welchem sich ins Unendliche zu nähern das einzige ist, was allen endlichen vernünftigen Wesen zusteht, und welche das reine Sittengesetz, das darum selbst heilig heißt, ihnen beständig und richtig vor Augen hält, von welchem ins Unendliche gehenden Progressus seiner Maximen und Unwandelbarkeit derselben zum beständigen Fortschreiten sicher zu sein, d. i. Tugend, das

[1] Akad.-Ausg.: »deren«. – [2] Akad.-Ausg.: »könnte«.

Höchste ist, was endliche praktische Vernunft bewirken kann, die selbst wiederum wenigstens als natürlich erworbenes Vermögen nie vollendet sein kann, weil die Sicherheit in solchem Falle niemals apodiktische Gewißheit wird, und als Überredung sehr gefährlich ist.

## § 8. LEHRSATZ IV

Die Autonomie des Willens ist das alleinige Prinzip aller moralischen Gesetze und der ihnen gemäßen Pflichten; alle Heteronomie der Willkür gründet dagegen nicht allein gar keine Verbindlichkeit, sondern ist vielmehr dem Prinzip derselben und der Sittlichkeit des Willens entgegen. In der Unabhängigkeit nämlich von aller Materie des Gesetzes (nämlich einem begehrten Objekte) und zugleich doch Bestimmung der Willkür durch die bloße allgemeine gesetzgebende Form, deren eine Maxime fähig sein muß, besteht das alleinige Prinzip der Sittlichkeit. Jene Unabhängigkeit aber|ist Freiheit im negativen, diese eigene Gesetzgebung aber der reinen, und, als solche, praktischen Vernunft ist Freiheit im positiven Verstande. Also drückt das moralische Gesetz nichts anders aus, als die Autonomie der reinen praktischen Vernunft, d. i. der Freiheit, und diese ist selbst die formale Bedingung aller Maximen, unter der sie allein mit dem obersten praktischen Gesetze zusammenstimmen können. Wenn daher die Materie des Wollens, welche nichts anders, als das Objekt einer Begierde sein kann, die mit dem Gesetz verbunden wird, in das praktische Gesetz als Bedingung der Möglichkeit desselben hineinkommt, so wird daraus Heteronomie der Willkür, nämlich Abhängigkeit vom Naturgesetze, irgend einem Antriebe oder Neigung zu folgen, und der Wille gibt sich nicht selbst das Gesetz, sondern nur die Vorschrift zur vernünftigen Befolgung pathologischer Gesetze; die Maxime aber, die auf solche Weise niemals die allgemein-gesetzgebende Form in sich enthalten kann, stiftet auf diese Weise nicht allein keine Verbindlichkeit, sondern ist selbst dem Prinzip einer reinen praktischen Vernunft, hiemit also auch der sittlichen Gesinnung entgegen, wenn gleich die Handlung, die daraus entspringt, gesetzmäßig sein sollte.

## Anmerkung I

Zum praktischen Gesetze muß also niemals eine praktische Vorschrift gezählt werden, die eine materiale (mithin empi|rische) Bedingung bei sich führt. Denn das Gesetz des reinen Willens, der frei ist, setzt diesen in eine ganz andere Sphäre, als die empirische, und die Notwendigkeit, die es ausdrückt, da sie keine Naturnotwendigkeit sein soll, kann also bloß in formalen Bedingungen der Möglichkeit eines Gesetzes überhaupt bestehen. Alle Materie praktischer Regeln beruht immer auf subjektiven Bedingungen, die ihr keine Allgemeinheit für vernünftige Wesen, als lediglich die bedingte (im Falle ich dieses oder jenes begehre, was ich alsdenn tun müsse, um es wirklich zu machen) verschaffen, und sie drehen sich insgesamt um das Prinzip der eigenen Glückseligkeit. Nun ist freilich unleugbar, daß alles Wollen auch einen Gegenstand, mithin eine Materie haben müsse; aber diese ist darum nicht eben der Bestimmungsgrund und Bedingung der Maxime; denn, ist sie es, so läßt diese sich nicht in allgemein gesetzgebender Form darstellen, weil die Erwartung der Existenz des Gegenstandes alsdenn die bestimmende Ursache der Willkür sein würde, und die Abhängigkeit des Begehrungsvermögens von der Existenz irgend einer Sache dem Wollen zum Grunde gelegt werden müßte, welche immer nur in empirischen Bedingungen gesucht werden, und daher niemals den Grund zu einer notwendigen und allgemeinen Regel abgeben kann. So wird fremder Wesen Glückseligkeit das Objekt des Willens eines vernünftigen Wesens sein können. Wäre sie aber der Bestimmungsgrund der Maxime, so müßte man voraussetzen, daß wir in dem Wohlsein anderer nicht allein ein natürliches Vergnügen, sondern auch ein Bedürfnis finden, so wie die sympathetische Sinnesart bei Menschen es mit sich bringt. Aber dieses Bedürfnis kann ich nicht bei jedem vernünftigen Wesen (bei Gott gar nicht) voraussetzen. Also kann zwar die Materie der Maxime bleiben, sie muß aber | nicht die Bedingung derselben sein, denn sonst würde diese nicht zum Gesetze taugen. Also die bloße Form eines Gesetzes, welches die Materie einschränkt, muß zugleich ein Grund sein, diese Materie zum Willen hinzuzufügen, aber sie nicht vorauszusetzen. Die Materie sei z. B. meine eigene Glückseligkeit. Diese, wenn ich sie jedem beilege (wie ich es denn in der Tat bei endlichen Wesen tun darf), kann nur alsdenn ein objektives praktisches Gesetz werden, wenn ich anderer ihre in dieselbe mit einschließe. Also entspringt das Gesetz, anderer Glückseligkeit zu befördern, nicht von der Voraussetzung, daß dieses ein Objekt für jedes seine Willkür sei, sondern bloß daraus, daß die Form der Allgemeinheit, die die Vernunft als Bedingung bedarf, einer Maxime der Selbstliebe die objektive Gültigkeit eines Gesetzes zu geben, der Bestimmungsgrund des Willens wird, und also war das Objekt (anderer Glückseligkeit) nicht der Bestimmungsgrund des reinen Willens, sondern die bloße gesetzliche Form war es allein, dadurch ich meine auf Neigung gegründete Maxime einschränkte, um ihr die Allgemeinheit eines Gesetzes zu verschaffen, und sie so der reinen praktischen Vernunft angemessen zu machen, aus welcher Einschränkung, und nicht dem Zusatz einer äußeren Triebfeder, alsdenn der Begriff der Verbindlichkeit, die Maxime meiner Selbstliebe auch auf die Glückseligkeit anderer zu erweitern, allein entspringen könnte[1].

## Anmerkung II

Das gerade Widerspiel des Prinzips der Sittlichkeit ist: wenn das der eigenen Glückseligkeit zum Bestimmungsgrunde des Willens gemacht wird, wozu, wie ich oben gezeigt habe, alles überhaupt gezählt werden muß, was den Bestimmungsgrund, der zum Gesetze dienen soll, irgend worin anders, als in der gesetzgebenden Form der Maxime setzt. Dieser | Widerstreit ist aber nicht bloß logisch, wie der zwischen empirisch-bedingten Regeln, die man doch zu notwendigen Erkenntnisprinzipien erheben wollte, sondern praktisch, und würde, wäre nicht die Stimme der Vernunft

[1] Akad.-Ausg.: »konnte«.

in Beziehung auf den Willen so deutlich, so unüberschrei-
bar, selbst für den gemeinsten Menschen so vernehmlich,
die Sittlichkeit gänzlich zu Grunde richten; so aber kann
sie sich nur noch in den kopfverwirrenden Spekulationen
der Schulen erhalten, die dreist genug sein[1], sich gegen jene
himmlische Stimme taub zu machen, um eine Theorie, die
kein Kopfbrechen kostet, aufrecht zu erhalten.

Wenn ein dir sonst beliebter Umgangsfreund sich bei dir
wegen eines falschen abgelegten Zeugnisses dadurch zu
rechtfertigen vermeinete, daß er zuerst die, seinem Vorgeben nach, heilige Pflicht der eigenen Glückseligkeit vor-
schützte, alsdenn die Vorteile herzählte, die er sich alle dadurch erworben, die Klugheit namhaft machte, die er beob-
achtet, um wider alle Entdeckung sicher zu sein, selbst wider die von Seiten deiner selbst, dem er das Geheimnis darum allein offenbaret, damit er es zu aller Zeit ableugnen
könne; dann aber im ganzen Ernst vorgäbe, er habe eine
wahre Menschenpflicht ausgeübt: so würdest du ihm entweder gerade ins Gesicht lachen, oder mit Abscheu davon
zurückbeben, ob du gleich, wenn jemand bloß auf eigene
Vorteile seine Grundsätze gesteuert hat, wider diese Maß-
regeln nicht das mindeste einzuwenden hättest. Oder setzet,
es empfehle euch jemand einen Mann zum Haushalter, dem
ihr alle eure Angelegenheiten blindlings anvertrauen kön-
net, und, um euch Zutrauen einzuflößen, rühmete er ihn als
einen klugen Menschen, der sich auf seinen eigenen Vorteil
meisterhaft verstehe, auch als einen rastlos wirksamen, der
keine Gelegenheit dazu ungenutzt vorbeigehen ließe, end-
lich, damit | auch ja nicht Besorgnisse wegen eines pöbel-
haften Eigennutzes desselben im Wege stünden, rühmete er,
wie er recht fein zu leben verstünde, nicht im Geldsammeln
oder brutaler Üppigkeit, sondern in der Erweiterung seiner
Kenntnisse, einem wohlgewählten belehrenden Umgange,
selbst im Wohltun der Dürftigen, sein Vergnügen suchte,
übrigens aber wegen der Mittel (die doch ihren Wert oder
Unwert nur vom Zwecke entlehnen) nicht bedenklich wäre,
und fremdes Geld und Gut ihm hiezu, so bald er nur wisse,

[1] Akad.-Ausg.: »sind«.

daß er es unentdeckt und ungehindert tun könne, so gut wie sein eigenes wäre: so würdet ihr entweder glauben, der Empfehlende habe euch zum besten, oder er habe den Verstand verloren. – So deutlich und scharf sind die Grenzen der Sittlichkeit und der Selbstliebe abgeschnitten, daß selbst das gemeinste Auge den Unterschied, ob etwas zu der einen oder der andern gehöre, gar nicht verfehlen kann. Folgende wenige Bemerkungen können zwar bei einer so offenbaren Wahrheit überflüssig scheinen, allein sie dienen doch wenigstens dazu, dem Urteile der gemeinen Menschenvernunft etwas mehr Deutlichkeit zu verschaffen.

Das Prinzip der Glückseligkeit kann zwar Maximen, aber niemals solche abgeben, die zu Gesetzen des Willens tauglich wären, selbst wenn man sich die allgemeine Glückseligkeit zum Objekte machte. Denn, weil dieser ihre Erkenntnis auf lauter Erfahrungsdatis beruht, weil jedes Urteil darüber gar sehr von jedes seiner Meinung, die noch dazu selbst sehr veränderlich ist, abhängt, so kann es wohl generelle, aber niemals universelle Regeln, d. i. solche, die im Durchschnitte am öftersten zutreffen, nicht aber solche, die jederzeit und notwendig gültig sein müssen, geben, mithin können keine praktische Gesetze darauf gegründet werden. Eben darum, weil hier ein Objekt der Willkür der Regel derselben zum Grunde gelegt | und also vor dieser vorhergehen muß, so kann diese nicht worauf anders, als auf das, was man empfiehlt, und also auf Erfahrung bezogen und darauf gegründet werden, und da muß die Verschiedenheit des Urteils endlos sein. Dieses Prinzip schreibt also nicht allen vernünftigen Wesen eben dieselbe praktische Regeln vor, ob sie zwar unter einem gemeinsamen Titel, nämlich dem der Glückseligkeit, stehen. Das moralische Gesetz wird aber nur darum als objektiv notwendig gedacht, weil es für jedermann gelten soll, der Vernunft und Willen hat.

Die Maxime der Selbstliebe (Klugheit) rät bloß an; das Gesetz der Sittlichkeit gebietet. Es ist aber doch ein großer Unterschied zwischen dem, wozu man uns anrätig ist, und dem, wozu wir verbindlich sind.

Was nach dem Prinzip der Autonomie der Willkür zu tun sei, ist für den gemeinsten Verstand ganz leicht und ohne Bedenken einzusehen; was unter Voraussetzung der Heteronomie derselben zu tun sei, schwer, und erfodert Weltkenntnis; d. i. was Pflicht sei, bietet sich jedermann von selbst dar; was aber wahren dauerhaften Vorteil bringe, ist allemal, wenn dieser auf das ganze Dasein erstreckt werden soll, in undurchdringliches Dunkel eingehüllt, und erfodert viel Klugheit, um die praktische darauf gestimmte Regel durch geschickte Ausnahmen auch nur auf erträgliche Art den Zwecken des Lebens anzupassen. Gleichwohl gebietet das sittliche Gesetz jedermann, und zwar die pünktlichste, Befolgung. Es muß also zu der Beurteilung dessen, was nach ihm zu tun sei, nicht so schwer sein, daß nicht der gemeinste und ungeübteste Verstand selbst ohne Weltklugheit damit umzugehen wüßte.

Dem kategorischen Gebote der Sittlichkeit Genüge zu leisten, ist in jedes Gewalt zu aller Zeit, der empirisch-bedingten | Vorschrift der Glückseligkeit nur selten, und bei weitem nicht, auch nur in Ansehung einer einzigen Absicht, für jedermann möglich. Die Ursache ist, weil es bei dem ersteren nur auf die Maxime ankommt, die echt und rein sein muß, bei der letzteren aber auch auf die Kräfte und das physische Vermögen, einen begehrten Gegenstand wirklich zu machen. Ein Gebot, daß jedermann sich glücklich zu machen suchen sollte, wäre töricht; denn man gebietet niemals jemanden das, was er schon unausbleiblich von selbst will. Man müßte ihm bloß die Maßregeln gebieten, oder vielmehr darreichen, weil er nicht alles das kann, was er will. Sittlichkeit aber gebieten, unter dem Namen der Pflicht, ist ganz vernünftig; denn deren Vorschrift will erstlich eben nicht jedermann gerne gehorchen, wenn sie mit Neigungen im Widerstreite ist, und was die Maßregeln betrifft, wie er dieses Gesetz befolgen könne, so dürfen diese hier nicht gelehrt werden; denn, was er in dieser Beziehung will, das kann er auch.

Der im Spiel verloren hat, kann sich wohl über sich selbst und seine Unklugheit ärgern, aber wenn er sich bewußt ist, im Spiel betrogen (obzwar dadurch gewonnen) zu haben, so muß er sich selbst verachten, so bald er sich mit dem sittlichen Gesetze vergleicht. Dieses muß also doch wohl etwas anderes, als das Prinzip der eigenen Glückseligkeit sein. Denn zu sich selber sagen zu müssen: ich bin ein Nichtswürdiger, ob ich gleich meinen Beutel gefüllt habe, muß doch ein anderes Richtmaß des Urteils haben, als sich selbst Beifall zu geben, und zu sagen: ich bin ein kluger Mensch, denn ich habe meine Kasse bereichert.

Endlich ist noch etwas in der Idee unserer praktischen Vernunft, welches die Übertretung eines sittlichen Gesetzes begleitet, nämlich ihre Strafwürdigkeit. Nun läßt sich mit | dem Begriffe einer Strafe, als einer solchen, doch gar nicht das Teilhaftigwerden der Glückseligkeit verbinden. Denn obgleich der, so da straft, wohl zugleich die gütige Absicht haben kann, diese Strafe auch auf diesen Zweck zu richten, so muß sie doch zuvor als Strafe, d. i. als bloßes Übel für sich selbst gerechtfertigt sein, so daß der Gestrafte, wenn es dabei bliebe, und er auch auf keine sich hinter dieser Härte verbergende Gunst hinaussähe, selbst gestehen muß, es sei ihm recht geschehen, und sein Los sei seinem Verhalten vollkommen angemessen. In jeder Strafe, als solcher, muß zuerst Gerechtigkeit sein, und diese macht das Wesentliche dieses Begriffs aus. Mit ihr kann zwar auch Gütigkeit verbunden werden, aber auf diese hat der Strafwürdige, nach seiner Aufführung, nicht die mindeste Ursache sich Rechnung zu machen. Also ist Strafe ein physisches Übel, welches, wenn es auch nicht als natürliche Folge mit dem moralisch-Bösen verbunden wäre, doch als Folge nach Prinzipien einer sittlichen Gesetzgebung verbunden werden müßte. Wenn nun alles Verbrechen, auch ohne auf die physischen Folgen in Ansehung des Täters zu sehen, für sich strafbar ist, d. i. Glückseligkeit (wenigstens zum Teil) verwirkt, so wäre es offenbar ungereimt zu sagen: das Verbrechen habe darin eben bestanden, daß er sich eine Strafe zugezogen hat, indem er seiner eigenen Glückseligkeit Abbruch tat (welches nach dem Prinzip der Selbstliebe der eigentliche Begriff alles Verbrechens sein müßte). Die Strafe würde auf diese Art der Grund sein, etwas ein Verbrechen zu nennen, und die Gerechtigkeit müßte vielmehr darin bestehen, alle Bestrafung zu unterlassen und selbst die natürliche zu verhindern; denn alsdenn wäre in der Handlung nichts Böses mehr, weil die Übel, die sonst darauf folgeten, und um deren willen die Handlung allein böse hieß, nunmehro abgehalten | wären. Vollends aber alles Strafen und Belohnen nur als das Maschinenwerk in der Hand einer höheren Macht anzusehen, welches vernünftige Wesen dadurch zu ihrer Endabsicht (der Glückseligkeit) in Tätigkeit zu setzen allein dienen sollte, ist gar zu sichtbar ein alle Freiheit aufhebender Mechanism ihres Willens, als daß es nötig wäre, uns hiebei aufzuhalten.

Feiner noch, obgleich eben so unwahr, ist das Vorgeben derer, die einen gewissen moralischen besondern Sinn annehmen, der, und nicht die Vernunft, das moralische Gesetz bestimmete, nach welchem das Bewußtsein der Tugend unmittelbar mit Zufriedenheit und Vergnügen, das des Lasters aber mit Seelenunruhe und Schmerz verbunden wäre, und so alles doch auf Verlangen nach eigener Glückseligkeit aussetzen. Ohne das hieher zu ziehen, was oben gesagt worden, will ich nur die Täuschung bemerken, die hiebei vorgeht. Um den Lasterhaften als durch das Bewußtsein seiner Vergehungen mit Gemütsunruhe geplagt vorzustellen, müssen sie ihn, der vornehmsten Grundlage seines Charakters nach, schon zum voraus als, wenigstens in einigem Grade, moralisch gut, so wie den, welchen das Bewußtsein pflichtmäßiger Handlungen ergötzt, vorher schon als tugendhaft vorstellen. Also mußte doch der Begriff der Moralität und Pflicht vor aller Rücksicht auf diese Zufriedenheit vorhergehen und kann von dieser gar nicht abgeleitet werden. Nun muß man doch die Wichtigkeit dessen, was wir Pflicht nennen, das Ansehen des moralischen Gesetzes und den unmittelbaren Wert, den die Befolgung desselben der Person in ihren eigenen Augen gibt, vorher schätzen, um jene Zufriedenheit in dem Bewußtsein seiner Angemessenheit zu derselben und den bittern Verweis, wenn man sich dessen Übertretung vorwerfen kann, zu fühlen. Man kann also | diese Zufriedenheit oder Seelenunruhe nicht vor der Erkenntnis der Verbindlichkeit fühlen und sie zum Grunde der letzteren machen. Man muß wenigstens auf dem halben Wege schon ein ehrlicher Mann sein, um sich von jenen Empfindungen auch nur eine Vorstellung machen zu können. Daß übrigens, so wie, vermöge der Freiheit, der menschliche Wille durchs moralische Gesetz unmittelbar bestimmbar ist, auch die öftere Ausübung, diesem Bestimmungsgrunde gemäß, subjektiv zuletzt ein Gefühl der Zufriedenheit mit sich selbst wirken könne, bin ich gar nicht in Abrede; vielmehr gehört es selbst zur Pflicht, dieses, welches eigentlich allein das moralische Gefühl genannt zu werden verdient, zu gründen und zu kultivieren; aber der Begriff der Pflicht kann davon nicht abgeleitet werden, sonst müßten wir uns ein Gefühl eines Gesetzes als eines solchen denken, und das zum Gegenstande der Empfindung machen, was nur durch Vernunft gedacht werden kann; welches, wenn es nicht ein platter Widerspruch werden soll, allen Begriff der Pflicht ganz aufheben, und an deren Statt bloß ein mechanisches Spiel feinerer, mit den gröberen bisweilen in Zwist geratender, Neigungen setzen würde.

Wenn wir nun unseren formalen obersten Grundsatz der reinen praktischen Vernunft (als einer Autonomie des Willens) mit allen bisherigen materialen Prinzipien der Sittlichkeit vergleichen, so können wir in einer Tafel alle übrige, als solche, dadurch wirklich zugleich alle mögliche andere Fälle, außer einem einzigen formalen, erschöpft sind, vorstellig machen, und so durch den Augenschein beweisen, daß es vergeblich sei, sich nach einem andern Prinzip, als dem jetzt vorgetragenen, umzusehen. – Alle mögliche Bestimmungsgründe des Willens sind nämlich entweder bloß subjektiv und also empirisch, oder auch objektiv und rational; beide aber entweder äußere oder innere.

| Die auf der linken Seite stehende sind insgesamt empirisch und taugen offenbar gar nicht zum allgemeinen Prinzip der Sittlichkeit. Aber die auf der rechten Seite gründen sich auf der Vernunft (denn Vollkommenheit, als Beschaffenheit der Dinge, und die höchste Vollkommenheit, in Substanz vorgestellt, d. i. Gott, sind beide nur durch Ver-

|Praktische materiale Bestimmungsgründe
im Prinzip der Sittlichkeit sind

| Subjektive | | | | Objektive | |
| --- | --- | --- | --- | --- | --- |
| äußere | | innere | | innere | äußere |
| Der Erziehung (nach Montaigne) | Der bürgerlichen Verfassung (nach Mandeville) | Des physischen Gefühls (nach Epikur) | Des moralischen Gefühls (nach Hutcheson) | Der Vollkommenheit (nach Wolff und den Stoikern) | Des Willens Gottes (nach Crusius und andern theologischen Moralisten) |

nunftbegriffe zu denken). Allein der erstere Begriff, nämlich der Vollkommenheit, kann entweder in theoretischer Bedeutung genommen werden, und da bedeutet er nichts, als Vollständigkeit eines jeden Dinges in seiner Art (transzendentale), oder eines Dinges bloß als Dinges überhaupt (metaphysische), und davon kann hier nicht die Rede sein. Der Begriff der Vollkommenheit in praktischer Bedeutung aber ist die Tauglichkeit, oder Zulänglichkeit eines Dinges zu allerlei Zwecken. Diese Vollkommenheit, als Beschaffenheit des Menschen, folglich innerliche, ist nichts anders, als Talent, und, was dieses stärkt oder ergänzt, Geschicklichkeit. Die höchste Vollkommenheit in Substanz, d. i. Gott, folglich äußerliche (in praktischer Absicht betrachtet), ist die Zulänglichkeit dieses Wesens zu allen Zwecken überhaupt. Wenn nun also uns Zwecke vorher gegeben werden müssen, in Beziehung auf welche der Begriff der Vollkommenheit (einer inneren, an uns selbst, oder einer äußeren, an Gott) allein Bestimmungsgrund des Willens werden kann, ein Zweck aber, als Objekt, welches vor der Willensbestimmung durch eine praktische Regel vorhergehen und den Grund der Möglichkeit einer solchen enthalten muß, mithin die Materie des Willens, als Bestimmungsgrund desselben genommen, jederzeit empirisch ist, mithin zum epikurischen Prinzip der Glückseligkeitslehre, niemals aber zum reinen Vernunftprinzip der Sittenlehre und der Pflicht dienen kann (wie denn Talente und ihre Beför|derung nur, weil sie zu Vorteilen des Lebens beitragen, oder der Wille Gottes, wenn Einstimmung mit ihm, ohne vorhergehendes von dessen Idee unabhängiges praktisches Prinzip, zum Objekte des Willens genommen worden, nur durch die Glückseligkeit, die wir davon erwarten, Bewegursache desselben werden können), so folgt erstlich, daß alle hier aufgestellte Prinzipien material sind, zweitens, daß sie alle mögliche materiale Prinzipien befassen, und daraus endlich der Schluß: daß, weil materiale Prinzipien zum obersten Sittengesetz ganz untauglich sind (wie bewiesen worden), das formale praktische Prinzip der reinen Vernunft, nach welchem die bloße Form einer durch

unsere Maximen möglichen allgemeinen Gesetzgebung den
obersten und unmittelbaren Bestimmungsgrund des Willens
ausmachen muß, das einzige mögliche sei, welches zu
kategorischen Imperativen, d. i. praktischen Gesetzen (welche Handlungen zur Pflicht machen), und überhaupt zum
Prinzip der Sittlichkeit, sowohl in der Beurteilung, als auch
der Anwendung auf den menschlichen Willen, in Bestimmung desselben, tauglich ist.

## | I. VON DER DEDUKTION DER GRUNDSÄTZE
### DER REINEN PRAKTISCHEN VERNUNFT

Diese Analytik tut dar, daß reine Vernunft praktisch sein,
d. i. für sich, unabhängig von allem Empirischen, den Willen bestimmen könne – und dieses zwar durch ein Faktum,
worin sich reine Vernunft bei uns in der Tat praktisch beweiset, nämlich die Autonomie in dem Grundsatze der Sittlichkeit, wodurch sie den Willen zur Tat bestimmt. – Sie
zeigt zugleich, daß dieses Faktum mit dem Bewußtsein der
Freiheit des Willens unzertrennlich verbunden, ja mit ihm
einerlei sei, wodurch der Wille eines vernünftigen Wesens,
das, als zur Sinnenwelt gehörig, sich, gleich anderen wirksamen Ursachen, notwendig den Gesetzen der Kausalität
unterworfen erkennt, im Praktischen doch zugleich sich auf
einer andern Seite, nämlich als Wesen an sich selbst, seines
in einer intelligibelen Ordnung der Dinge bestimmbaren
Daseins bewußt ist, zwar nicht einer besondern Anschauung
seiner selbst, sondern gewissen dynamischen Gesetzen gemäß, die die Kausalität desselben in der Sinnenwelt bestimmen können; denn, daß Freiheit, wenn sie uns beigelegt
wird, uns in eine intelligibele Ordnung der Dinge versetze,
ist anderwärts hinreichend bewiesen worden.

| Wenn wir nun damit den analytischen Teil der Kritik
der reinen spekulativen Vernunft vergleichen, so zeigt sich
ein merkwürdiger Kontrast beider gegen einander. Nicht
Grundsätze, sondern reine sinnliche Anschauung (Raum
und Zeit) war daselbst das erste Datum, welches Erkenntnis
a priori und zwar nur für Gegenstände der Sinne möglich

machte. – Synthetische Grundsätze aus bloßen Begriffen ohne Anschauung waren unmöglich, vielmehr konnten diese nur in Beziehung auf jene, welche sinnlich war, mithin auch nur auf Gegenstände möglicher Erfahrung stattfinden, weil die Begriffe des Verstandes, mit dieser Anschauung verbunden, allein dasjenige Erkenntnis möglich machen, welches wir Erfahrung nennen. – Über die Erfahrungsgegenstände hinaus, also von Dingen als Noumenen, wurde der spekulativen Vernunft alles Positive einer Erkenntnis mit völligem Rechte abgesprochen. – Doch leistete diese so viel, daß sie den Begriff der Noumenen, d. i. die Möglichkeit, ja Notwendigkeit, dergleichen zu denken, in Sicherheit setzte, und z. B. die Freiheit, negativ betrachtet, anzunehmen, als ganz verträglich mit jenen Grundsätzen und Einschränkungen der reinen theoretischen Vernunft, wider alle Einwürfe rettete, ohne doch von solchen Gegenständen irgend etwas Bestimmtes und Erweiterndes zu erkennen zu geben, indem sie vielmehr alle Aussicht dahin gänzlich abschnitt.

| Dagegen gibt das moralische Gesetz, wenn gleich keine Aussicht, dennoch ein schlechterdings aus allen Datis der Sinnenwelt und dem ganzen Umfange unseres theoretischen Vernunftgebrauchs unerklärliches Faktum an die Hand, das auf eine reine Verstandeswelt Anzeige gibt, ja diese so gar positiv bestimmt und uns etwas von ihr, nämlich ein Gesetz, erkennen läßt.

Dieses Gesetz soll der Sinnenwelt, als einer sinnlichen Natur (was die vernünftigen Wesen betrifft), die Form einer Verstandeswelt, d. i. einer übersinnlichen Natur verschaffen, ohne doch jener ihrem Mechanism Abbruch zu tun. Nun ist Natur im allgemeinsten Verstande die Existenz der Dinge unter Gesetzen. Die sinnliche Natur vernünftiger Wesen überhaupt ist die Existenz derselben unter empirisch bedingten Gesetzen, mithin für die Vernunft Heteronomie. Die übersinnliche Natur eben derselben Wesen ist dagegen ihre Existenz nach Gesetzen, die von aller empirischen Bedingung unabhängig sind, mithin zur Autonomie der reinen Vernunft gehören. Und, da die Gesetze, nach welchen das Dasein der Dinge vom Erkenntnis abhängt, praktisch sind: so ist die übersinnliche Natur, so weit wir uns einen Begriff von ihr machen können, nichts anders, als eine Natur unter der Autonomie der reinen praktischen Vernunft. Das Gesetz dieser Autonomie aber ist das moralische Gesetz; welches also das Grundgesetz einer übersinnlichen Natur und einer reinen | Verstandeswelt ist, deren Gegenbild in der Sinnenwelt, aber doch zugleich ohne Abbruch der Gesetze derselben, existieren soll. Man könnte jene die urbildliche (natura archetypa), die wir bloß in der Vernunft erkennen, diese aber, weil sie die mögliche Wirkung der Idee der ersteren, als Bestimmungsgrundes des Willens, enthält, die nachgebildete (natura ectypa) nennen. Denn in der Tat versetzt uns das moralische Gesetz, der Idee nach, in eine Natur, in welcher reine Vernunft, wenn sie mit dem ihr angemessenen physischen Vermögen begleitet wäre, das höchste Gut hervorbringen würde, und bestimmt unseren Willen, die Form der [1] Sinnenwelt, als einem Ganzen vernünftiger Wesen, zu erteilen.

Daß diese Idee wirklich unseren Willensbestimmungen gleichsam als Vorzeichnung zum Muster liege, bestätigt die gemeinste Aufmerksamkeit auf sich selbst.

Wenn die Maxime, nach der ich ein Zeugnis abzulegen gesonnen bin, durch die praktische Vernunft geprüft wird, so sehe ich immer darnach, wie sie sein würde, wenn sie als allgemeines Naturgesetz gölte. Es ist offenbar, in dieser Art würde es jedermann zur Wahrhaftigkeit nötigen. Denn es kann nicht mit der Allgemeinheit eines Naturgesetzes bestehen, Aussagen für beweisend und dennoch als vorsätzlich unwahr gelten zu lassen. Eben so wird die Maxime, die ich in | Ansehung der freien Disposition über mein Leben nehme, sofort bestimmt, wenn ich mich frage, wie sie sein müßte, damit sich eine Natur nach einem Gesetze derselben erhalte. Offenbar würde niemand in einer solchen Natur sein Leben willkürlich endigen können, denn eine solche Verfassung würde keine bleibende Naturordnung sein, und so in allen übrigen Fällen. Nun ist aber in der wirklichen Na-

---

[1] Akad.-Ausg. erwägt: »Form derselben der«.

tur, so wie sie ein Gegenstand der Erfahrung ist, der freie Wille nicht von selbst zu solchen Maximen bestimmt, die für sich selbst eine Natur nach allgemeinen Gesetzen gründen könnten, oder auch in eine solche, die nach ihnen angeordnet wäre, von selbst passeten; vielmehr sind es Privatneigungen, die zwar ein Naturganzes nach pathologischen (physischen) Gesetzen, aber nicht eine Natur, die allein durch unsern Willen nach reinen praktischen Gesetzen möglich wäre, ausmachen. Gleichwohl sind wir uns durch die Vernunft eines Gesetzes bewußt, welchem, als ob durch unseren Willen zugleich eine Naturordnung entspringen müßte, alle unsere Maximen unterworfen sind. Also muß dieses die Idee einer nicht empirisch-gegebenen und dennoch durch Freiheit möglichen, mithin übersinnlichen Natur sein, der wir, wenigstens in praktischer Beziehung, objektive Realität geben, weil wir sie als Objekt unseres Willens, als reiner vernünftiger Wesen ansehen.

| Der Unterschied also zwischen den Gesetzen einer Natur, welcher der Wille unterworfen ist, und einer Natur, die einem Willen (in Ansehung dessen, was Beziehung desselben auf[1] seine freie Handlungen hat) unterworfen ist, beruht darauf, daß bei jener die Objekte Ursachen der Vorstellungen sein müssen, die den Willen bestimmen, bei dieser aber der Wille Ursache von den Objekten sein soll, so daß die Kausalität desselben ihren Bestimmungsgrund lediglich in reinem Vernunftvermögen liegen hat, welches deshalb auch eine reine praktische Vernunft genannt werden kann.

Die zwei Aufgaben also: wie reine Vernunft einerseits a priori Objekte erkennen, und wie sie andererseits unmittelbar ein Bestimmungsgrund des Willens, d. i. der Kausalität des vernünftigen Wesens in Ansehung der Wirklichkeit der Objekte (bloß durch den Gedanken der Allgemeingültigkeit ihrer eigenen Maximen als Gesetzes) sein könne, sind sehr verschieden.

Die erste, als zur Kritik der reinen spekulativen Vernunft gehörig, erfodert, daß zuvor erklärt werde, wie Anschau-

---

[1] Akad.-Ausg. erwägt: »Beziehung auf«.

ungen, ohne welche uns überall kein Objekt gegeben und
also auch keines synthetisch erkannt werden kann, a priori
möglich sind, und ihre Auflösung fällt dahin aus, daß sie insgesamt nur sinnlich sein[1], daher auch kein spekulatives Erkenntnis möglich werden lassen, das weiter ginge, als mög-
liche Erfahrung reicht, | und daß daher alle Grundsätze
jener reinen praktischen[2] Vernunft nichts weiter ausrichten,
als Erfahrung, entweder von gegebenen Gegenständen, oder
denen, die ins Unendliche gegeben werden mögen, niemals
aber vollständig gegeben sind, möglich zu machen.

Die zweite, als zur Kritik der praktischen Vernunft gehörig, fodert keine Erklärung, wie die Objekte des Begehrungsvermögens möglich sind, denn das bleibt, als Aufgabe
der theoretischen Naturkenntnis, der Kritik der spekulativen Vernunft überlassen, sondern nur, wie Vernunft die
Maxime des Willens bestimmen könne, ob es nur vermittelst
empirischer Vorstellung[3], als Bestimmungsgründe, geschehe,
oder ob auch reine Vernunft praktisch und ein Gesetz einer
möglichen, gar nicht empirisch erkennbaren, Naturordnung
sein würde. Die Möglichkeit einer solchen übersinnlichen
Natur, deren Begriff zugleich der Grund der Wirklichkeit
derselben durch unseren freien Willen sein könne, bedarf
keiner Anschauung a priori (einer intelligibelen Welt), die
in diesem Falle, als übersinnlich, für uns auch unmöglich sein
müßte. Denn es kommt nur auf den Bestimmungsgrund des
Wollens in den Maximen desselben an, ob jener empirisch,
oder ein Begriff der reinen Vernunft (von der Gesetzmäßigkeit derselben überhaupt) sei, und wie er letzteres sein könne. Ob die Kausalität des Willens zur Wirklichkeit der Ob-
jekte zulange, oder nicht, bleibt den theoretischen Prin|zi-
pien der Vernunft zu beurteilen überlassen, als Untersuchung der Möglichkeit der Objekte des Wollens, deren Anschauung also in der praktischen Aufgabe gar kein Moment
derselben ausmacht. Nur auf die Willensbestimmung und
den Bestimmungsgrund der Maxime desselben, als eines
freien Willens, kommt es hier an, nicht auf den Erfolg. Denn,

---

[1] Akad.-Ausg.: »sind«. – [2] Akad.-Ausg.: »spekulativen«. – [3] Akad.-
Ausg.: »Vorstellungen«.

wenn der Wille nur für die reine Vernunft gesetzmäßig ist,
so mag es mit dem Vermögen desselben in der Ausfüh-
rung stehen, wie es wolle, es mag nach diesen Maximen der
Gesetzgebung einer möglichen Natur eine solche wirklich
daraus entspringen, oder nicht, darum bekümmert sich
die Kritik, die da untersucht, ob und wie reine Vernunft
praktisch, d. i. unmittelbar willenbestimmend, sein könne,
gar nicht.

In diesem Geschäfte kann sie also ohne Tadel und muß
sie von reinen praktischen Gesetzen und deren Wirklichkeit
anfangen. Statt der Anschauung aber legt sie denselben den
Begriff ihres Daseins in der intelligibelen Welt, nämlich der
Freiheit, zum Grunde. Denn dieser bedeutet nichts anders,
und jene Gesetze sind nur in Beziehung auf Freiheit des
Willens möglich, unter Voraussetzung derselben aber notwendig, oder, umgekehrt, diese ist notwendig, weil jene Gesetze, als praktische Postulate, notwendig sind. Wie nun
dieses Bewußtsein der moralischen Gesetze, oder, welches
einerlei ist, das der Freiheit, möglich sei, läßt sich | nicht
weiter erklären, nur die Zulässigkeit derselben in der theoretischen Kritik gar wohl verteidigen.

Die Exposition des obersten Grundsatzes der praktischen Vernunft ist nun geschehen, d. i. erstlich, was er enthalte, daß er gänzlich a priori und unabhängig von empirischen Prinzipien für sich bestehe, und dann, worin er sich
von allen anderen praktischen Grundsätzen unterscheide,
gezeigt worden. Mit der Deduktion, d. i. der Rechtfertigung seiner objektiven und allgemeinen Gültigkeit und der
Einsicht der Möglichkeit eines solchen synthetischen Satzes
a priori, darf man nicht so gut fortzukommen hoffen, als es
mit den Grundsätzen des reinen theoretischen Verstandes
anging. Denn diese bezogen sich auf Gegenstände möglicher
Erfahrung, nämlich auf Erscheinungen, und man konnte
beweisen, daß nur dadurch, daß diese Erscheinungen nach
Maßgabe jener Gesetze unter die Kategorien gebracht werden, diese Erscheinungen als Gegenstände der Erfahrung
erkannt werden können, folglich alle mögliche Erfahrung
diesen Gesetzen angemessen sein müsse. Einen solchen

Gang kann ich aber mit der Deduktion des moralischen Gesetzes nicht nehmen. Denn es betrifft nicht das Erkenntnis von der Beschaffenheit der Gegenstände, die der Vernunft irgend wodurch anderwärts gegeben werden mögen, sondern ein Erkenntnis, so fern es der Grund von der Existenz der Gegenstände selbst werden kann und die Vernunft durch | dieselbe Kausalität in einem vernünftigen Wesen hat, d. i. reine Vernunft, die als ein unmittelbar den Willen bestimmendes Vermögen angesehen werden kann.

Nun ist aber alle menschliche Einsicht zu Ende, so bald wir zu Grundkräften oder Grundvermögen gelanget sind; denn deren Möglichkeit kann durch nichts begriffen, darf aber auch eben so wenig beliebig erdichtet und angenommen werden. Daher kann uns im theoretischen Gebrauche der Vernunft nur Erfahrung dazu berechtigen, sie anzunehmen. Dieses Surrogat, statt einer Deduktion, aus Erkenntnisquellen a priori, empirische Beweise anzuführen, ist uns hier aber in Ansehung des reinen praktischen Vernunftvermögens auch benommen. Denn, was den Beweisgrund seiner Wirklichkeit von der Erfahrung herzuholen bedarf, muß den Gründen seiner Möglichkeit nach von Erfahrungsprinzipien abhängig sein, für dergleichen aber reine und doch praktische Vernunft schon ihres Begriffs wegen unmöglich gehalten werden kann. Auch ist das moralische Gesetz gleichsam als ein Faktum der reinen Vernunft, dessen wir uns a priori bewußt sind und welches apodiktisch gewiß ist, gegeben, gesetzt, daß man auch in der Erfahrung kein Beispiel, da es genau befolgt wäre, auftreiben konnte [1]. Also kann die objektive Realität des moralischen Gesetzes durch keine Deduktion, durch alle Anstrengung der theoretischen, spekulativen oder empirisch unterstützten Vernunft, bewiesen, und | also, wenn man auch auf die apodiktische Gewißheit Verzicht tun wollte, durch Erfahrung bestätigt und so a posteriori bewiesen werden, und steht dennoch für sich selbst fest.

Etwas anderes aber und ganz Widersinnisches tritt an die Stelle dieser vergeblich gesuchten Deduktion des morali-

[1] Akad.-Ausg.: »könnte«.

schen Prinzips, nämlich, daß es umgekehrt selbst zum Prinzip der Deduktion eines unerforschlichen Vermögens dient,
welches keine Erfahrung beweisen, die spekulative Vernunft
aber (um unter ihren kosmologischen Ideen das Unbedingte
seiner Kausalität nach zu finden, damit sie sich selbst nicht
widerspreche) wenigstens als möglich annehmen mußte,
nämlich das der Freiheit, von der das moralische Gesetz,
welches selbst keiner rechtfertigenden Gründe bedarf, nicht
bloß die Möglichkeit, sondern die Wirklichkeit an Wesen beweiset, die dies Gesetz als für sie verbindend erkennen. Das
moralische Gesetz ist in der Tat ein Gesetz der Kausalität
durch Freiheit, und also der Möglichkeit einer übersinnlichen Natur, so wie das metaphysische Gesetz der Begebenheiten in der Sinnenwelt ein Gesetz der Kausalität der sinnlichen Natur war, und jenes bestimmt also das, was spekulative Philosophie unbestimmt lassen mußte, nämlich das Gesetz für eine Kausalität, deren Begriff in der letzteren nur negativ war, und verschafft diesem also zuerst objektive Realität.

| Diese Art von Kreditiv des moralischen Gesetzes, da es
selbst als ein Prinzip der Deduktion der Freiheit, als einer
Kausalität der reinen Vernunft, aufgestellt wird, ist, da die
theoretische Vernunft wenigstens die Möglichkeit einer Freiheit anzunehmen genötigt war, zu Ergänzung eines Bedürfnisses derselben, statt aller Rechtfertigung a priori völlig hinreichend. Denn das moralische Gesetz beweiset seine
Realität dadurch auch für die Kritik der spekulativen Vernunft genugtuend, daß es einer bloß negativ gedachten Kausalität, deren Möglichkeit jener unbegreiflich und dennoch
sie anzunehmen nötig war, positive Bestimmung, nämlich
den Begriff einer den Willen unmittelbar (durch die Bedingung einer allgemeinen gesetzlichen Form seiner Maximen)
bestimmenden Vernunft hinzufügt, und so der Vernunft,
die mit ihren Ideen, wenn sie spekulativ verfahren wollte,
immer überschwenglich wurde, zum erstenmale objektive,
obgleich nur praktische Realität zu geben vermag und ihren
transzendenten Gebrauch in einen immanenten (im
Felde der Erfahrung durch Ideen selbst wirkende Ursachen
zu sein) verwandelt.

Die Bestimmung der Kausalität der Wesen in der Sinnenwelt, als einer solchen, konnte niemals unbedingt sein, und dennoch muß es zu aller Reihe der Bedingungen notwendig etwas Unbedingtes, mithin auch eine sich gänzlich von selbst bestimmende Kausalität ge|ben. Daher war die Idee der Freiheit, als eines Vermögens absoluter Spontaneität, nicht ein Bedürfnis, sondern, was deren Möglichkeit betrifft, ein analytischer Grundsatz der reinen spekulativen Vernunft. Allein, da es schlechterdings unmöglich ist, ihr gemäß ein Beispiel in irgend einer Erfahrung zu geben, weil unter den Ursachen der Dinge, als Erscheinungen, keine Bestimmung der Kausalität, die schlechterdings unbedingt wäre, angetroffen werden kann, so konnten wir nur den Gedanken von einer freihandelnden Ursache, wenn wir diesen auf ein Wesen in der Sinnenwelt, so fern es andererseits auch als Noumenon betrachtet wird, anwenden, verteidigen, indem wir zeigten, daß es sich nicht widerspreche, alle seine Handlungen als physisch bedingt, so fern sie Erscheinungen sind, und doch zugleich die Kausalität derselben, so fern das handelnde Wesen ein Verstandeswesen ist, als physisch unbedingt anzusehen, und so den Begriff der Freiheit zum regulativen Prinzip der Vernunft zu machen, wodurch ich zwar den Gegenstand, dem dergleichen Kausalität beigelegt wird, gar nicht erkenne, was er sei, aber doch das Hindernis wegnehme, indem ich einerseits in der Erklärung der Weltbegebenheiten, mithin auch der Handlungen vernünftiger Wesen, dem Mechanismus der Naturnotwendigkeit, vom Bedingten zur Bedingung ins Unendliche zurückzugehen, Gerechtigkeit widerfahren lasse, andererseits aber der spekulativen Vernunft | den für sie leeren Platz offen erhalte, nämlich das Intelligibele, um das Unbedingte dahin zu versetzen. Ich konnte aber diesen Gedanken nicht realisieren, d. i. ihn nicht in Erkenntnis eines so handelnden Wesens, auch nur bloß seiner Möglichkeit nach, verwandeln. Diesen leeren Platz füllt nun reine praktische Vernunft, durch ein bestimmtes Gesetz der Kausalität in einer intelligibelen Welt (durch Freiheit), nämlich das moralische Gesetz, aus. Hiedurch wächst nun zwar der

spekulativen Vernunft in Ansehung ihrer Einsicht nichts zu,
aber doch in Ansehung der Sicherung ihres problemati-
schen Begriffs der Freiheit, welchem hier objektive und
obgleich nur praktische, dennoch unbezweifelte Realität
verschafft wird. Selbst den Begriff der Kausalität, dessen
Anwendung, mithin auch Bedeutung, eigentlich nur in Beziehung auf Erscheinungen, um sie zu Erfahrungen zu ver-
knüpfen, stattfindet (wie die Kritik der reinen Vernunft beweiset,) erweitert sie nicht so, daß sie seinen Gebrauch über
gedachte Grenzen ausdehne. Denn wenn sie darauf aus-
ginge, so müßte sie zeigen wollen, wie das logische Verhältnis des Grundes und der Folge bei einer anderen Art von
Anschauung, als die sinnliche ist, synthetisch gebraucht
werden könne, d. i. wie causa noumenon möglich sei; welches sie gar nicht leisten kann, worauf sie aber auch als praktische Vernunft gar nicht Rücksicht nimmt, indem sie nur
den Bestimmungsgrund der Kausalität | des Menschen,
als Sinnenwesens, (welche gegeben ist) in der reinen Vernunft (die darum praktisch heißt) setzt, und also den Begriff der Ursache selbst, von dessen Anwendung auf Objekte
zum Behuf theoretischer Erkenntnisse sie hier gänzlich abstrahieren kann (weil dieser Begriff immer im Verstande,
auch unabhängig von aller Anschauung, a priori angetroffen
wird), nicht um Gegenstände zu erkennen, sondern die Kausalität in Ansehung derselben überhaupt zu bestimmen,
also in keiner andern als praktischen Absicht braucht, und
daher den Bestimmungsgrund des Willens in die intelligibele Ordnung der Dinge verlegen kann, indem sie zugleich
gerne gesteht, das, was der Begriff der Ursache zur Erkenntnis dieser Dinge für eine Bestimmung haben möge, gar nicht
zu verstehen. Die Kausalität in Ansehung der Handlungen
des Willens in der Sinnenwelt muß sie allerdings auf bestimmte Weise erkennen, denn sonst könnte praktische Vernunft wirklich keine Tat hervorbringen. Aber den Begriff,
den sie von ihrer eigenen Kausalität als Noumenon macht,
braucht sie nicht theoretisch zum Behuf der Erkenntnis
ihrer übersinnlichen Existenz zu bestimmen, und also ihm
so fern Bedeutung geben zu können. Denn Bedeutung be-

kommt er ohnedem, obgleich nur zum praktischen Gebrauche, nämlich durchs moralische Gesetz. Auch theoretisch betrachtet bleibt er immer ein reiner a priori gegebener Verstandesbegriff, der auf | Gegenstände angewandt werden kann, sie mögen sinnlich oder nicht sinnlich gegeben werden; wiewohl er im letzteren Falle keine bestimmte theoretische Bedeutung und Anwendung hat, sondern bloß ein formaler, aber doch wesentlicher Gedanke des Verstandes von einem Objekte überhaupt ist. Die Bedeutung, die ihm die Vernunft durchs moralische Gesetz verschafft, ist lediglich praktisch, da nämlich die Idee des Gesetzes einer Kausalität (des Willens) selbst Kausalität hat, oder ihr Bestimmungsgrund ist.

## II. VON DEM BEFUGNISSE DER REINEN VERNUNFT, IM PRAKTISCHEN GEBRAUCHE, ZU EINER ERWEITERUNG, DIE IHR IM SPEKULATIVEN FÜR SICH NICHT MÖGLICH IST

An dem moralischen Prinzip haben wir ein Gesetz der Kausalität aufgestellt, welches den Bestimmungsgrund der letzteren über alle Bedingungen der Sinnenwelt wegsetzt, und den Willen, wie er als zu einer intelligibelen Welt gehörig bestimmbar sei, mithin das Subjekt dieses Willens (den Menschen) nicht bloß als zu einer reinen Verstandeswelt gehörig, obgleich in dieser Beziehung als uns unbekannt (wie es nach der Kritik | der reinen spekulativen Vernunft geschehen konnte) gedacht, sondern ihn auch in Ansehung seiner Kausalität, vermittelst eines Gesetzes, welches zu gar keinem Naturgesetze der Sinnenwelt gezählt werden kann, bestimmt, also unser Erkenntnis über die Grenzen des[1] letzteren erweitert, welche Anmaßung doch die Kritik der reinen Vernunft in aller Spekulation für nichtig erklärte. Wie ist nun hier praktischer Gebrauch der reinen Vernunft mit dem theoretischen eben derselben, in Ansehung der Grenzbestimmung ihres Vermögens zu vereinigen?

[1] Akad.-Ausg.: »der«.

David Hume, von dem man sagen kann, daß er alle Anfechtung der Rechte einer reinen Vernunft, welche eine gänzliche Untersuchung derselben notwendig machten, eigentlich anfing, schloß so. Der Begriff der Ursache ist ein Begriff, der die Notwendigkeit der Verknüpfung der Existenz des Verschiedenen, und zwar, so fern es verschieden ist, enthält, so: daß, wenn A gesetzt wird, ich erkenne, daß etwas davon ganz Verschiedenes, B, notwendig auch existieren müsse. Notwendigkeit kann aber nur einer Verknüpfung beigelegt werden, so fern sie a priori erkannt wird; denn die Erfahrung würde von einer Verbindung nur zu erkennen geben, daß sie sei, aber nicht, daß sie so notwendigerweise sei. Nun ist es, sagt er, unmöglich, die Verbindung, die zwischen einem Dinge und einem anderen (oder einer Bestimmung und einer anderen, | ganz von ihr verschiedenen), wenn sie nicht in der Wahrnehmung gegeben werden, a priori und als notwendig zu erkennen. Also ist der Begriff einer Ursache selbst lügenhaft und betrügerisch, und ist, am gelindesten davon zu reden, eine so fern noch zu entschuldigende Täuschung, da die Gewohnheit (eine subjektive Notwendigkeit), gewisse Dinge, oder ihre Bestimmungen, öfters neben, oder nach einander ihrer Existenz nach, als sich beigesellet, wahrzunehmen, unvermerkt für eine objektive Notwendigkeit, in den Gegenständen selbst eine solche Verknüpfung zu setzen, genommen, und so der Begriff einer Ursache erschlichen und nicht rechtmäßig erworben ist, ja auch niemals erworben oder beglaubigt werden kann, weil er eine an sich nichtige, chimärische, vor keiner Vernunft haltbare Verknüpfung fodert, der gar kein Objekt jemals korrespondieren kann. – So ward nun zuerst in Ansehung alles Erkenntnisses, das die Existenz der Dinge betrifft (die Mathematik blieb also davon noch ausgenommen), der Empirismus als die einzige Quelle der Prinzipien eingeführt, mit ihm aber zugleich der härteste Skeptizism selbst in Ansehung der ganzen Naturwissenschaft (als Philosophie). Denn wir können, nach solchen Grundsätzen, niemals aus gegebenen Bestimmungen der Dinge ihrer Existenz nach auf eine Folge schließen (denn dazu würde der

Begriff einer Ursache, der die Notwendigkeit einer solchen Verknüpfung enthält, | erfodert werden), sondern nur, nach der Regel der Einbildungskraft, ähnliche Fälle, wie sonst, erwarten, welche Erwartung aber niemals sicher ist, sie mag auch noch so oft eingetroffen sein. Ja bei keiner Begebenheit könnte man sagen: es müsse etwas vor ihr vorhergegangen sein, worauf sie notwendig folgte, d. i. sie müsse eine Ursache haben, und also, wenn man auch noch so öftere Fälle kennete, wo dergleichen vorherging, so daß eine Regel davon abgezogen werden konnte, so könnte man darum es nicht als immer und notwendig sich auf die Art zutragend annehmen, und so müsse man dem blinden Zufalle, bei welchem aller Vernunftgebrauch aufhört, auch sein Recht lassen, welches denn den Skeptizism, in Ansehung der von Wirkungen zu Ursachen aufsteigenden Schlüsse, fest gründet und unwiderleglich macht.

Die Mathematik war so lange noch gut weggekommen, weil Hume dafür hielt, daß ihre Sätze alle analytisch wären, d. i. von einer Bestimmung zur andern, um der Identität willen, mithin nach dem Satze des Widerspruchs fortschritten (welches aber falsch ist, indem sie vielmehr alle synthetisch sind, und, obgleich z. B. die Geometrie es nicht mit der Existenz der Dinge, sondern nur ihrer Bestimmung a priori in einer möglichen Anschauung zu tun hat, dennoch eben so gut, wie durch Kausalbegriffe, von einer Bestimmung A zu einer ganz verschiedenen B, als dennoch | mit jener notwendig verknüpft, übergeht). Aber endlich muß jene wegen ihrer apodiktischen Gewißheit so hochgepriesene Wissenschaft doch dem Empirismus in Grundsätzen, aus demselben Grunde, warum Hume, an der Stelle der objektiven Notwendigkeit in dem Begriffe der Ursache, die Gewohnheit setzte, auch unterliegen, und sich, unangesehen alles ihres Stolzes, gefallen lassen, ihre kühne, a priori Beistimmung gebietende Ansprüche herabzustimmen, und den Beifall für die Allgemeingültigkeit ihrer Sätze von der Gunst der Beobachter erwarten, die als Zeugen es doch nicht weigern würden zu gestehen, daß sie das, was der Geometer als Grundsätze vorträgt, jederzeit auch so wahrgenommen hätten, folglich, ob es gleich eben nicht notwendig wäre, doch fernerhin, es so erwarten zu dürfen, erlauben würden. Auf diese Weise führt Humens Empirism in Grundsätzen auch unvermeidlich auf den Skeptizism, selbst in Ansehung der Mathematik, folglich in allem wissenschaftlichen theoretischen Gebrauche der Vernunft (denn dieser gehört entweder zur Philosophie, oder zur Mathematik). Ob der gemeine Vernunftgebrauch (bei einem so schrecklichen Umsturz, als man den Häuptern der Erkenntnis begegnen sieht) besser durchkommen, und nicht vielmehr, noch unwiederbringlicher, in eben diese Zerstörung alles Wissens werde verwickelt werden, mithin ein allgemeiner Skeptizism nicht aus denselben Grundsätzen fol|gen müsse (der freilich aber nur die Gelehrten treffen würde), das will [1] jeden selbst beurteilen lassen.

Was nun meine Bearbeitung in der Kritik der reinen Vernunft betrifft, die zwar durch jene Humische Zweifellehre veranlaßt ward, doch viel weiter ging, und das ganze Feld der reinen theoretischen Vernunft im synthetischen Gebrauche, mithin auch desjenigen, was man Metaphysik überhaupt nennt, befassete: so verfuhr ich, in Ansehung der den Begriff der Kausalität betreffenden Zweifel des schottischen Philosophen, auf folgende Art. Daß Hume, wenn er (wie es doch auch fast überall geschieht) die Gegenstände der Erfahrung für Dinge an sich selbst nahm, den Begriff der Ursache für trüglich und falsches Blendwerk erklärte, daran tat er ganz recht; denn von Dingen an sich selbst und deren Bestimmungen als solchen kann nicht eingesehen werden, wie darum, weil etwas A gesetzt wird, etwas anderes B auch notwendig gesetzt werden müsse, und also konnte er eine solche Erkenntnis a priori von Dingen an sich selbst gar nicht einräumen. Einen empirischen Ursprung dieses Begriffs konnte der scharfsinnige Mann noch weniger verstatten, weil dieser geradezu der Notwendigkeit der Verknüpfung widerspricht, welche das Wesentliche des Begriffs der Kausalität ausmacht; mithin ward der Begriff in die Acht erklärt, und in seine Stelle

[1] Akad.-Ausg.: »will ich«.

trat die Gewohnheit im Beobachten des Laufs der Wahrnehmungen.

| Aus meinen Untersuchungen aber ergab es sich, daß die Gegenstände, mit denen wir es in der Erfahrung zu tun haben, keinesweges Dinge an sich selbst, sondern bloß Erscheinungen sind, und daß, obgleich bei Dingen an sich selbst gar nicht abzusehen ist, ja unmöglich ist einzusehen, wie, wenn A gesetzt wird, es widersprechend sein solle, B, welches von A ganz verschieden ist, nicht zu setzen (die Notwendigkeit der Verknüpfung zwischen A als Ursache und B als Wirkung), es sich doch ganz wohl denken lasse, daß sie als Erscheinungen in einer Erfahrung auf gewisse Weise (z. B. in Ansehung der Zeitverhältnisse) notwendig verbunden sein müssen und nicht getrennt werden können, ohne derjenigen Verbindung zu widersprechen, vermittelst deren diese Erfahrung möglich ist, in welcher sie Gegenstände und uns allein erkennbar sind. Und so fand es sich auch in der Tat: so, daß ich den Begriff der Ursache nicht allein nach seiner objektiven Realität in Ansehung der Gegenstände der Erfahrung beweisen, sondern ihn auch, als Begriff a priori, wegen der Notwendigkeit der Verknüpfung, die er bei sich führt, deduzieren, d. i. seine Möglichkeit aus reinem Verstande, ohne empirische Quellen, dartun, und so, nach Wegschaffung des Empirismus seines Ursprungs, die unvermeidliche Folge desselben, nämlich den Skeptizism, zuerst in Ansehung der Naturwissenschaft, dann auch, wegen des ganz vollkommen aus denselben Grün|den Folgenden in Ansehung der Mathematik, beider Wissenschaften, die auf Gegenstände möglicher Erfahrung bezogen werden, und hiemit den totalen Zweifel an allem, was theoretische Vernunft einzusehen behauptet, aus dem Grunde heben konnte.

Aber wie wird es mit der Anwendung dieser Kategorie der Kausalität (und so auch aller übrigen; denn ohne sie läßt sich kein Erkenntnis des Existierenden zu Stande bringen) auf Dinge, die nicht Gegenstände möglicher Erfahrung sind, sondern über dieser ihre Grenze hinaus liegen? Denn ich habe die objektive Realität dieser Begriffe nur in An-

sehung der Gegenstände möglicher Erfahrung de-
duzieren können. Aber eben dieses, daß ich sie auch nur in
diesem Falle gerettet habe, daß ich gewiesen habe, es lassen
sich dadurch doch Objekte denken, obgleich nicht a priori
bestimmen: dieses ist es, was ihnen einen Platz im reinen
Verstande gibt, von dem sie auf Objekte überhaupt (sinnliche, oder nicht sinnliche) bezogen werden. Wenn etwas
noch fehlt, so ist es die Bedingung der Anwendung dieser
Kategorien, und namentlich der der Kausalität, auf Gegenstände, nämlich die Anschauung, welche, wo sie nicht gegeben ist, die Anwendung zum Behuf der theoretischen
Erkenntnis des Gegenstandes, als Noumenon, unmöglich
macht, die also, wenn es jemand darauf wagt (wie auch in
der Kritik der reinen Vernunft geschehen), gänzlich verwehrt
wird, indessen, | daß doch immer die objektive Realität des
Begriffs bleibt, auch von Noumenen gebraucht werden kann,
aber ohne diesen Begriff theoretisch im mindesten bestimmen und dadurch ein Erkenntnis bewirken zu können.
Denn, daß dieser Begriff auch in Beziehung auf ein Objekt
nichts Unmögliches enthalte, war dadurch bewiesen, daß
ihm sein Sitz im reinen Verstande bei aller Anwendung auf
Gegenstände der Sinne gesichert war, und ob er gleich her-
nach etwa, auf Dinge an sich selbst (die nicht Gegenstände
der Erfahrung sein können) bezogen, keiner Bestimmung,
zur Vorstellung eines bestimmten Gegenstandes, zum
Behuf einer theoretischen Erkenntnis, fähig ist, so konnte
er doch immer noch zu irgend einem anderen (vielleicht dem
praktischen) Behuf einer Bestimmung zur Anwendung desselben fähig sein, welches nicht sein würde, wenn, nach
Hume, dieser Begriff der Kausalität etwas, das überall zu
denken unmöglich ist, enthielte.

Um nun diese Bedingung der Anwendung des gedachten
Begriffs auf Noumenen ausfindig zu machen, dürfen wir nur
zurücksehen, weswegen wir nicht mit der Anwendung desselben auf Erfahrungsgegenstände zufrieden sind, sondern ihn auch gern von Dingen an sich
selbst brauchen möchten. Denn da zeigt sich bald, daß es
nicht eine theoretische, sondern praktische Absicht sei, wel-

che uns dieses zur Notwendigkeit macht. Zur Spekulation würden wir, wenn es uns | damit auch gelänge, doch keinen wahren Erwerb in Naturkenntnis und überhaupt in Ansehung der Gegenstände, die uns irgend gegeben werden mögen, machen, sondern allenfalls einen weiten Schritt vom Sinnlichbedingten (bei welchem zu bleiben und die Kette der Ursachen fleißig durchzuwandern wir so schon genug zu tun haben) zum Übersinnlichen-tun und[1] unser Erkenntnis von der Seite der Gründe zu vollenden und zu begrenzen, indessen daß immer eine unendliche Kluft zwischen jener Grenze und dem, was wir kennen, unausgefüllt übrig bliebe, und wir mehr einer eiteln Fragsucht, als einer gründlichen Wißbegierde, Gehör gegeben hätten.

Außer dem Verhältnisse aber, darin der Verstand zu Gegenständen (im theoretischen Erkenntnisse) steht, hat er auch eines zum Begehrungsvermögen, das darum der Wille heißt, und der reine Wille, so fern der reine Verstand (der in solchem Falle Vernunft heißt) durch die bloße Vorstellung eines Gesetzes praktisch ist. Die objektive Realität eines reinen Willens, oder, welches einerlei ist, einer reinen praktischen Vernunft ist im moralischen Gesetze a priori gleichsam durch ein Faktum gegeben; denn so kann man eine Willensbestimmung nennen, die unvermeidlich ist, ob sie gleich nicht auf empirischen Prinzipien beruht. Im Begriffe eines Willens aber ist der Begriff der Kausalität schon enthalten, mithin in dem eines reinen Willens der Begriff | einer Kausalität mit Freiheit, d. i. die nicht nach Naturgesetzen bestimmbar, folglich keiner empirischen Anschauung, als Beweises seiner Realität, fähig ist, dennoch aber, in dem reinen praktischen Gesetze a priori, seine objektive Realität, doch (wie leicht einzusehen) nicht zum Behufe des theoretischen, sondern bloß praktischen Gebrauchs der Vernunft vollkommen rechtfertigt. Nun ist der Begriff eines Wesens, das freien Willen hat, der Begriff einer causa noumenon und, daß sich dieser Begriff nicht selbst widerspreche, dafür ist man schon dadurch gesichert, daß der Begriff einer Ursache, als gänzlich vom reinen Verstande entsprungen, zugleich

[1] Akad.-Ausg.: »thun, um«.

auch seiner objektiven Realität in Ansehung der Gegenstände überhaupt durch die Deduktion gesichert, dabei seinem Ursprunge nach von allen sinnlichen Bedingungen unabhängig, also für sich auf Phänomene nicht eingeschränkt (es sei denn, wo ein theoretischer bestimmter Gebrauch davon gemacht werden wollte), auf Dinge als reine Verstandeswesen allerdings angewandt werden könne. Weil aber dieser Anwendung keine Anschauung, als die jederzeit nur sinnlich sein kann, untergelegt werden kann, so ist causa noumenon, in Ansehung des theoretischen Gebrauchs der Vernunft, obgleich ein möglicher, denkbarer, dennoch leerer Begriff. Nun verlange ich aber auch dadurch nicht die Beschaffenheit eines Wesens, so fern es einen reinen Willen hat, theoretisch zu kennen; es ist mir | genug, es dadurch nur als ein solches zu bezeichnen, mithin nur den Begriff der Kausalität mit dem der Freiheit (und, was davon unzertrennlich ist, mit dem moralischen Gesetze, als Bestimmungsgrunde derselben) zu verbinden; welche Befugnis mir, vermöge des reinen, nicht empirischen Ursprungs des Begriffs der Ursache, allerdings zusteht, indem ich davon keinen anderen Gebrauch, als in Beziehung auf das moralische Gesetz, das seine Realität bestimmt, d. i. nur einen praktischen Gebrauch zu machen mich befugt halte.

Hätte ich, mit Humen, dem Begriffe der Kausalität die objektive Realität im praktischen[1] Gebrauche nicht allein in Ansehung der Sachen an sich selbst (des Übersinnlichen), sondern auch in Ansehung der Gegenstände der Sinne genommen: so wäre er aller Bedeutung verlustig und als ein theoretisch unmöglicher Begriff für gänzlich unbrauchbar erklärt worden; und, da von nichts sich auch kein Gebrauch machen läßt, der praktische Gebrauch eines theoretisch-nichtigen Begriffs ganz ungereimt gewesen. Nun aber der Begriff einer empirisch unbedingten Kausalität theoretisch zwar leer (ohne darauf sich schickende Anschauung), aber immer doch möglich ist und sich auf ein unbestimmt Objekt bezieht, statt dieses aber ihm doch an dem moralischen Gesetze, folglich in praktischer Beziehung, Bedeutung gegeben

---

[1] Akad.-Ausg.: »theoretischen«.

wird, so habe ich zwar keine Anschauung, die ihm seine objektive theoretische Realität bestimmte, aber | er hat nichts desto weniger wirkliche Anwendung, die sich in concreto in Gesinnungen oder Maximen darstellen läßt, d. i. praktische Realität, die angegeben werden kann; welches denn zu seiner Berechtigung selbst in Absicht auf Noumenen hinreichend ist.

Aber diese einmal eingeleitete objektive Realität eines reinen Verstandesbegriffs im Felde des Übersinnlichen gibt nunmehr allen übrigen Kategorien, obgleich immer nur, so fern sie mit dem Bestimmungsgrunde des reinen Willens (dem moralischen Gesetze) in notwendiger Verbindung stehen, auch objektive, nur keine andere als bloß praktisch-anwendbare Realität, indessen sie auf theoretische Erkenntnisse dieser Gegenstände, als Einsicht der Natur derselben durch reine Vernunft, nicht den mindesten Einfluß hat, um dieselbe zu erweitern. Wie wir denn auch in der Folge finden werden, daß sie immer nur auf Wesen als Intelligenzen, und an diesen auch nur auf das Verhältnis der Vernunft zum Willen, mithin immer nur aufs Praktische Beziehung haben und weiter hinaus sich kein Erkenntnis derselben anmaßen, was aber mit ihnen in Verbindung noch sonst für Eigenschaften, die zur theoretischen Vorstellungsart solcher übersinnlichen Dinge gehören, herbeigezogen werden möchten, diese insgesamt alsdenn gar nicht zum Wissen, sondern nur zur Befugnis (in praktischer Absicht aber gar zur Notwendigkeit), sie anzunehmen und vorauszusetzen, gezählt | werden, selbst da, wo man übersinnliche Wesen (als Gott) nach einer Analogie, d. i. dem reinen Vernunftverhältnisse, dessen wir in Ansehung der sinnlichen uns praktisch bedienen [1], und so der reinen theoretischen Vernunft durch die Anwendung aufs Übersinnliche, aber nur in praktischer Absicht, zum Schwärmen ins Überschwengliche nicht den mindesten Vorschub gibt.

---

[1] Akad.-Ausg. erwägt: »bedienen, annimmt«.

DER ANALYTIK DER PRAKTISCHEN VERNUNFT
ZWEITES HAUPTSTÜCK

VON DEM BEGRIFFE EINES GEGENSTANDES
DER REINEN PRAKTISCHEN VERNUNFT

Unter einem Begriffe der praktischen Vernunft[1] verstehe ich die Vorstellung eines Objekts als einer möglichen Wirkung durch Freiheit. Ein Gegenstand der praktischen Erkenntnis, als einer solchen, zu sein, bedeutet also nur die Beziehung des Willens auf die Handlung, dadurch er, oder sein Gegenteil, wirklichgemacht würde, und die Beurteilung, ob etwas ein Gegenstand der reinen praktischen Vernunft sei, oder nicht, ist nur die Unterscheidung der Möglichkeit oder Unmöglichkeit, diejenige Handlung zu wollen, wodurch, wenn wir das Vermögen dazu hätten (worüber die Erfahrung urteilen muß), ein gewisses Objekt wirklich wer|den würde. Wenn das Objekt als der Bestimmungsgrund unseres Begehrungsvermögens angenommen wird, so muß die physische Möglichkeit desselben durch freien Gebrauch unserer Kräfte vor der Beurteilung, ob es ein Gegenstand der praktischen Vernunft sei oder nicht, vorangehen. Dagegen, wenn das Gesetz a priori als der Bestimmungsgrund der Handlung, mithin diese als durch reine praktische Vernunft bestimmt, betrachtet werden kann, so ist das Urteil, ob etwas ein Gegenstand der reinen praktischen Vernunft sei oder nicht, von der Vergleichung mit unserem physischen Vermögen ganz unabhängig, und die Frage ist nur, ob wir eine Handlung, die auf die Existenz eines Objekts gerichtet ist, wollen dürfen, wenn dieses in unserer Gewalt wäre, mithin muß die moralische Möglichkeit der Handlung vorangehen; denn da ist nicht der Gegenstand, sondern das Gesetz des Willens der Bestimmungsgrund derselben.

Die alleinigen Objekte einer praktischen Vernunft sind also die vom Guten und Bösen. Denn durch das erstere versteht man einen notwendigen Gegenstand des Begeh-

[1] Akad.-Ausg.: »Unter dem Begriffe eines Gegenstandes der praktischen Vernunft«.

rungs-, durch das zweite des Verabscheuungsvermögens, beides aber nach einem Prinzip der Vernunft.

Wenn der Begriff des Guten nicht von einem vorhergehenden praktischen Gesetze abgeleitet werden, sondern diesem vielmehr zum Grunde dienen soll, so kann er | nur der Begriff von etwas sein, dessen Existenz Lust verheißt und so die Kausalität des Subjekts zur Hervorbringung desselben, d. i. das Begehrungsvermögen bestimmt. Weil es nun unmöglich ist, a priori einzusehen, welche Vorstellung mit Lust, welche hingegen mit Unlust werde begleitet sein, so käme es lediglich auf Erfahrung an, es auszumachen, was unmittelbar gut oder böse sei. Die Eigenschaft des Subjekts, worauf in Beziehung diese Erfahrung allein angestellt werden kann, ist das Gefühl der Lust und Unlust, als eine dem inneren Sinne angehörige Rezeptivität und so würde der Begriff von dem, was unmittelbar gut ist, nur auf das gehen, womit die Empfindung des Vergnügens unmittelbar verbunden ist, und der von dem schlechthin-Bösen auf das, was unmittelbar Schmerz erregt, allein bezogen werden müssen. Weil aber das dem Sprachgebrauche schon zuwider ist, der das Angenehme vom Guten, das Unangenehme vom Bösen unterscheidet, und verlangt, daß Gutes und Böses jederzeit durch Vernunft, mithin durch Begriffe, die sich allgemein mitteilen lassen, und nicht durch bloße Empfindung, welche sich auf einzelne Objekte[1] und deren Empfänglichkeit einschränkt, beurteilt werde, gleichwohl aber für sich selbst mit keiner Vorstellung eines Objekts a priori eine Lust oder Unlust unmittelbar verbunden werden kann, so würde der Philosoph, der sich genötigt glaubte, ein Gefühl der Lust seiner praktischen | Beurteilung zum Grunde zu legen, gut nennen, was ein Mittel zum Angenehmen, und Böses, was Ursache der Unannehmlichkeit und des Schmerzens ist; denn die Beurteilung des Verhältnisses der Mittel zu Zwecken gehört allerdings zur Vernunft. Obgleich aber Vernunft allein vermögend ist, die Verknüpfung der Mittel mit ihren Absichten einzusehen (so daß man auch den Willen durch das Vermögen der Zwecke definieren

[1] Akad.-Ausg.: »Subjekte«.

könnte, indem sie jederzeit Bestimmungsgründe des Begehrungsvermögens nach Prinzipien sind), so würden doch die praktischen Maximen, die aus dem obigen Begriffe des Guten bloß als Mittel folgten, nie etwas für sich selbst-, sondern immer nur irgend wozu - Gutes zum Gegenstande des Willens enthalten: das Gute würde jederzeit bloß das Nützliche sein, und das, wozu es nutzt, müßte allemal außerhalb dem Willen in der Empfindung liegen. Wenn diese nun, als angenehme Empfindung, vom Begriffe des Guten unterschieden werden müßte, so würde es überall nichts unmittelbar Gutes geben, sondern das Gute nur in den Mitteln zu etwas anderm, nämlich irgend einer Annehmlichkeit, gesucht werden müssen.

Es ist eine alte Formel der Schulen: nihil appetimus, nisi sub ratione boni; nihil aversamur, nisi sub ratione mali; und sie hat einen oft richtigen, aber auch der Philosophie oft sehr nachteiligen Gebrauch, weil die Ausdrücke des boni und mali eine Zweideu|tigkeit enthalten, daran die Einschränkung der Sprache schuld ist, nach welcher sie eines doppelten Sinnes fähig sind, und daher die praktischen Gesetze unvermeidlich auf Schrauben stellen, und die Philosophie, die im Gebrauche derselben gar wohl der Verschiedenheit des Begriffs bei demselben Worte inne werden, aber doch keine besondere Ausdrücke dafür finden kann, zu subtilen Distinktionen nötigen, über die man sich nachher nicht einigen kann, indem der Unterschied durch keinen angemessenen Ausdruck unmittelbar bezeichnet werden konnte.*

Die deutsche Sprache hat das Glück, die Ausdrücke zu besitzen, welche diese Verschiedenheit nicht übersehen lassen.

---

* Überdem ist der Ausdruck sub ratione boni auch zweideutig. Denn er kann so viel sagen: wir stellen uns etwas als gut vor, wenn und weil wir es begehren (wollen); aber auch: wir begehren etwas darum, weil wir es uns als gut vorstellen, so daß entweder die Begierde der Bestimmungsgrund des Begriffs des Objekts als eines Guten, oder der Begriff des Guten der Bestimmungsgrund des Begehrens (des Willens) sei; da denn das: sub ratione boni, im ersteren Falle bedeuten würde, wir wollen etwas unter der Idee des Guten, im zweiten, zu Folge dieser Idee, welche vor dem Wollen als Bestimmungsgrund desselben vorhergehen muß.

Für das, was die Lateiner mit einem einzigen Worte bonum benennen, hat sie zwei sehr verschiedene Begriffe, und auch eben so verschiedene Ausdrücke. Für bonum das Gute und das Wohl, für malum das Böse und das Übel (oder Weh): so daß es zwei | ganz verschiedene Beurteilungen sind, ob wir bei einer Handlung das Gute und Böse derselben, oder unser Wohl und Weh (Übel) in Betrachtung ziehen. Hieraus folgt schon, daß obiger psychologischer Satz wenigstens noch sehr ungewiß sei, wenn er so übersetzt wird: wir begehren nichts, als in Rücksicht auf unser Wohl oder Weh; dagegen er, wenn man ihn so gibt: wir wollen, nach Anweisung der Vernunft, nichts, als nur so fern wir es für gut oder böse halten, ungezweifelt gewiß und zugleich ganz klar ausgedrückt wird.

Das Wohl oder Übel bedeutet immer nur eine Beziehung auf unseren Zustand der Annehmlichkeit oder Unannehmlichkeit, des Vergnügens und Schmerzens, und, wenn wir darum ein Objekt begehren, oder verabscheuen, so geschieht es, nur so fern es auf unsere Sinnlichkeit und das Gefühl der Lust und Unlust, das es bewirkt, bezogen wird. Das Gute oder Böse bedeutet aber jederzeit eine Beziehung auf den Willen, so fern dieser durchs Vernunftgesetz bestimmt wird, sich etwas zu seinem Objekte zu machen; wie er denn durch das Objekt und dessen Vorstellung niemals unmittelbar bestimmt wird, sondern ein Vermögen ist, sich eine Regel der Vernunft zur Bewegursache einer Handlung (dadurch ein Objekt wirklichwerden kann) zu machen. Das Gute oder Böse wird also eigentlich auf Handlungen, nicht auf den Empfindungszustand der Person bezogen, und, sollte etwas schlechthin (und in aller Absicht und ohne weitere Bedingung) gut oder böse sein, oder dafür gehalten werden, so würde es nur die Handlungsart, die Maxime des Willens und mithin die handelnde Person selbst, als guter oder böser Mensch, nicht aber eine Sache sein, die so genannt werden könnte.

Man mochte also immer den Stoiker auslachen, der in den heftigsten Gichtschmerzen ausrief: Schmerz, du magst mich noch so sehr foltern, ich werde doch nie gestehen, daß du

etwas Böses (κακόν, malum) seist! er hatte doch recht. Ein
Übel war es, das fühlte er, und das verriet sein Geschrei;
aber daß ihm dadurch ein Böses anhinge, hatte er gar nicht
Ursache einzuräumen; denn der Schmerz verringert den
Wert seiner Person nicht im mindesten, sondern nur den
Wert seines Zustandes. Eine einzige Lüge, deren er sich bewußt gewesen wäre, hätte seinen Mut niederschlagen müssen; aber der Schmerz diente nur zur Veranlassung, ihn zu
erheben, wenn er sich bewußt war, daß er sie[1] durch keine
unrechte Handlung verschuldet und sich dadurch strafwür-
dig gemacht habe.

Was wir gut nennen sollen, muß in jedes vernünftigen
Menschen Urteil ein Gegenstand des Begehrungsvermögens
sein, und das Böse in den Augen von jedermann ein Gegenstand des Abscheues; mithin bedarf es, außer dem Sinne, zu
dieser Beurteilung noch | Vernunft. So ist es mit der Wahr-
haftigkeit im Gegensatz mit der Lüge, so mit der Gerechtig-
keit im Gegensatz der Gewalttätigkeit etc. bewandt. Wir
können aber etwas ein Übel nennen, welches doch jedermann zugleich für gut, bisweilen mittelbar, bisweilen gar für
unmittelbar[2] erklären muß. Der eine chirurgische Operation
an sich verrichten läßt, fühlt sie ohne Zweifel als ein Übel;
aber durch Vernunft erklärt er, und jedermann, sie für gut.
Wenn aber jemand, der friedliebende Leute gerne neckt und
beunruhigt, endlich einmal anläuft und mit einer tüchtigen
Tracht Schläge abgefertigt wird: so ist dieses allerdings ein
Übel, aber jedermann gibt dazu seinen Beifall und hält es
an sich für gut, wenn auch nichts weiter daraus entspränge;
ja selbst der, der sie empfängt, muß in seiner Vernunft erkennen, daß ihm Recht geschehe, weil er die Proportion
zwischen dem Wohlbefinden und Wohlverhalten, welche die
Vernunft ihm unvermeidlich vorhält, hier genau in Ausübung gebracht sieht.

Es kommt allerdings auf unser Wohl und Weh in der Beurteilung unserer praktischen Vernunft gar sehr viel, und,
was unsere Natur als sinnlicher Wesen betrifft, alles auf
unsere Glückseligkeit an, wenn diese, wie Vernunft es

---

[1] Akad.-Ausg.: »ihn«. – [2] Akad.-Ausg.: »gar unmittelbar«.

vorzüglich fodert, nicht nach der vorübergehenden Empfindung, sondern nach dem Einflusse, den diese Zufälligkeit
auf unsere ganze Existenz und die Zufriedenheit mit der-
selben hat, beurteilt | wird; aber alles überhaupt kommt
darauf doch nicht an. Der Mensch ist ein bedürftiges Wesen,
so fern er zur Sinnenwelt gehört und so fern hat seine Vernunft allerdings einen nicht abzulehnenden Auftrag, von
Seiten der Sinnlichkeit, sich um das Interesse derselben zu
bekümmern und sich praktische Maximen, auch in Absicht
auf die Glückseligkeit dieses, und, wo möglich, auch eines
zukünftigen Lebens, zu machen. Aber er ist doch nicht so
ganz Tier, um gegen alles, was Vernunft für sich selbst sagt,
gleichgültig zu sein, und diese bloß zum Werkzeuge der Befriedigung seines Bedürfnisses, als Sinnenwesens, zu gebrauchen. Denn im Werte über die bloße Tierheit erhebt ihn das
gar nicht, daß er Vernunft hat, wenn sie ihm nur zum Behuf desjenigen dienen soll, was bei Tieren der Instinkt ver-
richtet; sie wäre alsdenn nur eine besondere Manier, deren
sich die Natur bedient hätte, um den Menschen zu demselben Zwecke, dazu sie Tiere bestimmt hat, auszurüsten, ohne
ihn zu einem höheren Zwecke zu bestimmen. Er bedarf also
freilich, nach dieser einmal mit ihm getroffenen Naturan-
stalt, Vernunft, um sein Wohl und Weh jederzeit in Betrachtung zu ziehen, aber er hat sie überdem noch zu einem
höheren Behuf, nämlich auch das, was an sich gut oder böse
ist, und worüber reine, sinnlich gar nicht interessierte Vernunft nur allein urteilen kann, nicht allein mit in Über-
legung zu nehmen, sondern diese Beurteilung | von jener
gänzlich zu unterscheiden, und sie zur obersten Bedingung
des¹ letzteren zu machen.

In dieser Beurteilung des an sich Guten und Bösen, zum
Unterschiede von dem, was nur beziehungsweise auf Wohl
oder Übel so genannt werden kann, kommt es auf folgende
Punkte an. Entweder ein Vernunftprinzip wird schon an sich
als der Bestimmungsgrund des Willens gedacht, ohne Rücksicht auf mögliche Objekte des Begehrungsvermögens (also
bloß durch die gesetzliche Form der Maxime), alsdenn ist

¹ Akad.-Ausg.: »der«.

jenes Prinzip praktisches Gesetz a priori, und reine Vernunft wird für sich praktisch zu sein angenommen. Das Gesetz bestimmt alsdenn unmittelbar den Willen, die ihm gemäße Handlung ist an sich selbst gut, ein Wille, dessen Maxime jederzeit diesem Gesetze gemäß ist, ist schlechterdings, in aller Absicht, gut, und die oberste Bedingung alles Guten; oder es geht ein Bestimmungsgrund des Begehrungsvermögens vor der Maxime des Willens vorher, der ein Objekt der Lust und Unlust voraussetzt, mithin etwas, das vergnügt oder schmerzt, und die Maxime der Vernunft, jene zu befördern, diese zu vermeiden, bestimmt die Handlungen, wie sie beziehungsweise auf unsere Neigung, mithin nur mittelbar (in Rücksicht auf einen anderweitigen Zweck, als Mittel zu demselben) gut sind, und diese Maximen können alsdenn niemals Gesetze, dennoch aber vernünftige, praktische Vorschriften heißen. Der Zweck | selbst, das Vergnügen, das wir suchen, ist im letzteren Falle nicht ein Gutes, sondern ein Wohl, nicht ein Begriff der Vernunft, sondern ein empirischer Begriff von einem Gegenstande der Empfindung; allein der Gebrauch des Mittels dazu, d. i. die Handlung (weil dazu vernünftige Überlegung erfodert wird) heißt dennoch gut, aber nicht schlechthin, sondern nur in Beziehung auf unsere Sinnlichkeit, in Ansehung ihres Gefühls der Lust und Unlust; der Wille aber, dessen Maxime dadurch affiziert wird, ist nicht ein reiner Wille, der nur auf das geht, wobei reine Vernunft für sich selbst praktisch sein kann.

Hier ist nun der Ort, das Paradoxon der Methode in einer Kritik der praktischen Vernunft zu erklären: daß nämlich der Begriff des Guten und Bösen nicht vor dem moralischen Gesetze (dem es[1] dem Anschein nach so gar zum Grunde gelegt werden müßte), sondern nur (wie hier auch geschieht) nach demselben und durch dasselbe bestimmt werden müsse. Wenn wir nämlich auch nicht wüßten, daß das Prinzip der Sittlichkeit ein reines a priori den Willen bestimmendes Gesetz sei, so müßten wir doch, um nicht ganz umsonst (gratis)

[1] Akad.-Ausg.: »er«.

Grundsätze anzunehmen, es anfänglich wenigstens unausgemacht lassen, ob der Wille bloß empirische, oder auch
reine Bestimmungsgründe a priori habe; denn es ist wider
alle Grundregeln des philosophischen Verfahrens, das, | wor-
über man allererst entscheiden soll, schon zum voraus als
entschieden anzunehmen. Gesetzt, wir wollten nun vom
Begriffe des Guten anfangen, um davon die Gesetze des
Willens abzuleiten, so würde dieser Begriff von einem Gegenstande (als einem guten) zugleich diesen, als den einigen
Bestimmungsgrund des Willens, angeben. Weil nun dieser
Begriff kein praktisches Gesetz a priori zu seiner Richtschnur hatte: so könnte der Probierstein des Guten oder
Bösen in nichts anders, als in der Übereinstimmung des Gegenstandes mit unserem Gefühle der Lust oder Unlust gesetzt werden, und der Gebrauch der Vernunft könnte nur
darin bestehen, teils diese Lust oder Unlust im ganzen Zu-
sammenhange mit allen Empfindungen meines Daseins, teils
die Mittel, mir den Gegenstand derselben zu verschaffen, zu
bestimmen. Da nun, was dem Gefühle der Lust gemäß sei,
nur durch Erfahrung ausgemacht werden kann, das praktische Gesetz aber, der Angabe nach, doch darauf, als Bedingung, gegründet werden soll, so würde geradezu die Möglichkeit praktischer Gesetze a priori ausgeschlossen; weil
man vorher nötig zu finden meinte, einen Gegenstand für
den Willen auszufinden, davon der Begriff, als eines Guten,
den allgemeinen, obzwar empirischen Bestimmungsgrund
des Willens ausmachen müsse. Nun aber war doch vorher
nötig zu untersuchen, ob es nicht auch einen Bestimmungs-
grund des Willens a priori gebe (welcher nie|mals irgendwo
anders, als an einem reinen praktischen Gesetze, und zwar
so fern dieses die bloße gesetzliche Form, ohne Rücksicht
auf einen Gegenstand, den Maximen vorschreibt, wäre gefunden worden). Weil man aber schon einen Gegenstand
nach Begriffen des Guten und Bösen zum Grunde alles
praktischen Gesetzes legte, jener aber ohne vorhergehendes
Gesetz nur nach empirischen Begriffen gedacht werden
konnte, so hatte man sich die Möglichkeit, ein reines praktisches Gesetz auch nur zu denken, schon zum voraus be-

nommen; da man im Gegenteil, wenn man dem letzteren
vorher analytisch nachgeforscht hätte, gefunden haben
würde, daß nicht der Begriff des Guten, als eines Gegenstandes, das moralische Gesetz, sondern umgekehrt das moralische Gesetz allererst den Begriff des Guten, so fern es diesen
Namen schlechthin verdient, bestimme und möglich mache.

Diese Anmerkung, welche bloß die Methode der obersten
moralischen Untersuchungen betrifft, ist von Wichtigkeit.
Sie erklärt auf einmal den veranlassenden Grund aller Ver-
irrungen der Philosophen in Ansehung des obersten Prinzips
der Moral. Denn sie suchten einen Gegenstand des Willens
auf, um ihn zur Materie und dem Grunde eines Gesetzes zu
machen (welches alsdenn nicht unmittelbar, sondern vermittelst jenes an das Gefühl der Lust oder Unlust gebrach-
ten Gegenstandes, der Bestimmungsgrund des Willens sein
| sollte, anstatt daß sie zuerst nach einem Gesetze hätten
forschen sollen, das a priori und unmittelbar den Willen, und
diesem gemäß allererst den Gegenstand bestimmete)[1]. Nun
mochten sie diesen Gegenstand der Lust, der den obersten
Begriff des Guten abgeben sollte, in der Glückseligkeit, in
der Vollkommenheit, im moralischen Gesetze[2], oder im Willen Gottes setzen, so war ihr Grundsatz allemal Heteronomie, sie mußten unvermeidlich auf empirische Bedingungen
zu einem moralischen Gesetze stoßen: weil sie ihren Gegenstand, als unmittelbaren Bestimmungsgrund des Willens,
nur nach seinem unmittelbaren Verhalten zum Gefühl, welches allemal empirisch ist, gut oder böse nennen konnten.
Nur ein formales Gesetz, d. i. ein solches, welches der Vernunft nichts weiter als die Form ihrer allgemeinen Gesetzgebung zur obersten Bedingung der Maximen vorschreibt,
kann a priori ein Bestimmungsgrund der praktischen Vernunft sein. Die Alten verrieten indessen diesen Fehler dadurch unverhohlen, daß sie ihre moralische Untersuchung
gänzlich auf die Bestimmung des Begriffs vom höchsten
Gut, mithin eines Gegenstandes setzten, welchen sie nachher zum Bestimmungsgrunde des Willens im moralischen

[1] Akad.-Ausg.: »sollte), anstatt ... bestimmte«. – [2] Akad.-Ausg.:
»Gefühle«.

Gesetze zu machen gedachten: ein Objekt, welches weit hinterher, wenn das moralische Gesetz allererst für sich bewährt und als unmittelbarer Bestimmungsgrund des Willens gerechtfertigt ist, dem nunmehr seiner Form nach a priori be|stimmten Willen als Gegenstand vorgestellt werden kann, welches wir in der Dialektik der reinen praktischen Vernunft uns unterfangen wollen. Die Neueren, bei denen die Frage über das höchste Gut außer Gebrauch gekommen, zum wenigsten nur Nebensache geworden zu sein scheint, verstecken obigen Fehler (wie in vielen andern Fällen) hinter unbestimmten Worten, indessen, daß man ihn gleichwohl aus ihren Systemen hervorblicken sieht, da er alsdenn allenthalben Heteronomie der praktischen Vernunft verrät, daraus nimmermehr ein a priori allgemein gebietendes moralisches Gesetz entspringen kann.

Da nun die Begriffe des Guten und Bösen, als Folgen der Willensbestimmung a priori, auch ein reines praktisches Prinzip, mithin eine Kausalität der reinen Vernunft voraussetzen: so beziehen sie sich, ursprünglich, nicht (etwa als Bestimmungen der synthetischen Einheit des Mannigfaltigen gegebener Anschauungen in einem Bewußtsein) auf Objekte, wie die reinen Verstandesbegriffe, oder Kategorien der theoretisch-gebrauchten Vernunft, sie setzen diese vielmehr als gegeben voraus; sondern sie sind insgesamt Modi einer einzigen Kategorie, nämlich der der Kausalität, so fern der Bestimmungsgrund derselben in der Vernunftvorstellung eines Gesetzes derselben besteht, welches, als Gesetz der Freiheit, die Vernunft sich selbst gibt und dadurch sich a priori als praktisch beweiset. Da indes|sen die Handlungen einerseits zwar unter einem Gesetze, das kein Naturgesetz, sondern ein Gesetz der Freiheit ist, folglich zu dem Verhalten intelligibeler Wesen, andererseits aber doch auch, als Begebenheiten in der Sinnenwelt, zu den Erscheinungen gehören, so werden die Bestimmungen einer praktischen Vernunft nur in Beziehung auf die letztere, folglich zwar den Kategorien des Verstandes gemäß, aber nicht in der Absicht eines theoretischen Gebrauchs desselben, um das Mannigfaltige der (sinnlichen) Anschauung unter ein Bewußtsein a priori zu bringen, sondern nur, um das Mannigfaltige der Begehrungen der Einheit des Bewußtseins einer im moralischen Gesetze gebietenden praktischen Vernunft, oder eines reinen Willens a priori zu unterwerfen, Statt haben können.

Diese Kategorien der Freiheit, denn so wollen wir sie, statt jener theoretischen Begriffe, als Kategorien der Natur, benennen, haben einen augenscheinlichen Vorzug vor den letzteren, daß, da diese nur Gedankenformen sind, welche nur unbestimmt Objekte überhaupt für jede uns mögliche Anschauung durch allgemeine Begriffe bezeichnen, diese hingegen, da sie auf die Bestimmung einer freien Willkür gehen (der zwar keine Anschauung, völlig korrespondierend, gegeben werden kann, die aber, welches bei keinen Begriffen des theoretischen Gebrauchs unseres Erkenntnisvermögens stattfindet, ein reines praktisches Gesetz a priori zum Grunde | liegen hat), als praktische Elementarbegriffe statt der Form der Anschauung (Raum und Zeit), die nicht in der Vernunft selbst liegt, sondern anderwärts, nämlich von der Sinnlichkeit, hergenommen werden muß, die Form eines reinen Willens in ihr, mithin dem Denkungsvermögen selbst, als gegeben zum Grunde liegen haben; dadurch es denn geschieht, daß, da es in allen Vorschriften der reinen praktischen Vernunft nur um die Willensbestimmung, nicht um die Naturbedingungen (des praktischen Vermögens) der Ausführung seiner Absicht zu tun ist, die praktischen Begriffe a priori in Beziehung auf das oberste Prinzip der Freiheit sogleich Erkenntnisse werden und nicht auf Anschauungen warten dürfen, um Bedeutung zu bekommen, und zwar aus diesem merkwürdigen Grunde, weil sie die Wirklichkeit dessen, worauf sie sich beziehen (die Willensgesinnung), selbst hervorbringen, welches gar nicht die Sache theoretischer Begriffe ist. Nur muß man wohl bemerken, daß diese Kategorien nur die praktische Vernunft überhaupt angehen, und so in ihrer Ordnung, von den moralisch noch unbestimmten, und sinnlichbedingten, zu denen, die, sinnlich-unbedingt, bloß durchs moralische Gesetz bestimmt sind, fortgehen.

| Tafel der Kategorien der Freiheit
in Ansehung der Begriffe des Guten und Bösen

### 1.

### Der Quantität

Subjektiv, nach Maximen
(Willensmeinungen des Individuum)
Objektiv, nach Prinzipien (Vorschriften)
A priori objektive sowohl als subjektive Prinzipien
der Freiheit (Gesetze)

| 2. | 3. |
|---|---|
| Der Qualität | Der Relation |
| Praktische Regeln des Begehens (praeceptivae) | Auf die Persönlichkeit |
| | Auf den Zustand |
| Praktische Regeln des Unterlassens (prohibitivae) | der Person |
| | Wechselseitig einer |
| Praktische Regeln der Ausnahmen (exceptivae) | Person auf den Zustand |
| | der anderen |

### 4.

### Modalität

Das Erlaubte und Unerlaubte
Die Pflicht und das Pflichtwidrige
Vollkommene und unvollkommene Pflicht

| Man wird hier bald gewahr, daß, in dieser Tafel, die Freiheit, als eine Art von Kausalität, die aber empirischen Bestimmungsgründen nicht unterworfen ist, in Ansehung der durch sie möglichen Handlungen, als Erscheinungen in der Sinnenwelt, betrachtet werde, folglich sich auf die Kategorien ihrer Naturmöglichkeit beziehe, indessen daß doch jede Kategorie so allgemein genommen wird, daß der Bestimmungsgrund jener Kausalität auch außer der Sinnenwelt in der Freiheit als Eigenschaft eines intelligibelen Wesens angenommen werden kann, bis die Kategorien der Modalität den Übergang von praktischen Prinzipien überhaupt zu denen der Sittlichkeit, aber nur problematisch, einleiten, welche nachher durchs moralische Gesetz allererst dogmatisch dargestellt werden können.

Ich füge hier nichts weiter zur Erläuterung gegenwärtiger Tafel bei, weil sie für sich verständlich genug ist. Dergleichen nach Prinzipien abgefaßte Einteilung ist aller Wissenschaft, ihrer Gründlichkeit sowohl als Verständlichkeit halber, sehr zuträglich. So weiß man, z. B., aus obiger Tafel und der ersten Nummer derselben sogleich, wovon man in praktischen Erwägungen anfangen müsse: von den Maximen, die jeder auf seine Neigung gründet, den Vorschriften, die für eine Gattung vernünftiger Wesen, so fern sie in gewissen Neigungen übereinkommen, gelten, und endlich dem Gesetze, welches für alle, unangesehen ihrer Nei|gungen, gilt, u. s. w. Auf diese Weise übersieht man den ganzen Plan, von dem, was man zu leisten hat, so gar jede Frage der praktischen Philosophie, die zu beantworten, und zugleich die Ordnung, die zu befolgen ist.

## VON DER TYPIK
### DER REINEN PRAKTISCHEN URTEILSKRAFT

Die Begriffe des Guten und Bösen bestimmen dem Willen zuerst ein Objekt. Sie stehen selbst aber unter einer praktischen Regel der Vernunft, welche, wenn sie reine Vernunft ist, den Willen a priori in Ansehung seines Gegenstandes bestimmt. Ob nun eine uns in der Sinnlichkeit mögliche Handlung der Fall sei, der unter der Regel stehe, oder nicht, dazu gehört praktische Urteilskraft, wodurch dasjenige, was in der Regel allgemein (in abstracto) gesagt wurde, auf eine Handlung in concreto angewandt wird. Weil aber eine praktische Regel der reinen Vernunft erstlich, als praktisch, die Existenz eines Objekts betrifft, und zweitens, als praktische Regel der reinen Vernunft, Notwendigkeit in Ansehung des Daseins der Handlung bei sich führt, mithin praktisches Gesetz ist, und zwar nicht Naturgesetz, durch empirische Bestimmungsgründe, sondern ein Gesetz der Freiheit, nach welchem der Wille, unabhängig von allem Empirischen (bloß durch die Vorstellung eines Gesetzes überhaupt und dessen | Form) bestimmbar sein soll, alle vorkommende Fälle zu möglichen Handlungen aber nur em-

pirisch, d. i. zur Erfahrung und Natur gehörig sein können:
so scheint es widersinnisch, in der Sinnenwelt einen Fall antreffen zu wollen, der, da er immer so fern nur unter dem
Naturgesetze steht, doch die Anwendung eines Gesetzes der
Freiheit auf sich verstatte, und auf welchen die übersinn-
liche Idee des Sittlichguten, das darin in concreto dargestellt
werden soll, angewandt werden könne. Also ist die Urteilskraft der reinen praktischen Vernunft eben denselben
Schwierigkeiten unterworfen, als die der reinen theoretischen, welche letztere gleichwohl, aus denselben zu kommen,
ein Mittel zur Hand hatte; nämlich, da es in Ansehung des
theoretischen Gebrauchs auf Anschauungen ankam, darauf
reine Verstandesbegriffe angewandt werden könnten, dergleichen Anschauungen (obzwar nur von Gegenständen der
Sinne) doch a priori, mithin, was die Verknüpfung des Mannigfaltigen in denselben betrifft, den reinen Verstandesbe-
griffen a priori gemäß (als Schemate) gegeben werden können. Hingegen ist das sittlich-Gute etwas dem Objekte nach
Übersinnliches, für das also in keiner sinnlichen Anschauung etwas Korrespondierendes gefunden werden kann, und
die Urteilskraft unter Gesetzen der reinen praktischen Vernunft scheint daher besonderen Schwierigkeiten unterworfen zu sein, die darauf beruhen, daß ein Gesetz der Freiheit
auf Handlungen, | als Begebenheiten, die in der Sinnenwelt
geschehen, und also so fern zur Natur gehören, angewandt
werden soll.

Allein hier eröffnet sich doch wieder eine günstige Aussicht für die reine praktische Urteilskraft. Es ist bei der
Subsumtion einer mir in der Sinnenwelt möglichen Handlung unter einem reinen praktischen Gesetze nicht um
die Möglichkeit der Handlung, als einer Begebenheit in
der Sinnenwelt, zu tun; denn die gehört für die Beurteilung
des theoretischen Gebrauchs der Vernunft, nach dem Gesetze der Kausalität, eines reinen Verstandesbegriffs, für den
sie ein Schema in der sinnlichen Anschauung hat. Die physische Kausalität, oder die Bedingung, unter der sie stattfindet, gehört unter die Naturbegriffe, deren Schema transzendentale Einbildungskraft entwirft. Hier aber ist es nicht

um das Schema eines Falles nach Gesetzen, sondern um das Schema (wenn dieses Wort hier schicklich ist) eines Gesetzes selbst zu tun, weil die Willensbestimmung (nicht der[1] Handlung in Beziehung auf ihren Erfolg) durchs Gesetz allein, ohne einen anderen Bestimmungsgrund, den Begriff der Kausalität an ganz andere Bedingungen bindet, als diejenige sind, welche die Naturverknüpfung ausmachen.

Dem Naturgesetze, als Gesetze, welchem die Gegenstände sinnlicher Anschauung, als solche, unter|worfen sind, muß ein Schema, d. i. ein allgemeines Verfahren der Einbildungskraft (den reinen Verstandesbegriff, den das Gesetz bestimmt, den Sinnen a priori darzustellen), korrespondieren. Aber dem Gesetze der Freiheit (als einer gar nicht sinnlich bedingten Kausalität), mithin auch dem Begriffe des unbedingt-Guten, kann keine Anschauung, mithin kein Schema zum Behuf seiner Anwendung in concreto untergelegt werden. Folglich hat das Sittengesetz kein anderes, die Anwendung desselben auf Gegenstände der Natur vermittelndes Erkenntnisvermögen, als den Verstand (nicht die Einbildungskraft), welcher einer Idee der Vernunft nicht ein Schema der Sinnlichkeit, sondern ein Gesetz, aber doch ein solches, das an Gegenständen der Sinne in concreto dargestellt werden kann, mithin ein Naturgesetz, aber nur seiner Form nach, als Gesetz zum Behuf der Urteilskraft unterlegen kann, und dieses können wir daher den Typus des Sittengesetzes nennen.

Die Regel der Urteilskraft unter Gesetzen der reinen praktischen Vernunft ist diese: Frage dich selbst, ob die Handlung, die du vorhast, wenn sie nach einem Gesetze der Natur, von der du selbst ein Teil wärest, geschehen sollte, sie du wohl, als durch deinen Willen möglich, ansehen könntest. Nach dieser Regel beurteilt in der Tat jedermann Handlungen, ob sie sittlich-gut oder böse sind. So sagt man: Wie, wenn ein jeder, | wo er seinen Vorteil zu schaffen glaubt, sich erlaubte, zu betrügen, oder befugt hielte, sich das Leben abzukürzen, so bald ihn ein völliger Überdruß desselben befällt, oder anderer Not mit völliger Gleichgültigkeit ansähe,

[1] Akad.-Ausg.: »die«.

und du gehörtest mit zu einer solchen Ordnung der Dinge, würdest du darin wohl mit Einstimmung deines Willens sein? Nun weiß ein jeder wohl: daß, wenn er sich in Geheim Betrug erlaubt, darum eben nicht jedermann es auch tue, oder wenn er unbemerkt lieblos ist, nicht sofort jedermann auch gegen ihn es sein würde; daher ist diese Vergleichung der Maxime seiner Handlungen mit einem allgemeinen Naturgesetze auch nicht der Bestimmungsgrund seines Willens. Aber das letztere ist doch ein Typus der Beurteilung der ersteren nach sittlichen Prinzipien. Wenn die Maxime der Handlung nicht so beschaffen ist, daß sie an der Form eines Naturgesetzes überhaupt die Probe hält, so ist sie sittlich-unmöglich. So urteilt selbst der gemeinste Verstand; denn das Naturgesetz liegt allen seinen gewöhnlichsten, selbst den Erfahrungsurteilen immer zum Grunde. Er hat es also jederzeit bei der Hand, nur daß er in Fällen, wo die Kausalität aus Freiheit beurteilt werden soll, jenes Naturgesetz bloß zum Typus eines Gesetzes der Freiheit macht, weil er, ohne etwas, was er zum Beispiele im Erfahrungsfalle machen könnte, bei Hand zu haben, dem Gesetze einer reinen praktischen Vernunft nicht den Gebrauch in der Anwendung verschaffen könnte.

| Es ist also auch erlaubt, die Natur der Sinnenwelt als Typus einer intelligibelen Natur zu brauchen, so lange ich nur nicht die Anschauungen, und was davon abhängig ist, auf diese übertrage, sondern bloß die Form der Gesetzmäßigkeit überhaupt (deren Begriff auch im reinsten [1] Vernunftgebrauche stattfindet, aber in keiner anderen Absicht, als bloß zum reinen praktischen Gebrauche der Vernunft, a priori bestimmt erkannt werden kann) darauf beziehe. Denn Gesetze, als solche, sind so fern einerlei, sie mögen ihre Bestimmungsgründe hernehmen, woher sie wollen.

Übrigens, da von allem Intelligibelen schlechterdings nichts als (vermittelst des moralischen Gesetzes) die Freiheit, und auch diese nur, so fern sie eine von jenem unzertrennliche Voraussetzung ist, und ferner alle intelligibele Gegenstände, auf welche uns die Vernunft, nach Anleitung

[1] Akad.-Ausg.: »gemeinsten«.

jenes Gesetzes, etwa noch führen möchte, wiederum für uns keine Realität weiter haben, als zum Behuf desselben Gesetzes und des Gebrauches der reinen praktischen Vernunft, diese aber zum Typus der Urteilskraft die Natur (der reinen Verstandesform derselben nach) zu gebrauchen berechtigt und auch benötigt ist: so dient die gegenwärtige Anmerkung dazu, um zu verhüten, daß, was bloß zur Typik der Begriffe gehört, nicht zu den Begriffen selbst gezählt werde. Diese also, als Typik der Urteilskraft, bewahrt für dem Empirism der praktischen Vernunft, der die | praktischen Begriffe, des Guten und Bösen, bloß in Erfahrungsfolgen (der sogenannten Glückseligkeit) setzt, obzwar diese und die unendlichen nützlichen Folgen eines durch Selbstliebe bestimmten Willens, wenn dieser sich selbst zugleich zum allgemeinen Naturgesetze machte, allerdings zum ganz angemessenen Typus für das Sittlichgute dienen kann, aber mit diesem doch nicht einerlei ist. Eben dieselbe Typik bewahrt auch vor dem Mystizism der praktischen Vernunft, welche[1] das, was nur zum Symbol dienete, zum Schema macht, d. i. wirkliche, und doch nicht sinnliche, Anschauungen (eines unsichtbaren Reichs Gottes) der Anwendung der moralischen Begriffe unterlegt und ins Überschwengliche hinausschweift. Dem Gebrauche der moralischen Begriffe ist bloß der Rationalism der Urteilskraft angemessen, der von der sinnlichen Natur nichts weiter nimmt, als was auch reine Vernunft für sich denken kann, d. i. die Gesetzmäßigkeit, und in die übersinnliche nichts hineinträgt, als was umgekehrt sich durch Handlungen in der Sinnenwelt nach der formalen Regel eines Naturgesetzes überhaupt wirklich darstellen läßt. Indessen ist die Verwahrung vor dem Empirism der praktischen Vernunft viel wichtiger und anratungswürdiger, womit[2] der Mystizism sich doch noch mit der Reinigkeit und Erhabenheit des moralischen Gesetzes zusammen verträgt und außerdem es nicht eben natürlich und der gemeinen Denkungsart angemessen ist, seine Einbil|dungskraft bis zu übersinnlichen Anschauungen anzuspannen, mithin auf dieser Seite die Gefahr nicht so all-

---

[1] Akad.-Ausg.: »welcher«. – [2] Akad.-Ausg.: »weil«.

gemein ist; da hingegen der Empirism die Sittlichkeit in Gesinnungen (worin doch, und nicht bloß in Handlungen, der hohe Wert besteht, den sich die Menschheit durch sie verschaffen kann und soll) mit der Wurzel ausrottet, und ihr ganz etwas anderes, nämlich ein empirisches Interesse, womit die Neigungen überhaupt unter sich Verkehr treiben, statt der Pflicht unterschiebt, überdem auch, eben darum, mit allen Neigungen, die (sie mögen einen Zuschnitt bekommen, welchen sie wollen), wenn sie zur Würde eines obersten praktischen Prinzips erhoben werden, die Menschheit degradieren, und da sie gleichwohl der Sinnesart aller so günstig sind, aus der Ursache weit gefährlicher ist, als alle Schwärmerei, die niemals einen daurenden Zustand vieler Menschen ausmachen kann.

### DRITTES HAUPTSTÜCK

#### VON DEN TRIEBFEDERN
#### DER REINEN PRAKTISCHEN VERNUNFT

Das Wesentliche alles sittlichen Werts der Handlungen kommt darauf an, daß das moralische Gesetz unmittelbar den Willen bestimme. Geschieht die Willensbestimmung zwar gemäß dem moralischen Gesetze, aber nur vermittelst eines Gefühls, welcher | Art es auch sei, das vorausgesetzt werden muß, damit jenes ein hinreichender Bestimmungsgrund des Willens werde, mithin nicht um des Gesetzes willen: so wird die Handlung zwar Legalität, aber nicht Moralität enthalten. Wenn nun unter Triebfeder (elater animi) der subjektive Bestimmungsgrund des Willens eines Wesens verstanden wird, dessen Vernunft nicht, schon vermöge seiner Natur, dem objektiven Gesetze notwendig gemäß ist, so wird erstlich daraus folgen: daß man dem göttlichen Willen gar keine Triebfedern beilegen könne, die Triebfeder des menschlichen Willens aber (und des von jedem erschaffenen vernünftigen Wesen) niemals etwas anderes, als das moralische Gesetz sein könne, mithin der objektive Bestimmungsgrund jederzeit und ganz allein zugleich der subjektiv-hinreichende Bestimmungsgrund der Handlung sein müsse, wenn diese nicht bloß den Buchstaben des Gesetzes, ohne den Geist* desselben zu enthalten, erfüllen soll.

Da man also zum Behuf des moralischen Gesetzes, und um ihm Einfluß auf den Willen zu verschaffen, keine anderweitige Triebfeder, dabei die des moralischen Gesetzes entbehrt werden könnte, suchen muß, weil das | alles lauter Gleisnerei, ohne Bestand, bewirken würde, und so gar es bedenklich ist, auch nur neben dem moralischen Gesetze noch einige andere Triebfedern (als die des Vorteils) mitwirken zu lassen: so bleibt nichts übrig, als bloß sorgfältig zu bestimmen, auf welche Art das moralische Gesetz Triebfeder werde, und was, indem sie es ist, mit dem menschlichen Begehrungsvermögen, als Wirkung jenes Bestimmungsgrundes auf dasselbe vorgehe. Denn wie ein Gesetz für sich und unmittelbar Bestimmungsgrund des Willens sein könne (welches doch das Wesentliche aller Moralität ist), das ist ein für die menschliche Vernunft unauflösliches Problem und mit dem einerlei: wie ein freier Wille möglich sei. Also werden wir nicht den Grund, woher das moralische Gesetz in sich eine Triebfeder abgebe, sondern was, so fern es eine solche ist, sie im Gemüte wirkt (besser zu sagen, wirken muß), a priori anzuzeigen haben.

Das Wesentliche aller Bestimmung des Willens durchs sittliche Gesetz ist: daß er als freier Wille, mithin nicht bloß ohne Mitwirkung sinnlicher Antriebe, sondern selbst. mit Abweisung aller derselben, und mit Abbruch aller Neigungen, so fern sie jenem Gesetze zuwider sein könnten, bloß durchs Gesetz bestimmt werde. So weit ist also die Wirkung des moralischen Gesetzes als Triebfeder nur negativ, und als solche kann diese Triebfeder a priori erkannt werden. Denn alle Nei|gung und jeder sinnliche Antrieb ist auf Gefühl gegründet, und die negative Wirkung aufs Gefühl (durch den Abbruch, der den Neigungen geschieht) ist selbst Gefühl. Folglich können wir a priori einsehen, daß das mo-

* Man kann von jeder gesetzmäßigen Handlung, die doch nicht um des Gesetzes willen geschehen ist, sagen: sie sei bloß dem Buchstaben, aber nicht dem Geiste (der Gesinnung) nach moralisch gut.

ralische Gesetz als Bestimmungsgrund des Willens dadurch, daß es allen unseren Neigungen Eintrag tut, ein Gefühl bewirken müsse, welches Schmerz genannt werden kann, und hier haben wir nun den ersten, vielleicht auch einzigen Fall, da wir aus Begriffen a priori das Verhältnis eines Erkenntnisses (hier ist es einer reinen praktischen Vernunft) zum Gefühl der Lust oder Unlust bestimmen konnten. Alle Neigungen zusammen (die auch wohl in ein erträgliches System gebracht werden können, und deren Befriedigung alsdenn eigene Glückseligkeit heißt) machen die Selbstsucht (solipsimus) aus. Diese ist entweder die der Selbstliebe, eines über alles gehenden Wohlwollens gegen sich selbst (philautia), oder die des Wohlgefallens an sich selbst (arrogantia). Jene heißt besonders Eigenliebe, diese Eigendünkel. Die reine praktische Vernunft tut der Eigenliebe bloß Abbruch, indem sie solche, als natürlich, und noch vor dem moralischen Gesetze, in uns rege, nur auf die Bedingung der Einstimmung mit diesem Gesetze einschränkt; da sie alsdenn vernünftige Selbstliebe genannt wird. Aber den Eigendünkel schlägt sie gar nieder, indem alle Ansprüche der Selbstschätzung, die vor der Übereinstimmung mit dem sittlichen Gesetze vor|hergehen, nichtig und ohne alle Befugnis sind, indem eben die Gewißheit einer Gesinnung, die mit diesem Gesetze übereinstimmt, die erste Bedingung alles Werts der Person ist (wie wir bald deutlicher machen werden) und alle Anmaßung vor derselben falsch und gesetzwidrig ist. Nun gehört der Hang zur Selbstschätzung mit zu den Neigungen, denen das moralische Gesetz Abbruch tut, so fern jene bloß auf der Sittlichkeit[1] beruht. Also schlägt das moralische Gesetz den Eigendünkel nieder. Da dieses Gesetz aber doch etwas an sich Positives ist, nämlich die Form einer intellektuellen Kausalität, d. i. der Freiheit, so ist es, indem es im Gegensatze mit dem subjektiven Widerspiele, nämlich den Neigungen in uns, den Eigendünkel schwächt, zugleich ein Gegenstand der Achtung, und, indem es ihn sogar niederschlägt, d. i. demütigt, ein Gegenstand der größten Achtung, mit-

---

[1] Akad.-Ausg.: »Sinnlichkeit«.

hin auch der Grund eines positiven Gefühls, das nicht empirischen Ursprungs ist, und a priori erkannt wird. Also ist
Achtung fürs moralische Gesetz ein Gefühl, welches durch
einen intellektuellen Grund gewirkt wird, und dieses Gefühl ist das einzige, welches wir völlig a priori erkennen, und
dessen Notwendigkeit wir einsehen können.

Wir haben im vorigen Hauptstücke gesehen: daß alles,
was sich als Objekt des Willens vor dem moralischen Gesetze darbietet, von den Bestimmungsgründen des Willens,
unter dem Namen des unbedingt-Guten, | durch dieses Ge-
setz selbst, als die oberste Bedingung der praktischen Vernunft, ausgeschlossen werde, und daß die bloße praktische
Form, die in der Tauglichkeit der Maximen zur allgemeinen
Gesetzgebung besteht, zuerst das, was an sich und schlech-
terdings-gut ist, bestimme, und die Maxime eines reinen
Willens gründe, der allein in aller Absicht gut ist. Nun finden wir aber unsere Natur, als sinnlicher Wesen so beschaffen, daß die Materie des Begehrungsvermögens (Gegenstände
der Neigung, es sei der Hoffnung, oder Furcht) sich zuerst
aufdringt, und unser pathologisch bestimmbares Selbst, ob
es gleich durch seine Maximen zur allgemeinen Gesetzgebung ganz untauglich ist, dennoch, gleich als ob es unser
ganzes Selbst ausmachte, seine Ansprüche vorher und als
die ersten und ursprünglichen geltend zu machen bestrebt
sei. Man kann diesen Hang, sich selbst nach den subjektiven Bestimmungsgründen seiner Willkür zum objektiven
Bestimmungsgrunde des Willens überhaupt zu machen, die
Selbstliebe nennen, welche, wenn sie sich gesetzgebend
und zum unbedingten praktischen Prinzip macht, Eigendünkel heißen kann. Nun schließt das moralische Gesetz,
welches allein wahrhaftig (nämlich in aller Absicht) objektiv ist, den Einfluß der Selbstliebe auf das oberste praktische Prinzip gänzlich aus, und tut dem Eigendünkel, der die
subjektiven Bedingungen des[1] ersteren als Gesetze vorschreibt, unendlichen Abbruch. Was nun unserem Eigen-
dünkel in un|serem eigenen Urteil Abbruch tut, das de-
mütigt. Also demütigt das moralische Gesetz unvermeidlich

[1] Akad.-Ausg.: »der«.

jeden Menschen, indem dieser mit demselben den sinnlichen Hang seiner Natur vergleicht. Dasjenige, dessen Vorstellung, als Bestimmungsgrund unseres Willens, uns in unserem Selbstbewußtsein demütigt, erweckt, so fern als es positiv und Bestimmungsgrund ist, für sich Achtung. Also ist das moralische Gesetz auch subjektiv ein Grund der Achtung. Da nun alles, was in der Selbstliebe angetroffen wird, zur Neigung gehört, alle Neigung aber auf Gefühlen beruht, mithin, was allen Neigungen insgesamt in der Selbstliebe Abbruch tut, eben dadurch notwendig auf das Gefühl Einfluß hat, so begreifen wir, wie es möglich ist, a priori einzusehen, daß das moralische Gesetz, indem es die Neigungen und den Hang, sie zur obersten praktischen Bedingung zu machen, d. i. die Selbstliebe, von allem Beitritte zur obersten Gesetzgebung ausschließt, eine Würkung aufs Gefühl ausüben könne, welche einerseits bloß negativ ist, andererseits und zwar in Ansehung des einschränkenden Grundes der reinen praktischen Vernunft positiv ist, und wozu gar keine besondere Art von Gefühle, unter dem Namen eines praktischen, oder moralischen, als vor dem moralischen Gesetze vorhergehend und ihm zum Grunde liegend, angenommen werden darf.

| Die negative Wirkung auf Gefühl (der Unannehmlichkeit) ist, so wie aller Einfluß auf dasselbe, und wie jedes Gefühl überhaupt, pathologisch. Als Wirkung aber vom Bewußtsein des moralischen Gesetzes, folglich in Beziehung auf eine intelligibele Ursache, nämlich das Subjekt der reinen praktischen Vernunft, als obersten Gesetzgeberin, heißt dieses Gefühl eines vernünftigen von Neigungen affizierten Subjekts zwar Demütigung (intellektuelle Verachtung), aber in Beziehung auf den positiven Grund derselben, das Gesetz, zugleich Achtung für dasselbe, für welches Gesetz gar kein Gefühl stattfindet, sondern im Urteile der Vernunft, indem es den Widerstand aus dem Wege schafft, die Wegräumung eines Hindernisses einer positiven Beförderung der Kausalität gleichgeschätzt wird. Darum kann dieses Gefühl nun auch ein Gefühl der Achtung fürs moralische Gesetz, aus beiden Gründen zusammen aber ein moralisches Gefühl genannt werden.

Das moralische Gesetz also, so wie es formaler Bestimmungsgrund der Handlung ist, durch praktische reine Vernunft, so wie es zwar auch materialer, aber nur objektiver Bestimmungsgrund der Gegenstände der Handlung, unter dem Namen des Guten und Bösen, ist, so ist es auch subjektiver Bestimmungsgrund, d. i. Triebfeder, zu dieser Handlung, indem es auf die Sittlichkeit[1] des Subjekts Einfluß hat, und ein Gefühl bewirkt, welches dem Einflusse des Gesetzes auf den Willen beför|derlich ist. Hier geht kein Gefühl im Subjekt vorher, das auf Moralität gestimmt wäre. Denn das ist unmöglich, weil alles Gefühl sinnlich ist; die Triebfeder der sittlichen Gesinnung aber muß von aller sinnlichen Bedingung frei sein. Vielmehr ist das sinnliche Gefühl, was allen unseren Neigungen zum Grunde liegt, zwar die Bedingung derjenigen Empfindung, die wir Achtung nennen, aber die Ursache der Bestimmung desselben liegt in der reinen praktischen Vernunft, und diese Empfindung kann daher, ihres Ursprunges wegen, nicht pathologisch, sondern muß praktisch-gewirkt heißen; indem dadurch, daß die Vorstellung des moralischen Gesetzes der Selbstliebe den Einfluß, und dem Eigendünkel den Wahn benimmt, das Hindernis der reinen praktischen Vernunft vermindert, und die Vorstellung des Vorzuges ihres objektiven Gesetzes vor den Antrieben der Sinnlichkeit, mithin das Gewicht des ersteren relativ (in Ansehung eines durch die letztere affizierten Willens) durch die Wegschaffung des Gegengewichts, im Urteile der Vernunft, hervorgebracht wird. Und so ist die Achtung fürs Gesetz nicht Triebfeder zur Sittlichkeit, sondern sie ist die Sittlichkeit selbst, subjektiv als Triebfeder betrachtet, indem die reine praktische Vernunft dadurch, daß sie der Selbstliebe, im Gegensatze mit ihr, alle Ansprüche abschlägt, dem Gesetze, das jetzt allein Einfluß hat, Ansehen verschafft. Hiebei ist nun zu bemerken: daß, so wie die Achtung eine Wir|kung aufs Gefühl, mithin auf die Sinnlichkeit eines vernünftigen Wesens ist, es diese Sinnlichkeit, mithin auch die Endlichkeit solcher Wesen, denen das moralische Gesetz Achtung auferlegt, voraussetze, und

[1] Akad.-Ausg.: »Sinnlichkeit«.

daß einem höchsten, oder auch einem von aller Sinnlichkeit freien Wesen, welchem diese also auch kein Hindernis der praktischen Vernunft sein kann, Achtung fürs Gesetz nicht beigelegt werden könne.

Dieses Gefühl (unter dem Namen des moralischen) ist also lediglich durch Vernunft bewirkt. Es dient nicht zu Beurteilung der Handlungen, oder wohl gar zur Gründung des objektiven Sittengesetzes selbst, sondern bloß zur Triebfeder, um dieses in sich zur Maxime zu machen. Mit welchem Namen aber könnte man dieses sonderbare Gefühl, welches mit keinem pathologischen in Vergleichung gezogen werden kann, schicklicher belegen? Es ist so eigentümlicher Art, daß es lediglich der Vernunft, und zwar der praktischen reinen Vernunft, zu Gebote zu stehen scheint.

Achtung geht jederzeit nur auf Personen, niemals auf Sachen. Die letztere können Neigung, und, wenn es Tiere sind (z. B. Pferde, Hunde etc.), so gar Liebe, oder auch Furcht, wie das Meer, ein Vulkan, ein Raubtier, niemals aber Achtung in uns erwecken. Etwas, was diesem Gefühl schon näher tritt, ist Bewunderung, und diese, als Affekt, das Erstaunen, | kann auch auf Sachen gehen, z. B. himmelhohe Berge, die Größe, Menge und Weite der Weltkörper, die Stärke und Geschwindigkeit mancher Tiere, u.s.w. Aber alles dieses ist nicht Achtung. Ein Mensch kann mir auch ein Gegenstand der Liebe, der Furcht, oder der Bewunderung, so gar bis zum Erstaunen und doch darum kein Gegenstand der Achtung sein. Seine scherzhafte Laune, sein Mut und Stärke, seine Macht, durch seinen Rang, den er unter anderen hat, können mir dergleichen Empfindungen einflößen, es fehlt aber immer noch an innerer Achtung gegen ihn. Fontenelle sagt: vor einem Vornehmen bücke ich mich, aber mein Geist bückt sich nicht. Ich kann hinzu setzen: vor einem niedrigen, bürgerlich-gemeinen Mann, an dem ich eine Rechtschaffenheit des Charakters in einem gewissen Maße, als ich mir von mir selbst nicht bewußt bin, wahrnehme, bückt sich mein Geist, ich mag wollen oder nicht, und den Kopf noch so hoch tragen, um ihn meinen Vorrang nicht übersehen zu lassen.

Warum das? Sein Beispiel hält mir ein Gesetz vor, das meinen Eigendünkel niederschlägt, wenn ich es mit meinem
Verhalten vergleiche, und dessen Befolgung, mithin die
Tunlichkeit desselben, ich durch die Tat bewiesen vor mir
sehe. Nun mag ich mir sogar eines gleichen Grades der
Rechtschaffenheit bewußt sein, und die Achtung bleibt
doch. Denn, da beim Menschen immer alles Gute mangel-
haft ist, so | schlägt das Gesetz, durch ein Beispiel anschau-
lich gemacht, doch immer meinen Stolz nieder, wozu der
Mann, den ich vor mir sehe, dessen Unlauterkeit, die ihm
immer noch anhängen mag, mir nicht so, wie mir die mei-
nige, bekannt ist, der mir also in reinerem Lichte erscheint,
einen Maßstab abgibt. Achtung ist ein Tribut, den wir
dem Verdienste nicht verweigern können, wir mögen wollen
oder nicht; wir mögen allenfalls äußerlich damit zurückhalten, so können wir doch nicht verhüten, sie innerlich zu
empfinden.

Die Achtung ist so wenig ein Gefühl der Lust, daß
man sich ihr in Ansehung eines Menschen nur ungern überläßt. Man sucht etwas ausfindig zu machen, was uns die
Last derselben erleichtern könne, irgend einen Tadel, um
uns wegen der Demütigung, die uns durch ein solches Beispiel widerfährt, schadlos zu halten. Selbst Verstorbene sind,
vornehmlich wenn ihr Beispiel unnachahmlich scheint, vor
dieser Kritik nicht immer gesichert. So gar das moralische
Gesetz selbst, in seiner feierlichen Majestät, ist diesem
Bestreben, sich der Achtung dagegen zu erwehren, ausgesetzt. Meint man wohl, daß es einer anderen Ursache zuzuschreiben sei, weswegen man es gern zu unserer vertrau-
lichen Neigung herabwürdigen möchte, und sich aus anderen
Ursachen alles so bemühe, um es zur beliebten Vorschrift
unseres eigenen wohlverstandenen Vorteils zu machen, als
daß man der abschreckenden | Achtung, die uns unsere
eigene Unwürdigkeit so strenge vorhält, loswerden möge?
Gleichwohl ist darin doch auch wiederum so wenig Unlust: daß, wenn man einmal den Eigendünkel abgelegt, und
jener Achtung praktischen Einfluß verstattet hat, man sich
wiederum an der Herrlichkeit dieses Gesetzes nicht satt

sehen kann, und die Seele sich in dem Maße selbst zu erheben glaubt, als sie das heilige Gesetz über sich und ihre gebrechliche Natur erhaben sieht. Zwar können große Talente und eine ihnen proportionierte Tätigkeit auch Achtung, oder ein mit derselben analogisches Gefühl, bewirken, es ist auch ganz anständig, es ihnen zu widmen, und da scheint es, als ob Bewunderung mit jener Empfindung einerlei sei. Allein, wenn man näher zusieht, so wird man bemerken, daß, da es immer ungewiß bleibt, wie viel das angeborne Talent und wie viel Kultur durch eigenen Fleiß an der Geschicklichkeit Teil habe, so stellt uns die Vernunft die letztere mutmaßlich als Frucht der Kultur, mithin als Verdienst vor, welches unseren Eigendünkel merklich herabstimmt, und uns darüber entweder Vorwürfe macht, oder uns die Befolgung eines solchen Beispiels, in der Art, wie es uns angemessen ist, auferlegt. Sie ist also nicht bloße Bewunderung, diese Achtung, die wir einer solchen Person (eigentlich dem Gesetze, was uns sein Beispiel vorhält) beweisen; welches sich auch dadurch bestätigt, daß der gemeine Haufe der Liebhaber, wenn | er das Schlechte des Charakters eines solchen Mannes (wie etwa Voltaire) sonst woher erkundigt zu haben glaubt, alle Achtung gegen ihn aufgibt, der wahre Gelehrte aber sie noch immer wenigstens im Gesichtspunkte seiner Talente fühlt, weil er selbst in einem Geschäfte und Berufe verwickelt ist, welches die Nachahmung desselben ihm gewissermaßen zum Gesetze macht.

Achtung fürs moralische Gesetz ist also die einzige und zugleich unbezweifelte moralische Triebfeder, so wie dieses Gefühl auch auf kein Objekt anders, als lediglich aus diesem Grunde gerichtet ist. Zuerst bestimmt das moralische Gesetz objektiv und unmittelbar den Willen im Urteile der Vernunft; Freiheit, deren Kausalität bloß durchs Gesetz bestimmbar ist, besteht aber eben darin, daß sie alle Neigungen, mithin die Schätzung der Person selbst auf die Bedingung der Befolgung ihres reinen Gesetzes einschränkt. Diese Einschränkung tut nun eine Wirkung aufs Gefühl, und bringt Empfindung der Unlust hervor, die aus dem moralischen Gesetze a priori erkannt werden kann. Da sie aber

bloß so fern eine negative Wirkung ist, die, als aus dem
Einflusse einer reinen praktischen Vernunft entsprungen,
vornehmlich der Tätigkeit des Subjekts, so fern Neigungen
die Bestimmungsgründe desselben sind, mithin der Meinung
seines persönlichen Werts Abbruch tut (der ohne Einstimmung mit dem moralischen Gesetze auf nichts herabgesetzt
wird), so ist | die Wirkung dieses Gesetzes aufs Gefühl bloß
Demütigung, welches wir also zwar a priori einsehen, aber an
ihr nicht die Kraft des reinen praktischen Gesetzes als Triebfeder, sondern nur den Widerstand gegen Triebfedern der
Sinnlichkeit erkennen können. Weil aber dasselbe Gesetz
doch objektiv, d. i. in der Vorstellung der reinen Vernunft,
ein unmittelbarer Bestimmungsgrund des Willens ist, folglich diese Demütigung nur relativ auf die Reinigkeit des Gesetzes stattfindet, so ist die Herabsetzung der Ansprüche
der moralischen Selbstschätzung, d. i. die Demütigung auf
der sinnlichen Seite, eine Erhebung der moralischen, d. i.
der praktischen Schätzung des Gesetzes selbst, auf der intellektuellen, mit einem Worte Achtung fürs Gesetz, also
auch ein, seiner intellektuellen Ursache nach, positives Gefühl, das a priori erkannt wird. Denn eine jede Verminde-
rung der Hindernisse einer Tätigkeit ist Beförderung dieser
Tätigkeit selbst. Die Anerkennung des moralischen Gesetzes
aber ist das Bewußtsein einer Tätigkeit der praktischen Vernunft aus objektiven Gründen, die bloß darum nicht ihre
Wirkung in Handlungen äußert, weil subjektive Ursachen
(pathologische) sie hindern. Also muß die Achtung fürs moralische Gesetz auch als positive aber indirekte Wirkung desselben aufs Gefühl, so fern jenes den hindernden Einfluß der
Neigungen durch Demütigung des Eigendünkels schwächt,
mithin als subjektiver Grund der Tätigkeit, | d. i. als Trieb-
feder zu Befolgung desselben, und als Grund zu Maximen
eines ihm gemäßen Lebenswandels angesehen werden. Aus
dem Begriffe einer Triebfeder entspringt der eines Interesse; welches niemals einem Wesen, als was Vernunft hat,
beigelegt wird, und eine Triebfeder des Willens bedeutet,
so fern sie durch Vernunft vorgestellt wird. Da das
Gesetz selbst in einem moralisch-guten Willen die Trieb-

feder sein muß, so ist das moralische Interesse ein reines sinnenfreies Interesse der bloßen praktischen Vernunft. Auf dem Begriffe eines Interesse gründet sich auch der einer Maxime. Diese ist also nur alsdenn moralisch echt, wenn sie auf dem bloßen Interesse, das man an der Befolgung des Gesetzes nimmt, beruht. Alle drei Begriffe aber, der einer Triebfeder, eines Interesse und einer Maxime, können nur auf endliche Wesen angewandt werden. Denn sie setzen insgesamt eine Eingeschränktheit der Natur eines Wesens voraus, da die subjektive Beschaffenheit seiner Willkür mit dem objektiven Gesetze einer praktischen Vernunft nicht von selbst übereinstimmt; ein Bedürfnis, irgend wodurch zur Tätigkeit angetrieben zu werden, weil ein inneres Hindernis derselben entgegensteht. Auf den göttlichen Willen können sie also nicht angewandt werden.

Es liegt so etwas Besonderes in der grenzenlosen Hochschätzung des reinen, von allem Vorteil entblöß|ten, moralischen Gesetzes, so wie es praktische Vernunft uns zur Befolgung vorstellt, deren Stimme auch den kühnsten Frevler zittern macht, und ihn nötigt, sich vor seinem Anblicke zu verbergen: daß man sich nicht wundern darf, diesen Einfluß einer bloß intellektuellen Idee aufs Gefühl für spekulative Vernunft unergründlich zu finden, und sich damit begnügen zu müssen, daß man a priori doch noch so viel einsehen kann: ein solches Gefühl sei unzertrennlich mit der Vorstellung des moralischen Gesetzes in jedem endlichen vernünftigen Wesen verbunden. Wäre dieses Gefühl der Achtung pathologisch und also ein auf dem inneren Sinne gegründetes Gefühl der Lust, so würde es vergeblich sein, eine Verbindung derselben mit irgend einer Idee a priori zu entdecken. Nun aber ist[1] ein Gefühl, was bloß aufs Praktische geht, und zwar der Vorstellung eines Gesetzes lediglich seiner Form nach, nicht irgend eines Objekts desselben wegen, anhängt, mithin weder zum Vergnügen, noch zum Schmerze gerechnet werden kann, und dennoch ein Interesse an der Befolgung desselben hervorbringt, welches wir das moralische nennen; wie denn auch die Fähigkeit, ein solches

---

[1] Akad.-Ausg.: »ist es«.

Interesse am Gesetze zu nehmen (oder die Achtung fürs moralische Gesetz selbst) eigentlich das moralische Gefühl ist.

Das Bewußtsein einer freien Unterwerfung des Willens unter das Gesetz, doch als mit einem unver|meidlichen Zwange, der allen Neigungen, aber nur durch eigene Vernunft angetan wird, verbunden, ist nun die Achtung fürs Gesetz. Das Gesetz, was diese Achtung fodert und auch einflößt, ist, wie man sieht, kein anderes, als das moralische (denn kein anderes schließt alle Neigungen von der Unmittelbarkeit ihres Einflusses auf den Willen aus). Die Handlung, die nach diesem Gesetze, mit Ausschließung aller Bestimmungsgründe aus Neigung, objektiv praktisch ist, heißt Pflicht, welche, um dieser Ausschließung willen, in ihrem Begriffe praktische Nötigung, d. i. Bestimmung zu Handlungen, so ungerne, wie sie auch geschehen mögen, enthält. Das Gefühl, das aus dem Bewußtsein dieser Nötigung entspringt, ist nicht pathologisch, als ein solches, was von einem Gegenstande der Sinne gewirkt würde, sondern allein praktisch, d. i. durch eine vorhergehende (objektive) Willensbestimmung und Kausalität der Vernunft, möglich. Es enthält also, als Unterwerfung unter ein Gesetz, d. i. als Gebot (welches für das sinnlich-affizierte Subjekt Zwang ankündigt), keine Lust, sondern, so fern, vielmehr Unlust an der Handlung in sich. Dagegen aber, da dieser Zwang bloß durch Gesetzgebung der eigenen Vernunft ausgeübt wird, enthält es auch Erhebung, und die subjektive Wirkung aufs Gefühl, so fern davon reine praktische Vernunft die alleinige Ursache ist, kann also bloß Selbstbilligung in Ansehung der letz|teren heißen, indem man sich dazu, ohne alles Interesse, bloß durchs Gesetz bestimmt erkennt, und sich nunmehro eines ganz anderen, dadurch subjektiv hervorgebrachten, Interesse, welches rein praktisch und frei ist, bewußt wird, welches an einer pflichtmäßigen Handlung zu nehmen nicht etwa eine Neigung anrätig ist, sondern die Vernunft durchs praktische Gesetz schlechthin gebietet und auch wirklich hervorbringt, darum aber einen ganz eigentümlichen Namen, nämlich den der Achtung, führt.

Der Begriff der Pflicht fodert also an der Handlung, objektiv, Übereinstimmung mit dem Gesetze, an der Maxime derselben aber, subjektiv, Achtung fürs Gesetz, als die alleinige Bestimmungsart des Willens durch dasselbe. Und darauf beruht der Unterschied zwischen dem Bewußtsein, pflichtmäßig und aus Pflicht, d. i. aus Achtung fürs Gesetz, gehandelt zu haben, davon das erstere (die Legalität) auch möglich ist, wenn Neigungen bloß die Bestimmungsgründe des Willens gewesen wären, das zweite aber (die Moralität), der moralische Wert, lediglich darin gesetzt werden muß, daß die Handlung aus Pflicht, d. i. bloß um des Gesetzes willen geschehe.*

| Es ist von der größten Wichtigkeit in allen moralischen Beurteilungen, auf das subjektive Prinzip aller Maximen mit der äußersten Genauigkeit Acht zu haben, damit alle Moralität der Handlungen in der Notwendigkeit derselben aus Pflicht und aus Achtung fürs Gesetz, nicht aus Liebe und Zuneigung zu dem, was die Handlungen hervorbringen sollen, gesetzt werde. Für Menschen und alle erschaffene vernünftige Wesen ist die moralische Notwendigkeit Nötigung, d. i. Verbindlichkeit, und jede darauf gegründete Handlung als Pflicht, nicht aber als eine uns von selbst schon beliebte, oder beliebt werden könnende Verfahrungsart vorzustellen. Gleich als ob wir es dahin jemals bringen könnten, daß ohne Achtung fürs Gesetz, welche mit Furcht oder wenigstens Besorgnis vor Übertretung verbunden ist, wir, wie die über alle Abhängigkeit erhabene Gottheit, von selbst, gleichsam durch eine uns zur Natur gewordene, niemals zu verrückende Übereinstimmung des Willens mit dem reinen Sittengesetze (welches also, da wir niemals versucht

---

* Wenn man den Begriff der Achtung für Personen, so wie er vorher dargelegt worden, genau erwägt, so wird man gewahr, daß sie immer auf dem Bewußtsein einer Pflicht beruhe, die | uns ein Beispiel vorhält, und, daß also Achtung niemals einen andern als moralischen Grund haben könne, und es sehr gut, so gar in psychologischer Absicht zur Menschenkenntnis sehr nützlich sei, allerwärts, wo wir diesen Ausdruck brauchen, auf die geheime und wundernswürdige, dabei aber oft vorkommende Rücksicht, die der Mensch in seinen Beurteilungen aufs moralische Gesetz nimmt, Acht zu haben.

werden können[1], ihm|untreu zu werden, wohl endlich gar aufhören könnte, für uns Gebot zu sein), jemals in den Besitz einer Heiligkeit des Willens kommen könnten.

Das moralische Gesetz ist nämlich für den Willen eines allervollkommensten Wesens ein Gesetz der Heiligkeit, für den Willen jedes endlichen vernünftigen Wesens aber ein Gesetz der Pflicht, der moralischen Nötigung und der Bestimmung der Handlungen desselben durch Achtung für dies Gesetz und aus Ehrfurcht für seine Pflicht. Ein anderes subjektives Prinzip muß zur Triebfeder nicht angenommen werden, denn sonst kann zwar die Handlung, wie das Gesetz sie vorschreibt, ausfallen, aber, da sie zwar pflichtmäßig ist, aber nicht aus Pflicht geschieht, so ist die Gesinnung dazu nicht moralisch, auf die es doch in dieser Gesetzgebung eigentlich ankömmt.

Es ist sehr schön, aus Liebe zu Menschen und teilnehmendem Wohlwollen ihnen Gutes zu tun, oder aus Liebe zur Ordnung gerecht zu sein, aber das ist noch nicht die echte moralische Maxime unsers Verhaltens, die unserm Standpunkte, unter vernünftigen Wesen, als Menschen, angemessen ist, wenn wir uns anmaßen, gleichsam als Volontäre, uns mit stolzer Einbildung über den Gedanken von Pflicht wegzusetzen, und uns, als[2] vom Gebote unabhängig, bloß aus eigener Lust das tun zu wollen, wozu für uns kein Gebot | nötig wäre. Wir stehen unter einer Disziplin der Vernunft, und müssen in allen unseren Maximen der Unterwürfigkeit unter derselben nicht vergessen, ihr nichts zu entziehen, oder dem Ansehen des Gesetzes (ob es gleich unsere eigene Vernunft gibt) durch eigenliebigen Wahn dadurch etwas abkürzen[3], daß wir den Bestimmungsgrund unseres Willens, wenn gleich dem Gesetze gemäß, doch worin anders, als im Gesetze selbst, und in der Achtung für dieses Gesetz setzten. Pflicht und Schuldigkeit sind die Benennungen, die wir allein unserem Verhältnisse zum moralischen Gesetze geben müssen. Wir sind zwar gesetzgebende Glieder eines durch Freiheit möglichen, durch praktische Ver-

[1] Akad.-Ausg.: »könnten«. – [2] Akad.-Ausg.: »und, als«. – [3] Akad.-Ausg.: »abzukürzen«.

nunft uns zur Achtung vorgestellten Reichs der Sitten, aber
doch zugleich Untertanen, nicht das Oberhaupt desselben,
und die Verkennung unserer niederen Stufe, als Geschöpfe,
und Weigerung des Eigendünkels gegen das Ansehen des
heiligen Gesetzes, ist schon eine Abtrünnigkeit von demselben, dem Geiste nach, wenn gleich der Buchstabe desselben erfüllt würde.

Hiemit stimmt aber die Möglichkeit eines solchen Gebots,
als: Liebe Gott über alles und deinen Nächsten
als dich selbst,* ganz wohl zusammen. Denn | es fodert
doch, als Gebot, Achtung für ein Gesetz, das Liebe be-
fiehlt, und überläßt es nicht der beliebigen Wahl, sich diese
zum Prinzip zu machen. Aber Liebe zu Gott als Neigung
(pathologische Liebe) ist unmöglich; denn er ist kein Gegenstand der Sinne. Eben dieselbe gegen Menschen ist zwar
möglich, kann aber nicht geboten werden; denn es steht in
keines Menschen Vermögen, jemanden bloß auf Befehl zu
lieben. Also ist es bloß die praktische Liebe, die in jenem
Kern aller Gesetze verstanden wird. Gott lieben, heißt in
dieser Bedeutung, seine Gebote gerne tun; den Nächsten
lieben, heißt, alle Pflicht gegen ihn gerne ausüben. Das Gebot aber, das dieses zur Regel macht, kann auch nicht diese
Gesinnung in pflichtmäßigen Handlungen zu haben, sondern bloß darnach zu streben gebieten. Denn ein Gebot,
daß man etwas gerne tun soll, ist in sich widersprechend,
weil, wenn wir, was uns zu tun obliege, schon von selbst
wissen, wenn wir uns überdem auch bewußt wären, es gerne
zu tun, ein Gebot darüber ganz unnötig, und, tun wir es
zwar, aber eben nicht gerne, sondern nur aus Achtung fürs
Gesetz, ein Gebot, welches diese Achtung eben zur Triebfeder der Maxime macht, gerade der gebotenen Gesinnung
zuwi|der wirken würde. Jenes Gesetz aller Gesetze stellt
also, wie alle moralische Vorschrift des Evangelii, die sitt-

---

* Mit diesem Gesetze macht das Prinzip der eigenen Glückseligkeit,
welches einige zum obersten Grundsatze der Sittlichkeit machen |
wollen, einen seltsamen Kontrast: Dieses würde so lauten: Liebe dich
selbst über alles, Gott aber und deinen Nächsten um dein
selbst willen.

liche Gesinnung in ihrer ganzen Vollkommenheit dar, so wie sie als ein Ideal der Heiligkeit von keinem Geschöpfe erreichbar, dennoch das Urbild ist, welchem wir uns zu nähern, und, in einem ununterbrochenen, aber unendlichen Progressus, gleich zu werden streben sollen. Könnte nämlich ein vernünftig Geschöpf jemals dahin kommen, alle moralische Gesetze völlig gerne zu tun, so würde das so viel bedeuten, als, es fände sich in ihm auch nicht einmal die Möglichkeit einer Begierde, die ihn zur Abweichung von ihnen reizte; denn die Überwindung einer solchen kostet dem Subjekt immer Aufopferung, bedarf also Selbstzwang, d. i. innere Nötigung zu dem, was man nicht ganz gern tut. Zu dieser Stufe der moralischen Gesinnung aber kann es ein Geschöpf niemals bringen. Denn da es ein Geschöpf, mithin in Ansehung dessen, was er[1] zur gänzlichen Zufriedenheit mit seinem Zustande fodert, immer abhängig ist, so kann es niemals von Begierden und Neigungen ganz frei sein, die, weil sie auf physischen Ursachen beruhen, mit dem moralischen Gesetze, das ganz andere Quellen hat, nicht von selbst stimmen, mithin es jederzeit notwendig machen, in Rücksicht auf dieselbe, die Gesinnung seiner Maximen auf moralische Nötigung, nicht auf bereitwillige Ergebenheit, sondern auf Achtung, welche die Befolgung des Gesetzes, obgleich | sie ungerne geschähe, fodert, nicht auf Liebe, die keine innere Weigerung des Willens gegen das Gesetz besorgt, zu gründen, gleichwohl aber diese letztere, nämlich die bloße Liebe zum Gesetze (da es alsdenn aufhören würde, Gebot zu sein, und Moralität, die nun subjektiv in Heiligkeit überginge, aufhören würde, Tugend zu sein) sich zum beständigen, obgleich unerreichbaren Ziele seiner Bestrebung zu machen. Denn an dem, was wir hochschätzen, aber doch (wegen des Bewußtseins unserer Schwächen) scheuen, verwandelt sich, durch die mehrere Leichtigkeit, ihm Gnüge zu tun, die ehrfurchtsvolle Scheu in Zuneigung, und Achtung in Liebe, wenigstens würde es die Vollendung einer dem Gesetze gewidmeten Gesinnung sein, wenn es jemals einem Geschöpfe möglich wäre, sie zu erreichen.

[1] Akad.-Ausg.: »es«.

Diese Betrachtung ist hier nicht so wohl dahin abge-
zweckt, das angeführte evangelische Gebot auf deutliche
Begriffe zu bringen, um der Religionsschwärmerei in
Ansehung der Liebe Gottes, sondern die sittliche Gesinnung,
auch unmittelbar in Ansehung der Pflichten gegen Menschen, genau zu bestimmen, und einer bloß moralischen
Schwärmerei, welche viel Köpfe ansteckt, zu steuern, oder,
wo möglich, vorzubeugen. Die sittliche Stufe, worauf der
Mensch (aller unserer Einsicht nach auch jedes vernünftige
Geschöpf) steht, ist Achtung fürs moralische Gesetz. Die
Gesinnung, die ihm, dieses zu befolgen, obliegt, ist, es aus
Pflicht, | nicht aus freiwilliger Zuneigung und auch allen-
falls unbefohlener von selbst gern unternommener Bestrebung zu befolgen, und sein moralischer Zustand, darin er
jedesmal sein kann, ist Tugend, d.i. moralische Gesinnung
im Kampfe, und nicht Heiligkeit im vermeinten Besitze einer völligen Reinigkeit der Gesinnungen des Willens. Es ist lauter moralische Schwärmerei und Steigerung
des Eigendünkels, wozu man die Gemüter durch Aufmunterung zu Handlungen, als edler, erhabener und großmütiger, stimmt, dadurch man sie in den Wahn versetzt, als wäre
es nicht Pflicht, d. i. Achtung fürs Gesetz, dessen Joch (das
gleichwohl, weil es uns Vernunft selbst auferlegt, sanft ist)
sie, wenn gleich ungern, tragen müßten, was den Bestimmungsgrund ihrer Handlungen ausmachte, und welches sie
immer noch demütigt, indem sie es befolgen (ihm gehorchen), sondern als ob jene Handlungen nicht aus Pflicht,
sondern als barer Verdienst von ihnen erwartet würde[1].
Denn nicht allein, daß sie durch Nachahmung solcher Taten,
nämlich aus solchem Prinzip, nicht im mindesten dem Geiste des Gesetzes ein Genüge getan hätten, welcher in der dem
Gesetze sich unterwerfenden Gesinnung, nicht in der Gesetzmäßigkeit der Handlung (das Prinzip möge sein, welches
auch wolle), besteht, und die Triebfeder pathologisch
(in der Sympathie oder auch Philautie), nicht moralisch (im
Gesetze) setzen, so bringen sie auf diese Art eine windige,
überfliegende, phan|tastische Denkungsart hervor, sich mit

[1] Akad.-Ausg.: »würden«.

einer freiwilligen Gutartigkeit ihres Gemüts, das weder
Sporns noch Zügel bedürfe, für welches gar nicht einmal ein
Gebot nötig sei, zu schmeicheln, und darüber ihrer Schuldigkeit, an welche sie doch eher denken sollten, als an Verdienst, zu vergessen. Es lassen sich wohl Handlungen anderer, die mit großer Aufopferung, und zwar bloß um der
Pflicht willen, geschehen sind, unter dem Namen edler und
erhabener Taten preisen, und doch auch nur so fern Spu-
ren da sind, welche vermuten lassen, daß sie ganz aus Achtung für seine Pflicht, nicht aus Herzensaufwallungen geschehen sind. Will man jemanden aber sie als Beispiele der
Nachfolge vorstellen, so muß durchaus die Achtung für
Pflicht (als das einzige echte, moralische Gefühl) zur Triebfeder gebraucht werden: diese ernste, heilige Vorschrift, die
es nicht unserer eitelen Selbstliebe überläßt, mit pathologischen Antrieben (so fern sie der Moralität analogisch sind)
zu tändeln, und uns auf verdienstlichen Wert was zu
Gute zu tun. Wenn wir nur wohl nachsuchen, so werden wir
zu allen Handlungen, die anpreisungswürdig sind, schon ein
Gesetz der Pflicht finden, welches gebietet und nicht auf
unser Belieben ankommen läßt, was unserem Hange gefällig
sein möchte. Das ist die einzige Darstellungsart, welche die
Seele moralisch bildet, weil sie allein fester und genau bestimmter Grundsätze fähig ist.

|Wenn Schwärmerei in der allergemeinsten Bedeutung
eine nach Grundsätzen unternommene Überschreitung der
Grenzen der menschlichen Vernunft ist, so ist moralische
Schwärmerei diese Überschreitung der Grenzen, die die
praktische reine Vernunft der Menschheit setzt, dadurch sie
verbietet, den subjektiven Bestimmungsgrund pflichtmäßi-
ger Handlungen, d. i. die moralische Triebfeder derselben,
irgend worin anders, als im Gesetze selbst, und die Gesinnung, die dadurch in die Maximen gebracht wird, irgend
anderwärts, als in der Achtung für dies Gesetz, zu setzen,
mithin den alle Arroganz sowohl als eitele Philautie
niederschlagenden Gedanken von Pflicht zum obersten Le-
bensprinzip aller Moralität im Menschen zu machen gebietet.

Wenn dem also ist, so haben nicht allein Romanschreiber, oder empfindelnde Erzieher (ob sie gleich noch so sehr wider Empfindelei eifern), sondern bisweilen selbst Philosophen, ja die strengsten unter allen, die Stoiker, moralische Schwärmerei, statt nüchterner, aber weiser Disziplin der Sitten, eingeführt, wenn gleich die Schwärmerei der letzteren mehr heroisch, der ersteren von schaler und schmelzender Beschaffenheit war, und man kann es, ohne zu heucheln, der moralischen Lehre des Evangelii mit aller Wahrheit nachsagen: daß es zuerst, durch die Reinigkeit des moralischen Prinzips, zugleich aber durch die Angemessenheit dessel|ben mit den Schranken endlicher Wesen, alles Wohlverhalten des Menschen der Zucht einer ihnen vor Augen gelegten Pflicht, die sie nicht unter moralischen geträumten Vollkommenheiten schwärmen läßt, unterworfen und dem Eigendünkel sowohl als der Eigenliebe, die beide gerne ihre Grenzen verkennen, Schranken der Demut (d. i. der Selbsterkenntnis) gesetzt habe.

Pflicht! du erhabener großer Name, der du nichts Beliebtes, was Einschmeichelung bei sich führt, in dir fassest, sondern Unterwerfung verlangst, doch auch nichts drohest, was natürliche Abneigung im Gemüte erregte und schreckte, um den Willen zu bewegen, sondern bloß ein Gesetz aufstellst, welches von selbst im Gemüte Eingang findet, und doch sich selbst wider Willen Verehrung (wenn gleich nicht immer Befolgung) erwirbt, vor dem alle Neigungen verstummen, wenn sie gleich in Geheim ihm entgegen wirken, welches ist der deiner würdige Ursprung, und wo findet man die Wurzel deiner edlen Abkunft, welche alle Verwandtschaft mit Neigungen stolz ausschlägt, und von welcher Wurzel abzustammen die unnachlaßliche Bedingung desjenigen Werts ist, den sich Menschen allein selbst geben können?

Es kann nichts Minderes sein, als was den Menschen über sich selbst (als einen Teil der Sinnenwelt) erhebt, was ihn an eine Ordnung der Dinge knüpft, die nur der Verstand denken kann, und die zu|gleich die ganze Sinnenwelt, mit ihr das empirisch-bestimmbare Dasein des Menschen in der

Zeit und das Ganze aller Zwecke (welches allein solchen unbedingten praktischen Gesetzen, als das moralische, angemessen ist) unter sich hat. Es ist nichts anders als die Persönlichkeit, d. i. die Freiheit und Unabhängigkeit von
dem Mechanism der ganzen Natur, doch zugleich als ein
Vermögen eines Wesens betrachtet, welches eigentümlichen,
nämlich von seiner eigenen Vernunft gegebenen reinen praktischen Gesetzen, die Person also, als zur Sinnenwelt gehörig, ihrer eigenen Persönlichkeit unterworfen ist, so fern sie
zugleich zur intelligibelen Welt gehört; da es denn nicht zu
verwundern ist, wenn der Mensch, als zu beiden Welten gehörig, sein eigenes Wesen, in Beziehung auf seine zweite und
höchste Bestimmung, nicht anders, als mit Verehrung und
die Gesetze derselben mit der höchsten Achtung betrachten
muß.

Auf diesen Ursprung gründen sich nun manche Ausdrücke, welche den Wert der Gegenstände nach moralischen
Ideen bezeichnen. Das moralische Gesetz ist heilig (unver-
letzlich). Der Mensch ist zwar unheilig genug, aber die
Menschheit in seiner Person muß ihm heilig sein. In der
ganzen Schöpfung kann alles, was man will, und worüber
man etwas vermag, auch bloß als Mittel gebraucht werden; nur der Mensch, und mit ihm jedes vernünftige Ge-
schöpf, ist | Zweck an sich selbst. Er ist nämlich das
Subjekt des moralischen Gesetzes, welches heilig ist, ver-
möge der Autonomie seiner Freiheit. Eben um dieser willen
ist jeder Wille, selbst jeder Person ihr eigener, auf sie selbst
gerichteter Wille, auf die Bedingung der Einstimmung mit
der Autonomie des vernünftigen Wesens eingeschränkt,
es nämlich keiner Absicht zu unterwerfen, die nicht nach
einem Gesetze, welches aus dem Willen des leidenden Subjekts selbst entspringen könnte, möglich ist; also dieses niemals bloß als Mittel, sondern zugleich selbst als Zweck zu
gebrauchen. Diese Bedingung legen wir mit Recht sogar
dem göttlichen Willen, in Ansehung der vernünftigen Wesen
in der Welt, als seiner Geschöpfe, bei, indem sie auf der Persönlichkeit derselben beruht, dadurch allein sie Zwecke
an sich selbst sind.

Diese Achtung erweckende Idee der Persönlichkeit, N·13
welche uns die Erhabenheit unserer Natur (ihrer Bestimmung nach) vor Augen stellt, indem sie uns zugleich den
Mangel der Angemessenheit unseres Verhaltens in Ansehung
derselben bemerken läßt, und dadurch den Eigendünkel
niederschlägt, ist selbst der gemeinsten Menschenvernunft
natürlich und leicht bemerklich. Hat nicht jeder auch nur
mittelmäßig ehrlicher Mann bisweilen gefunden, daß er eine
sonst unschädliche Lüge, dadurch er sich entweder selbst
aus einem verdrießlichen Handel ziehen, oder wohl gar
einem geliebten und verdienst|vollen Freunde Nutzen schaf-
fen konnte, bloß darum unterließ, um sich in Geheim in
seinen eigenen Augen nicht verachten zu dürfen? Hält nicht
einen rechtschaffenen Mann im größten Unglücke des Lebens, das er vermeiden konnte, wenn er sich nur hätte über
die Pflicht wegsetzen können, noch das Bewußtsein aufrecht, daß er die Menschheit in seiner Person doch in ihrer
Würde erhalten und geehrt habe, daß er sich nicht vor sich
selbst zu schämen und den inneren Anblick der Selbstprüfung zu scheuen Ursache habe? Dieser Trost ist nicht
Glückseligkeit, auch nicht der mindeste Teil derselben. Denn
niemand wird sich die Gelegenheit dazu, auch vielleicht
nicht einmal ein Leben in solchen Umständen wünschen.
Aber er lebt, und kann es nicht erdulden, in seinen eigenen
Augen des Lebens unwürdig zu sein. Diese innere Beruhi-
gung ist also bloß negativ, in Ansehung alles dessen, was das
Leben angenehm machen mag; nämlich sie ist die Abhal-
tung der Gefahr, im persönlichen Werte zu sinken, nachdem
der seines Zustandes von ihm schon gänzlich aufgegeben
worden. Sie ist die Wirkung von einer Achtung für etwas
ganz anderes, als das Leben, womit in Vergleichung und Ent-
gegensetzung das Leben vielmehr, mit aller seiner Annehmlichkeit, gar keinen Wert hat. Er lebt nur noch aus Pflicht,
nicht weil er am Leben den mindesten Geschmack findet.

| So ist die echte Triebfeder der reinen praktischen Ver-
nunft beschaffen; sie ist keine andere, als das reine moralische Gesetz selber, so fern es uns die Erhabenheit unserer
eigenen übersinnlichen Existenz spüren läßt, und subjektiv,

in Menschen, die sich zugleich ihres sinnlichen Daseins und
der damit verbundenen Abhängigkeit von ihrer so fern sehr
pathologisch affizierten Natur bewußt sind, Achtung für
ihre höhere Bestimmung wirkt. Nun lassen sich mit dieser
Triebfeder gar wohl so viele Reize und Annehmlichkeiten
des Lebens verbinden, daß auch um dieser willen allein
schon die klügste Wahl eines vernünftigen und über das
größte Wohl des Lebens nachdenkenden Epikureers sich
für das sittliche Wohlverhalten erklären würde, und es kann
auch ratsam sein, diese Aussicht auf einen fröhlichen Genuß
des Lebens mit jener obersten und schon für sich allein hin-
länglich-bestimmenden Bewegursache zu verbinden; aber
nur um den Anlockungen, die das Laster auf der Gegenseite
vorzuspiegeln nicht ermangelt, das Gegengewicht zu halten,
nicht um hierin die eigentliche bewegende Kraft, auch nicht
dem mindesten Teile nach, zu setzen, wenn von Pflicht die
Rede ist. Denn das würde so viel sein, als die moralische
Gesinnung in ihrer Quelle verunreinigen wollen. Die Ehr-
würdigkeit der Pflicht hat nichts mit Lebensgenuß zu schaffen; sie hat ihr eigentümliches Gesetz, auch ihr eigentümliches Gericht, und wenn man auch beide noch so sehr zu-
sammenschütteln wollte, um | sie vermischt, gleichsam als
Arzeneimittel, der kranken Seele zuzureichen, so scheiden
sie sich doch alsbald von selbst, und, tun sie es nicht, so
wirkt das erste gar nicht, wenn aber auch das physische
Leben hiebei einige Kraft gewönne, so würde doch das moralische ohne Rettung dahin schwinden.

### KRITISCHE BELEUCHTUNG DER ANALYTIK
#### DER REINEN PRAKTISCHEN VERNUNFT

Ich verstehe unter der kritischen Beleuchtung einer Wissenschaft, oder eines Abschnitts derselben, der für sich ein
System ausmacht, die Untersuchung und Rechtfertigung,
warum sie gerade diese und keine andere systematische
Form haben müsse, wenn man sie mit einem anderen System vergleicht, das ein ähnliches Erkenntnisvermögen zum
Grunde hat. Nun hat praktische Vernunft mit der spekula-

tiven so fern einerlei Erkenntnisvermögen zum Grunde, als
beide reine Vernunft sind. Also wird der Unterschied der
systematischen Form der einen, von der anderen, durch Vergleichung beider bestimmt und Grund davon angegeben
werden müssen.

Die Analytik der reinen theoretischen Vernunft hatte es
mit dem Erkenntnisse der Gegenstände, die dem | Verstande
gegeben werden mögen, zu tun, und mußte also von der
Anschauung, mithin (weil diese jederzeit sinnlich ist) von
der Sinnlichkeit anfangen, von da aber allererst zu Begriffen (der Gegenstände dieser Anschauung) fortschreiten, und
durfte, nur nach beider Voranschickung, mit Grundsätzen
endigen. Dagegen, weil praktische Vernunft es nicht mit
Gegenständen, sie zu erkennen, sondern mit ihrem eigenen Vermögen, jene (der Erkenntnis derselben gemäß) wirklich zu machen, d. i. es mit einem Willen zu tun hat,
welcher eine Kausalität ist, so fern Vernunft den Bestimmungsgrund derselben enthält, da sie folglich kein Objekt
der Anschauung, sondern (weil der Begriff der Kausalität
jederzeit die Beziehung auf ein Gesetz enthält, welches die
Existenz des Mannigfaltigen im Verhältnisse zu einander bestimmt), als praktische Vernunft, nur ein Gesetz derselben anzugeben hat: so muß eine Kritik der Analytik derselben, so fern sie eine praktische Vernunft sein soll (welches
die eigentliche Aufgabe ist)[1], von der Möglichkeit praktischer Grundsätze a priori anfangen. Von da konnte
sie allein zu Begriffen der Gegenstände einer praktischen
Vernunft, nämlich denen des schlechthin-Guten und Bösen
fortgehen, um sie jenen Grundsätzen gemäß allererst zu geben (denn diese sind vor jenen Prinzipien als Gutes und
Böses durch gar kein Erkenntnisvermögen zu geben möglich), und nur alsdenn konnte allererst das letzte Haupt-
stück, nämlich | das von dem Verhältnisse der reinen prak-
tischen Vernunft zur Sinnlichkeit und ihrem notwendigen,
a priori zu erkennenden Einflusse auf dieselbe, d. i. vom
moralischen Gefühle, den Teil beschließen. So teilete

[1] Akad.-Ausg. erwägt: »Kritik derselben, ... (welches die eigentliche Aufgabe der Analytik ist)«.

denn die Analytik der praktischen reinen Vernunft ganz analogisch mit der theoretischen den ganzen Umfang aller Bedingungen ihres Gebrauchs, aber in umgekehrter Ordnung. Die Analytik der theoretischen reinen Vernunft wurde in transzendentale Ästhetik und transzendentale Logik eingeteilt, die der praktischen umgekehrt in Logik und Ästhetik der reinen praktischen Vernunft (wenn es mir erlaubt ist, diese sonst gar nicht angemessene Benennungen, bloß der Analogie wegen, hier zu gebrauchen), die Logik wiederum dort in die Analytik der Begriffe und die der Grundsätze, hier in die der Grundsätze und Begriffe. Die Ästhetik hatte dort noch zwei Teile, wegen der doppelten Art einer sinnlichen Anschauung; hier wird die Sinnlichkeit gar nicht als Anschauungsfähigkeit, sondern bloß als Gefühl (das ein subjektiver Grund des Begehrens sein kann) betrachtet, und in Ansehung dessen verstattet die reine praktische Vernunft keine weitere Einteilung.

Auch, daß diese Einteilung in zwei Teile mit deren Unterabteilung nicht wirklich (so wie man wohl im Anfange durch das Beispiel der ersteren verleitet werden konnte, zu versuchen) hier vorgenommen wurde, davon läßt sich auch der Grund gar wohl einsehen. | Denn weil es reine Vernunft ist, die hier in ihrem praktischen Gebrauche, mithin von Grundsätzen a priori und nicht von empirischen Bestimmungsgründen ausgehend, betrachtet wird: so wird die Einteilung der Analytik der r. pr. V. der eines Vernunftschlusses ähnlich ausfallen müssen, nämlich vom Allgemeinen im Obersatze (dem moralischen Prinzip), durch eine im Untersatze vorgenommene Subsumtion möglicher Handlungen (als guter oder böser) unter jenen, zu dem Schlußsatze, nämlich der subjektiven Willensbestimmung (einem Interesse an dem praktisch-möglichen Guten und der darauf gegründeten Maxime) fortgehend. Demjenigen, der sich von den in der Analytik vorkommenden Sätzen hat überzeugen können, werden solche Vergleichungen Vergnügen machen; denn sie veranlassen mit Recht die Erwartung, es vielleicht dereinst bis zur Einsicht der Einheit des ganzen reinen Vernunftvermögens (des theoretischen sowohl als praktischen) bringen, und alles aus einem Prinzip ableiten zu können; welches das unvermeidliche Bedürfnis der menschlichen Vernunft ist, die nur in einer vollständig systematischen Einheit ihrer Erkenntnisse völlige Zufriedenheit findet.

Betrachten wir nun aber auch den Inhalt der Erkenntnis, die wir von einer reinen praktischen Vernunft, und durch dieselbe, haben können, so wie ihn die Analytik derselben darlegt, so finden sich, bei einer merkwürdigen Analogie zwischen ihr und der theoretischen, nicht | weniger merkwürdige Unterschiede. In Ansehung der theoretischen könnte[1] das Vermögen eines reinen Vernunfterkenntnisses a priori durch Beispiele aus Wissenschaften (bei denen man, da sie ihre Prinzipien auf so mancherlei Art durch methodischen Gebrauch auf die Probe stellen, nicht so leicht, wie im gemeinen Erkenntnisse, geheime Beimischung empirischer Erkenntnisgründe zu besorgen hat) ganz leicht und evident bewiesen werden. Aber daß reine Vernunft, ohne Beimischung irgend eines empirischen Bestimmungsgrundes, für sich allein auch praktisch sei, das mußte man aus dem gemeinsten praktischen Vernunftgebrauche dartun können, indem man den obersten praktischen Grundsatz, als einen solchen, den jede natürliche Menschenvernunft, als völlig a priori, von keinen sinnlichen Datis abhängend, für das oberste Gesetz seines Willens erkennt, beglaubigte. Man mußte ihn zuerst, der Reinigkeit seines Ursprungs nach, selbst im Urteile dieser gemeinen Vernunft bewähren und rechtfertigen, ehe ihn noch die Wissenschaft in die Hände nehmen konnte, um Gebrauch von ihm zu machen, gleichsam als ein Faktum, das vor allem Vernünfteln über seine Möglichkeit und allen Folgerungen, die daraus zu ziehen sein möchten, vorhergeht. Aber dieser Umstand läßt sich auch aus dem kurz vorher Angeführten gar wohl erklären; weil praktische reine Vernunft notwendig von Grundsätzen anfangen muß, die also aller Wissenschaft, als erste | Data, zum Grunde gelegt werden müssen, und nicht allererst aus ihr entspringen können. Diese Rechtfertigung der moralischen Prinzipien, als Grundsätze einer

[1] Akad.-Ausg.: »konnte«.

reinen Vernunft, konnte aber auch darum gar wohl, und mit
gnugsamer Sicherheit, durch bloße Berufung auf das Urteil
des gemeinen Menschenverstandes geführet werden, weil
sich alles Empirische, was sich als Bestimmungsgrund des
Willens in unsere Maximen einschleichen möchte, durch das
Gefühl des Vergnügens oder Schmerzens, das ihm so fern,
als es Begierde erregt, notwendig anhängt, sofort kenntlich macht, diesem aber jene reine praktische Vernunft
geradezu widersteht, es in ihr Prinzip, als Bedingung, auf-
zunehmen. Die Ungleichartigkeit der Bestimmungsgründe
(der empirischen und rationalen) wird durch diese Wider-
strebung einer praktisch-gesetzgebenden Vernunft, wider
alle sich einmengende Neigung, durch eine eigentümliche
Art von Empfindung, welche aber nicht vor der Gesetzgebung der praktischen Vernunft vorhergeht, sondern vielmehr durch dieselbe allein und zwar als ein Zwang gewirkt
wird, nämlich durch das Gefühl einer Achtung, dergleichen
kein Mensch für Neigungen hat, sie mögen sein, welcher Art
sie wollen, wohl aber fürs Gesetz, so kenntlich gemacht und
so gehoben und hervorstechend, daß keiner, auch der gemeinste Menschenverstand, in einem vorgelegten Beispiele
nicht den Augenblick inne werden sollte, daß durch empi-
rische Grün|de des Wollens ihm zwar ihren Anreizen zu fol-
gen geraten, niemals aber einem anderen, als lediglich dem
reinen praktischen Vernunftgesetze, zu gehorchen zuge-
mutet werden könne.

Die Unterscheidung der Glückseligkeitslehre von der
Sittenlehre, in derer [1] ersteren empirische Prinzipien das
ganze Fundament, von der zweiten aber auch nicht den
mindesten Beisatz derselben ausmachen, ist nun in der Analytik der reinen praktischen Vernunft die erste und wichtig-
ste ihr obliegende Beschäftigung, in der sie so pünktlich,
ja, wenn es auch hieße, peinlich, verfahren muß, als je der
Geometer in seinem Geschäfte. Es kommt aber dem Philosophen, der hier (wie jederzeit im Vernunfterkenntnisse
durch bloße Begriffe, ohne Konstruktion derselben) mit größerer Schwierigkeit zu kämpfen hat, weil er keine Anschau-

---

[1] Akad.-Ausg.: »deren«.

ung (reinem[1] Noumen) zum Grunde legen kann, doch auch zu statten: daß er, beinahe wie der Chemist, zu aller Zeit ein Experiment mit jedes Menschen praktischer Vernunft anstellen kann, um den moralischen (reinen) Bestimmungsgrund vom empirischen zu unterscheiden; wenn er nämlich zu dem empirisch-affizierten Willen (z. B. desjenigen, der gerne lügen möchte, weil er sich dadurch was erwerben kann) das moralische Gesetz (als Bestimmungsgrund) zusetzt. Es ist, als ob der Scheidekünstler der Solution der Kalkerde in Salzgeist Alkali zusetzt; der Salzgeist verläßt so fort den Kalk, vereinigt | sich mit dem Alkali, und jener wird zu Boden gestürzt. Eben so haltet dem, der sonst ein ehrlicher Mann ist (oder sich doch diesmal nur in Gedanken in die Stelle eines ehrlichen Mannes versetzt), das moralische Gesetz vor, an dem er die Nichtswürdigkeit eines Lügners erkennt, so fort verläßt seine praktische Vernunft (im Urteil über das, was von ihm geschehen sollte) den Vorteil, vereinigt sich mit dem, was ihm die Achtung für seine eigene Person erhält (der Wahrhaftigkeit), und der Vorteil wird nun von jedermann, nachdem er von allem Anhängsel der Vernunft (welche nur gänzlich auf der Seite der Pflicht ist) abgesondert und gewaschen worden, gewogen, um mit der Vernunft noch wohl in anderen Fällen in Verbindung zu treten, nur nicht, wo er dem moralischen Gesetze, welches die Vernunft niemals verläßt, sondern sich innigst damit vereinigt, zuwider sein könnte.

Aber diese Unterscheidung des Glückseligkeitsprinzips von dem der Sittlichkeit ist darum nicht so fort Entgegensetzung beider, und die reine praktische Vernunft will nicht, man solle die Ansprüche auf Glückseligkeit aufgeben, sondern nur, so bald von Pflicht die Rede ist, darauf gar nicht Rücksicht nehmen. Es kann sogar in gewissem Betracht Pflicht sein, für seine Glückseligkeit zu sorgen; teils weil sie (wozu Geschicklichkeit, Gesundheit, Reichtum gehört) Mittel zu Erfüllung seiner Pflicht enthält, teils weil der Mangel derselben | (z. B. Armut) Versuchungen enthält, seine Pflicht zu übertreten. Nur, seine Glückseligkeit zu be-

---

[1] Akad.-Ausg. erwägt: »von einem«.

fördern, kann unmittelbar niemals Pflicht, noch weniger ein Prinzip aller Pflicht sein. Da nun alle Bestimmungsgründe des Willens, außer dem einigen reinen praktischen Vernunftgesetze (dem moralischen), insgesamt empirisch sind, als solche also zum Glückseligkeitsprinzip gehören, so müssen sie insgesamt vom obersten sittlichen Grundsatze abgesondert, und ihm nie als Bedingung einverleibt werden, weil dieses eben so sehr allen sittlichen Wert, als empirische Beimischung zu geometrischen Grundsätzen alle mathematische Evidenz, das Vortrefflichste, was (nach Platos Urteile) die Mathematik an sich hat, und das selbst allem Nutzen derselben vorgeht, aufheben würde.

Statt der Deduktion des obersten Prinzips der reinen praktischen Vernunft, d. i. der Erklärung der Möglichkeit einer dergleichen Erkenntnis a priori, konnte aber nichts weiter angeführt werden, als daß, wenn man die Möglichkeit der Freiheit einer wirkenden Ursache einsähe, man auch, nicht etwa bloß die Möglichkeit, sondern gar die Notwendigkeit des moralischen Gesetzes, als obersten praktischen Gesetzes vernünftiger Wesen, denen man Freiheit der Kausalität ihres Willens beilegt, einsehen würde; weil beide Begriffe so unzertrennlich verbunden sind, daß man praktische Freiheit auch durch Unabhängigkeit des Willens, von jedem ande|ren, außer allein dem moralischen Gesetze, definieren könnte. Allein die Freiheit einer wirkenden Ursache, vornehmlich in der Sinnenwelt, kann ihrer Möglichkeit nach keinesweges eingesehen werden; glücklich! wenn wir nur, daß kein Beweis ihrer Unmöglichkeit stattfindet, hinreichend versichert werden können, und nun, durchs moralische Gesetz, welches dieselbe postuliert, genötigt, eben dadurch auch berechtigt werden, sie anzunehmen. Weil es indessen noch viele gibt, welche diese Freiheit noch immer glauben nach empirischen Prinzipien, wie jedes andere Naturvermögen, erklären zu können, und sie als psychologische Eigenschaft, deren Erklärung lediglich auf einer genaueren Untersuchung der Natur der Seele und der Triebfeder des Willens ankäme, nicht als transzendentales Prädikat der Kausalität eines Wesens, das zur Sinnenwelt gehört (wie es doch hierauf wirklich allein ankommt), betrachten, und so die herrliche Eröffnung, die uns durch reine praktische Vernunft vermittelst des moralischen Gesetzes widerfährt, nämlich die Eröffnung einer intelligibelen Welt, durch Realisierung des sonst transzendenten Begriffs der Freiheit und hiemit das moralische Gesetz selbst, welches durchaus keinen empirischen Bestimmungsgrund annimmt, aufheben: so wird es nötig sein, hier noch etwas zur Verwahrung wider dieses Blendwerk, und der Darstellung des Empirismus in der ganzen Blöße seiner Seichtigkeit anzuführen.

| Der Begriff der Kausalität, als Naturnotwendigkeit, zum Unterschiede derselben, als Freiheit, betrifft nur die Existenz der Dinge, so fern sie in der Zeit bestimmbar ist, folglich als Erscheinungen, im Gegensatze ihrer Kausalität, als Dinge an sich selbst. Nimmt man nun die Bestimmungen der Existenz der Dinge in der Zeit für Bestimmungen der Dinge an sich selbst (welches die gewöhnlichste Vorstellungsart ist), so läßt sich die Notwendigkeit in[1] Kausalverhältnisse mit der Freiheit auf keinerlei Weise vereinigen; sondern sie sind einander kontradiktorisch entgegengesetzt. Denn aus der ersteren folgt: daß eine jede Begebenheit, folglich auch jede Handlung, die in einem Zeitpunkte vorgeht, unter der Bedingung dessen, was in der vorhergehenden Zeit war, notwendig sei. Da nun die vergangene Zeit nicht mehr in meiner Gewalt ist, so muß jede Handlung, die ich ausübe, durch bestimmende Gründe, die nicht in meiner Gewalt sein[2], notwendig sein, d.i. ich bin in dem Zeitpunkte, darin ich handle, niemals frei. Ja, wenn ich gleich mein ganzes Dasein als unabhängig von irgend einer fremden Ursache (etwa von Gott) annähme, so daß die Bestimmungsgründe meiner Kausalität, so gar meiner ganzen Existenz, gar nicht außer mir wären: so würde dieses jene Naturnotwendigkeit doch nicht im mindesten in Freiheit verwandeln. Denn in jedem Zeitpunkte stehe ich doch immer unter der Notwendigkeit, durch das zum | Handeln bestimmt zu sein, was nicht in meiner Gewalt ist,

[1] Akad.-Ausg.: »im«. – [2] Akad.-Ausg.: »sind«.

und die a parte priori unendliche Reihe der Begebenheiten, die ich immer nur, nach einer schon vorherbestimmten Ordnung, fortsetzen, nirgend von selbst anfangen würde, wäre eine stetige Naturkette, meine Kausalität also niemals Freiheit.

Will man also einem Wesen, dessen Dasein in der Zeit bestimmt ist, Freiheit beilegen: so kann man es, so fern wenigstens, vom Gesetze der Naturnotwendigkeit aller Begebenheiten in seiner Existenz, mithin auch seiner Handlungen, nicht ausnehmen; denn das wäre so viel, als es dem blinden Ungefähr übergeben. Da dieses Gesetz aber unvermeidlich alle Kausalität der Dinge, so fern ihr Dasein in der Zeit bestimmbar ist, betrifft, so würde, wenn dieses die Art wäre, wornach man sich auch das Dasein dieser Dinge an sich selbst vorzustellen hätte, die Freiheit, als ein nichtiger und unmöglicher Begriff verworfen werden müssen. Folglich, wenn man sie noch retten will, so bleibt kein Weg übrig, als das Dasein eines Dinges, so fern es in der Zeit bestimmbar ist, folglich auch die Kausalität nach dem Gesetze der Naturnotwendigkeit, bloß der Erscheinung, die Freiheit aber eben demselben Wesen, als Dinge an sich selbst, beizulegen. So ist es allerdings unvermeidlich, wenn man beide einander widerwärtige Begriffe zugleich erhalten will; allein in der Anwendung, wenn man sie als in einer und derselben Handlung ver|einigt, und also diese Vereinigung selbst erklären will, tun sich doch große Schwierigkeiten hervor, die eine solche Vereinigung untunlich zu machen scheinen.

Wenn ich von einem Menschen, der einen Diebstahl verübt, sage: diese Tat sei nach dem Naturgesetze der Kausalität aus den Bestimmungsgründen der vorhergehenden Zeit ein notwendiger Erfolg, so war es unmöglich, daß sie hat unterbleiben können; wie kann denn die Beurteilung nach dem moralischen Gesetze hierin eine Änderung machen, und voraussetzen, daß sie doch habe unterlassen werden können, weil das Gesetz sagt, sie hätte unterlassen werden sollen, d.i. wie kann derjenige, in demselben Zeitpunkte, in Absicht auf dieselbe Handlung, ganz frei heißen, in welchem, und in derselben Absicht, er doch unter einer unvermeidlichen Naturnotwendigkeit steht? Eine Ausflucht darin suchen, daß man bloß die Art der Bestimmungsgründe seiner Kausalität nach dem Naturgesetze einem komparativen Begriffe von Freiheit anpaßt (nach welchem das bisweilen freie Wirkung heißt, davon der bestimmende Naturgrund innerlich im wirkenden Wesen liegt, z. B. das, was ein geworfener Körper verrichtet, wenn er in freier Bewegung ist, da man das Wort Freiheit braucht, weil er, während daß er im Fluge ist, nicht von außen wodurch getrieben wird, oder wie wir die Bewegung einer Uhr auch eine freie Bewegung nennen, weil sie ihren Zeiger selbst treibt, der also | nicht äußerlich geschoben werden darf, eben so die Handlungen des Menschen, ob sie gleich, durch ihre Bestimmungsgründe, die in der Zeit vorhergehen, notwendig sind, dennoch frei nennen, weil es doch innere durch unsere eigene Kräfte hervorgebrachte Vorstellungen, dadurch nach veranlassenden Umständen erzeugte Begierden und mithin nach unserem eigenen Belieben bewirkte Handlungen sind), ist ein elender Behelf, womit sich noch immer einige hinhalten lassen, und so jenes schwere Problem mit einer kleinen Wortklauberei aufgelöset zu haben meinen, an dessen Auflösung Jahrtausende vergeblich gearbeitet haben, die daher wohl schwerlich so ganz auf der Oberfläche gefunden werden dürfte. Es kommt nämlich bei der Frage nach derjenigen Freiheit, die allen moralischen Gesetzen und der ihnen gemäßen Zurechnung zum Grunde gelegt werden muß, darauf gar nicht an, ob die nach einem Naturgesetze bestimmte Kausalität durch Bestimmungsgründe, die im Subjekte, oder außer ihm liegen, und im ersteren Fall, ob sie durch Instinkt oder mit Vernunft gedachte Bestimmungsgründe notwendig sei; wenn diese bestimmende Vorstellungen, nach dem Geständnisse eben dieser Männer selbst, den Grund ihrer Existenz doch in der Zeit und zwar dem vorigen Zustande haben, dieser aber wieder in einem vorhergehenden etc., so mögen sie, diese Bestimmungen, immer innerlich sein, sie mögen psychologische und nicht mechanische Kausalität haben, | d. i. durch Vorstellungen, und nicht durch körperliche Bewegung, Handlung hervorbringen, so sind es immer Bestimmungsgründe der Kausalität eines Wesens, so fern sein Dasein in der Zeit bestimmbar ist, mithin unter notwendig machenden Bedingungen der vergangenen Zeit, die also, wenn das Subjekt handeln soll, nicht mehr in seiner Gewalt sind, die also zwar psychologische Freiheit (wenn man ja dieses Wort von einer bloß inneren Verkettung der Vorstellungen der Seele brauchen will), aber doch Naturnotwendigkeit bei sich führen, mithin keine transzendentale Freiheit übrig lassen, welche als Unabhängigkeit von allem Empirischen und also von der Natur überhaupt gedacht werden muß, sie mag nun[1] Gegenstand des inneren Sinnes, bloß in der Zeit, oder auch äußeren Sinne, im Raume und der Zeit zugleich betrachtet werden, ohne welche Freiheit (in der letzteren eigentlichen Bedeutung), die allein a priori praktisch ist, kein moralisch Gesetz, keine Zurechnung nach demselben, möglich ist. Eben um deswillen kann man auch alle Notwendigkeit der Begebenheiten in der Zeit, nach dem Naturgesetze der Kausalität, den Mechanismus der Natur nennen, ob man gleich darunter nicht versteht, daß Dinge, die ihm unterworfen sind, wirkliche materielle Maschinen sein müßten. Hier wird nur auf die Notwendigkeit der Verknüpfung der Begebenheiten in einer Zeitreihe, so wie sie sich nach dem Naturgesetze entwi|ckelt, gesehen, man mag nun das Subjekt, in welchem dieser Ablauf geschieht, automaton materiale, da das Maschinenwesen durch Materie, oder mit Leibnizen spirituale, da es durch Vorstellungen betrieben wird, nennen, und wenn die Freiheit unseres Willens keine andere als die letztere (etwa die psychologische und komparative, nicht transzendentale, d.i. absolute zugleich) wäre, so würde sie im Grunde nichts besser, als die Freiheit eines Bratenwenders sein, der auch, wenn er einmal aufgezogen worden, von selbst seine Bewegungen verrichtet.

Um nun den scheinbaren Widerspruch zwischen Naturmechanismus und Freiheit in ein und derselben Handlung an dem vorgelegten Falle aufzuheben, muß man sich an das

[1] Akad.-Ausg.: »nun als«.

erinnern, was in der Kritik der reinen Vernunft gesagt war, oder daraus folgt: daß die Naturnotwendigkeit, welche mit der Freiheit des Subjekts nicht zusammen bestehen kann, bloß den Bestimmungen desjenigen Dinges anhängt, das unter Zeitbedingungen steht, folglich nur dem[1] des handelnden Subjekts als Erscheinung, daß also so fern die Bestimmungsgründe einer jeden Handlung desselben in demjenigen liegen, was zur vergangenen Zeit gehört, und nicht mehr in seiner Gewalt ist (wozu auch seine schon begangene Taten, und der ihm dadurch bestimmbare Charakter in seinen eigenen Augen, als Phänomens, gezählt werden müssen). Aber ebendas|selbe Subjekt, das sich anderseits auch seiner, als Dinges an sich selbst, bewußt ist, betrachtet auch sein Dasein, so fern es nicht unter Zeitbedingungen steht, sich selbst aber nur als bestimmbar durch Gesetze, die es sich durch Vernunft selbst gibt, und in diesem seinem Dasein ist ihm nichts vorhergehend vor seiner Willensbestimmung, sondern jede Handlung, und überhaupt jede dem innern Sinne gemäß wechselnde Bestimmung seines Daseins, selbst die ganze Reihenfolge seiner Existenz, als Sinnenwesen, ist im Bewußtsein seiner intelligibelen Existenz nichts als Folge, niemals aber als Bestimmungsgrund seiner Kausalität, als Noumens, anzusehen. In diesem Betracht nun kann das vernünftige Wesen, von einer jeden gesetzwidrigen Handlung, die es verübt, ob sie gleich, als Erscheinung, in dem Vergangenen hinreichend bestimmt, und so fern unausbleiblich notwendig ist, mit Recht sagen, daß er sie hätte unterlassen können; denn sie, mit allem Vergangenen, das sie bestimmt, gehört zu einem einzigen Phänomen seines Charakters, den er sich selbst verschafft, und nach welchem er sich, als einer von aller Sinnlichkeit unabhängigen Ursache, die Kausalität jener Erscheinungen selbst zurechnet.

Hiemit stimmen auch die Richtersprüche desjenigen wundersamen Vermögens in uns, welches wir Gewissen nennen, vollkommen überein. Ein Mensch mag künsteln, soviel als er will, um ein gesetzwidri|ges Betragen, dessen er sich

[1] Akad.-Ausg.: »denen«.

erinnert, sich als unvorsätzliches Versehen, als bloße Unbe-
hutsamkeit, die man niemals gänzlich vermeiden kann, folglich als etwas, worin er vom Strom der Naturnotwendigkeit
fortgerissen wäre, vorzumalen und sich darüber für schuld-
frei zu erklären, so findet er doch, daß der Advokat, der zu
seinem Vorteil spricht, den Ankläger in ihm keinesweges
zum Verstummen bringen könne, wenn er sich bewußt ist,
daß er zu der Zeit, als er das Unrecht verübte, nur bei Sin-
nen, d. i. im Gebrauche seiner Freiheit war, und gleichwohl
erklärt er sich sein Vergehen, aus gewisser übeln, durch
allmähliche Vernachlässigung der Achtsamkeit auf sich
selbst zugezogener Gewohnheit, bis auf den Grad, daß er es
als eine natürliche Folge derselben ansehen kann, ohne daß
dieses ihn gleichwohl wider den Selbsttadel und den Ver-
weis sichern kann, den er sich selbst macht. Darauf gründet
sich denn auch die Reue über eine längst begangene Tat bei
jeder Erinnerung derselben; eine schmerzhafte, durch moralische Gesinnung gewirkte Empfindung, die so fern praktisch leer ist, als sie nicht dazu dienen kann, das Geschehene
ungeschehen zu machen, und sogar ungereimt sein würde
(wie Priestley, als ein echter, konsequent verfahrender
Fatalist, sie auch dafür erklärt, und in Ansehung welcher
Offenherzigkeit er mehr Beifall verdient, als diejenige, welche, indem sie den Mechanism des Willens in der Tat, die
|Freiheit desselben aber mit Worten behaupten, noch immer
dafür gehalten sein wollen, daß sie jene, ohne doch die Möglichkeit einer solchen Zurechnung begreiflich zu machen, in
ihrem synkretistischen System mit einschließen), aber, als
Schmerz, doch ganz rechtmäßig ist, weil die Vernunft, wenn
es auf das Gesetz unserer intelligibelen Existenz (das moralische) ankommt, keinen Zeitunterschied anerkennt, und nur
frägt, ob die Begebenheit mir als Tat angehöre, alsdenn aber
immer dieselbe Empfindung damit moralisch verknüpft,
sie mag jetzt geschehen, oder vorlängst geschehen sein.
Denn das Sinnenleben hat in Ansehung des intelligibelen Bewußtseins seines Daseins (der Freiheit) absolute
Einheit eines Phänomens, welches, so fern es bloß Erscheinungen von der Gesinnung, die das moralische Gesetz an-

geht (von dem Charakter), enthält, nicht nach der Naturnotwendigkeit, die ihm als Erscheinung zukommt, sondern
nach der absoluten Spontaneität der Freiheit beurteilt werden muß. Man kann also einräumen, daß, wenn es für uns
möglich wäre, in eines Menschen Denkungsart, so wie sie
sich durch innere sowohl als äußere Handlungen zeigt, so
tiefe Einsicht zu haben, daß jede, auch die mindeste Triebfeder dazu uns bekannt würde, imgleichen alle auf diese wirkende äußere Veranlassungen, man eines Menschen Verhalten auf die Zukunft mit Gewißheit, so wie eine Mond- oder
Sonnenfinsternis, ausrechnen könnte, und dennoch | dabei
behaupten, daß der Mensch frei sei. Wenn wir nämlich noch
eines andern Blicks (der uns aber freilich gar nicht verliehen
ist, sondern an dessen Statt wir nur den Vernunftbegriff
haben), nämlich einer intellektuellen Anschauung desselben
Subjekts fähig wären, so würden wir doch inne werden, daß
diese ganze Kette von Erscheinungen in Ansehung dessen,
was nur immer das moralische Gesetz angehen kann, von
der Spontaneität des Subjekts, als Dinges an sich selbst, abhängt, von deren Bestimmung sich gar keine physische Erklärung geben läßt. In Ermangelung dieser Anschauung
versichert uns das moralische Gesetz diesen Unterschied der
Beziehung unserer Handlungen, als Erscheinungen, auf das
Sinnenwesen unseres Subjekts, von derjenigen, dadurch dieses Sinnenwesen selbst auf das intelligibele Substrat in uns
bezogen wird. − In dieser Rücksicht, die unserer Vernunft
natürlich, obgleich unerklärlich ist, lassen sich auch Be-
urteilungen rechtfertigen, die, mit aller Gewissenhaftigkeit
gefället, dennoch dem ersten Anscheine nach aller Billigkeit
ganz zu widerstreiten scheinen. Es gibt Fälle, wo Menschen
von Kindheit auf, selbst unter einer Erziehung, die, mit der
ihrigen zugleich, andern ersprießlich war, dennoch so frühe
Bosheit zeigen, und so bis in ihre Mannesjahre zu steigen
fortfahren, daß man sie für geborne Bösewichter, und gänzlich, was die Denkungsart betrifft, für unbesserlich hält,
gleichwohl aber sie wegen | ihres Tuns und Lassens eben so
richtet, ihnen ihre Verbrechen eben so als Schuld verweiset,
ja sie (die Kinder) selbst diese Verweise so ganz gegründet

finden, als ob sie, ungeachtet der ihnen beigemessenen hoff-
nungslosen Naturbeschaffenheit ihres Gemüts, eben so ver-
antwortlich blieben, als jeder andere Mensch. Dieses würde
nicht geschehen können, wenn wir nicht voraussetzten, daß
alles, was aus seiner Willkür entspringt (wie ohne Zweifel
jede vorsätzlich verübte Handlung), eine freie Kausalität
zum Grunde habe, welche von der frühen Jugend an ihren
Charakter in ihren Erscheinungen (den Handlungen) ausdrückt, die wegen der Gleichförmigkeit des Verhaltens einen
Naturzusammenhang kenntlich machen, der aber nicht die
arge Beschaffenheit des Willens notwendig macht, sondern
vielmehr die Folge der freiwillig angenommenen bösen und
unwandelbaren Grundsätze ist, welche ihn nur noch um
desto verwerflicher und strafwürdiger machen.

Aber noch steht eine Schwierigkeit der Freiheit bevor,
so fern sie mit dem Naturmechanism, in einem Wesen, das
zur Sinnenwelt gehört, vereinigt werden soll. Eine Schwierigkeit, die, selbst nachdem alles Bisherige eingewilligt worden, der Freiheit dennoch mit ihrem gänzlichen Untergange
droht. Aber bei dieser Gefahr gibt ein Umstand doch zugleich Hoffnung zu einem für die Behauptung der Freiheit
noch glück|lichen Ausgange, nämlich daß dieselbe Schwie-
rigkeit viel stärker (in der Tat, wie wir bald sehen werden,
allein) das System drückt, in welchem die in Zeit und Raum
bestimmbare Existenz für die Existenz der Dinge an sich
selbst gehalten wird, sie uns also nicht nötigt, unsere vornehmste Voraussetzung von der Idealität der Zeit, als bloßer Form sinnlicher Anschauung, folglich als bloßer Vorstellungsart, die dem Subjekte als zur Sinnenwelt gehörig eigen
ist, abzugehen, und also nur erfodert, sie mit dieser Idee
zu vereinigen.

Wenn man uns nämlich auch einräumt, daß das intelligibele Subjekt in Ansehung einer gegebenen Handlung noch
frei sein kann, obgleich es als Subjekt, das auch zur Sinnenwelt gehörig, in Ansehung derselben mechanisch bedingt ist,
so scheint es doch, man müsse, so bald man annimmt, Gott,
als allgemeines Urwesen, sei die Ursache auch der Existenz der Substanz (ein Satz, der niemals aufgegeben

werden darf, ohne den Begriff von Gott als Wesen aller Wesen, und hiemit seine Allgenugsamkeit, auf die alles in der Theologie ankommt, zugleich mit aufzugeben), auch einräumen: Die Handlungen des Menschen haben in demjenigen ihren bestimmenden Grund, was gänzlich außer ihrer Gewalt ist, nämlich in der Kausalität eines von ihm unterschiedenen höchsten Wesens, von welchem das Dasein des erstern, und die ganze Bestimmung seiner Kausalität ganz und gar abhängt. In | der Tat: wären die Handlungen des Menschen, so wie sie zu seinen Bestimmungen in der Zeit gehören, nicht bloße Bestimmungen desselben als Erscheinung, sondern als Dinges an sich selbst, so würde die Freiheit nicht zu retten sein. Der Mensch wäre Marionette, oder ein Vaucansonsches Automat, gezimmert und aufgezogen von dem obersten Meister aller Kunstwerke, und das Selbstbewußtsein würde es zwar zu einem denkenden Automate machen, in welchem aber das Bewußtsein seiner Spontaneität, wenn sie für Freiheit gehalten wird, bloße Täuschung wäre, indem sie nur komparativ so genannt zu werden verdient, weil die nächsten bestimmenden Ursachen seiner Bewegung, und eine lange Reihe derselben zu ihren bestimmenden Ursachen hinauf, zwar innerlich sind, die letzte und höchste aber doch gänzlich in einer fremden Hand angetroffen wird. Daher sehe ich nicht ab, wie diejenige, welche noch immer dabei beharren, Zeit und Raum für zum Dasein der Dinge an sich selbst gehörige Bestimmungen anzusehen, hier die Fatalität der Handlungen vermeiden wollen, oder, wenn sie so geradezu (wie der sonst scharfsinnige Mendelssohn tat) beide nur als zur Existenz endlicher und abgeleiteter Wesen, aber nicht zu der des unendlichen Urwesens notwendig gehörige Bedingungen einräumen, sich rechtfertigen wollen, woher sie diese Befugnis nehmen, einen solchen Unterschied zu machen, sogar wie sie auch nur dem Wi|derspruche ausweichen wollen, den sie begehen, wenn sie das Dasein in der Zeit als den endlichen Dingen an sich notwendig anhängende Bestimmung ansehen, da Gott die Ursache dieses Daseins ist, er aber doch nicht die Ursache der Zeit (oder des Raums) selbst sein kann (weil diese als notwendige Bedingung a priori dem Dasein der Dinge vorausgesetzt sein muß), seine Kausalität folglich in Ansehung der Existenz dieser Dinge, selbst der Zeit nach, bedingt sein muß, wobei nun alle die Widersprüche gegen die Begriffe seiner Unendlichkeit und Unabhängigkeit unvermeidlich eintreten müssen. Hingegen ist es uns ganz leicht, die Bestimmung der göttlichen Existenz, als unabhängig von allen Zeitbedingungen, zum Unterschiede von der eines Wesens der Sinnenwelt, als die Existenz eines Wesens an sich selbst, von der eines Dinges in der Erscheinung zu unterscheiden. Daher, wenn man jene Idealität der Zeit und des Raums nicht annimmt, nur allein der Spinozism übrig bleibt, in welchem Raum und Zeit wesentliche Bestimmungen des Urwesens selbst sind, die von ihm abhängige Dinge aber (also auch wir selbst) nicht Substanzen, sondern bloß ihm inhärierende Akzidenzen sind; weil, wenn diese Dinge bloß, als seine Wirkungen, in der Zeit existieren, welche die Bedingung ihrer Existenz an sich wäre, auch die Handlungen dieser Wesen bloß seine Handlungen sein müßten, die er irgendwo und irgendwann ausübte. Daher schließt | der Spinozism, unerachtet der Ungereimtheit seiner Grundidee, doch weit bündiger, als es nach der Schöpfungstheorie geschehen kann, wenn die für Substanzen angenommene und an sich in der Zeit existierende Wesen Wirkungen[1] einer obersten Ursache, und doch nicht zugleich zu ihm und seiner Handlung[2], sondern für sich als Substanzen angesehen werden.

Die Auflösung obgedachter Schwierigkeit geschieht, kurz und einleuchtend, auf folgende Art: Wenn die Existenz in der Zeit eine bloße sinnliche Vorstellungsart der denkenden Wesen in der Welt ist, folglich sie, als Dinge an sich selbst, nicht angeht: so ist die Schöpfung dieser Wesen eine Schöpfung der Dinge an sich selbst; weil der Begriff einer Schöpfung nicht zu der sinnlichen Vorstellungsart der Existenz und zur Kausalität gehört, sondern nur auf Noumenen bezogen werden kann. Folglich, wenn ich von Wesen in der

---

[1] Akad.-Ausg.: »als Wirkungen«. – [2] Akad.-Ausg.: »Handlung gehörig«.

Sinnenwelt sage: sie sind erschaffen; so betrachte ich sie so fern als Noumenen. So, wie es also ein Widerspruch wäre, zu sagen, Gott sei ein Schöpfer von Erscheinungen, so ist es auch ein Widerspruch, zu sagen, er sei, als Schöpfer, Ursache der Handlungen in der Sinnenwelt, mithin als Erscheinungen, wenn er gleich Ursache des Daseins der handelnden Wesen (als Noumenen) ist. Ist es nun möglich (wenn wir nur das Dasein in der Zeit für etwas, was bloß von Erscheinungen, nicht von Dingen an sich selbst gilt, annehmen), die Freiheit, unbeschadet | dem Naturmechanism der Handlungen als Erscheinungen, zu behaupten, so kann, daß die handelnden Wesen Geschöpfe sind, nicht die mindeste Änderung hierin machen, weil die Schöpfung ihre intelligibele, aber nicht sensibele Existenz betrifft, und also nicht als Bestimmungsgrund der Erscheinungen angesehen werden kann; welches aber ganz anders ausfallen würde, wenn die Weltwesen als Dinge an sich selbst in der Zeit existierten, da der Schöpfer der Substanz zugleich der Urheber des ganzen Maschinenwesens an dieser Substanz sein würde.

Von so großer Wichtigkeit ist die in der Krit. der r. spek. V. verrichtete Absonderung der Zeit (so wie des Raums) von der Existenz der Dinge an sich selbst.

Die hier vorgetragene Auflösung der Schwierigkeit hat aber, wird man sagen, doch viel Schweres in sich, und ist einer hellen Darstellung kaum empfänglich. Allein, ist denn jede andere, die man versucht hat, oder versuchen mag, leichter und faßlicher? Eher möchte man sagen, die dogmatischen Lehrer der Metaphysik hätten mehr ihre Verschmitztheit als Aufrichtigkeit darin bewiesen, daß sie diesen schwierigen Punkt, so weit wie möglich, aus den Augen brachten, in der Hoffnung, daß, wenn sie davon gar nicht sprächen, auch wohl niemand leichtlich an ihn denken würde. Wenn einer Wissenschaft geholfen werden soll, so müssen alle Schwierigkeiten aufgedecket und sogar diejenigen aufgesucht wer|den, die ihr noch so in geheim im Wege liegen; denn jede derselben ruft ein Hülfsmittel auf, welches, ohne der Wissenschaft einen Zuwachs, es sei an Umfang, oder an Bestimmtheit, zu verschaffen, nicht gefunden werden kann, wodurch also selbst die Hindernisse Beförderungsmittel der Gründlichkeit der Wissenschaft werden. Dagegen, werden die Schwierigkeiten absichtlich verdeckt, oder bloß durch Palliativmittel gehoben, so brechen sie, über kurz oder lang, in unheilbare Übel aus, welche die Wissenschaft in einem gänzlichen Skeptizism zu Grunde richten.

\* \* \*

Da es eigentlich der Begriff der Freiheit ist, der, unter allen Ideen der reinen spekulativen Vernunft, allein so große Erweiterung im Felde des Übersinnlichen, wenn gleich nur in Ansehung des praktischen Erkenntnisses verschafft, so frage ich mich: woher denn ihm ausschließungsweise eine so große Fruchtbarkeit zu Teil geworden sei, indessen die übrigen zwar die leere Stelle für reine mögliche Verstandeswesen bezeichnen, den Begriff von ihnen aber durch nichts bestimmen können. Ich begreife bald, daß, da ich nichts ohne Kategorie denken kann, diese auch in der Idee der Vernunft von der Freiheit, mit der ich mich beschäftige, zuerst müsse aufgesucht werden, welche hier die Kategorie der Kausalität ist, und daß ich, wenn[1] gleich dem Vernunftbegriffe der Freiheit, | als überschwenglichem Begriffe, keine korrespondierende Anschauung untergelegt werden kann, dennoch dem Verstandesbegriffe (der Kausalität), für dessen Synthesis jener das Unbedingte fodert, zuvor eine sinnliche Anschauung gegeben werden müsse, dadurch ihm zuerst die objektive Realität gesichert wird. Nun sind alle Kategorien in zwei Klassen, die mathematische, welche bloß auf die Einheit der Synthesis in der Vorstellung der Objekte, und die dynamische, welche auf die in der Vorstellung der Existenz der Objekte gehen, eingeteilt. Die erstere (die der Größe und der Qualität) enthalten jederzeit eine Synthesis des Gleichartigen, in welcher das Unbedingte, zu dem in der sinnlichen Anschauung gegebenen Bedingten in Raum und Zeit, da es selbst wiederum zum Raume und der Zeit gehören, und also

[1] Akad.-Ausg.: »daß, wenn«.

immer wieder unbedingt sein mußte[1], gar nicht kann gefunden werden; daher auch in der Dialektik der reinen theoretischen Vernunft die einander entgegengesetzte Arten, das Unbedingte und die Totalität der Bedingungen für sie zu finden, beide falsch waren. Die Kategorien der zweiten Klasse (die der Kausalität und der Notwendigkeit eines Dinges) erforderten diese Gleichartigkeit (des Bedingten und der Bedingung in der Synthesis) gar nicht, weil hier nicht die Anschauung, wie sie aus einem Mannigfaltigen in ihr zusammengesetzt, sondern nur, wie die Existenz des ihr korrespondierenden bedingten Gegenstandes zu der Existenz der Bedingung | (im Verstande als damit verknüpft) hinzukomme, vorgestellt werden solle[2], und da war es erlaubt, zu dem durchgängig Bedingten in der Sinnenwelt (so wohl in Ansehung der Kausalität als des zufälligen Daseins der Dinge selbst) das Unbedingte, obzwar übrigens unbestimmt, in der intelligibelen Welt zu setzen, und die Synthesis transzendent zu machen; daher denn auch in der Dialektik der r. spek. V. sich fand, daß beide, dem Scheine nach, einander entgegengesetzte Arten, das Unbedingte zum Bedingten zu finden, z. B. in der Synthesis der Kausalität zum Bedingten, in der Reihe der Ursachen und Wirkungen der Sinnenwelt, die Kausalität, die weiter nicht sinnlich bedingt ist, zu denken, sich in der Tat nicht widerspreche, und daß dieselbe Handlung, die, als zur Sinnenwelt gehörig, jederzeit sinnlich bedingt, d. i. mechanisch-notwendig ist, doch zugleich auch, als zur Kausalität des handelnden Wesens, so fern es zur intelligibelen Welt gehörig ist, eine sinnlich unbedingte Kausalität zum Grunde haben, mithin als frei gedacht werden könne. Nun kam es bloß darauf an, daß dieses Können in ein Sein verwandelt würde, d. i., daß man in einem wirklichen Falle, gleichsam durch ein Faktum, beweisen könne: daß gewisse Handlungen eine solche Kausalität (die intellektuelle, sinnlich unbedingte) voraussetzen, sie mögen nun wirklich, oder auch nur geboten, d. i. objektiv praktisch notwendig sein. An wirklich in der Erfahrung

---

[1] Akad.-Ausg.: »wiederum bedingt sein müßte«. – [2] Akad.-Ausg.: »sollte«.

gegebenen Hand|lungen, als Begebenheiten der Sinnenwelt, konnten wir diese Verknüpfung nicht anzutreffen hoffen, weil die Kausalität durch Freiheit immer außer der Sinnenwelt im Intelligibelen gesucht werden muß. Andere Dinge, außer den Sinnenwesen, sind uns aber zur Wahrnehmung und Beobachtung nicht gegeben. Also blieb nichts übrig, als daß etwa ein unwidersprechlicher und zwar objektiver Grundsatz der Kausalität, welcher alle sinnliche Bedingung von ihrer Bestimmung ausschließt, d. i. ein Grundsatz, in welchem die Vernunft sich nicht weiter auf etwas anderes als Bestimmungsgrund in Ansehung der Kausalität beruft, sondern den sie durch jenen Grundsatz schon selbst enthält, und wo sie also, als reine Vernunft, selbst praktisch ist, gefunden werde. Dieser Grundsatz aber bedarf keines Suchens und keiner Erfindung; er ist längst in aller Menschen Vernunft gewesen und ihrem Wesen einverleibt, und ist der Grundsatz der Sittlichkeit. Also ist jene unbedingte Kausalität und das Vermögen derselben, die Freiheit, mit dieser aber ein Wesen (ich selber), welches zur Sinnenwelt gehört, doch zugleich als zur intelligibelen gehörig nicht bloß unbestimmt und problematisch gedacht (welches schon die spekulative Vernunft als tunlich ausmitteln konnte), sondern sogar in Ansehung des Gesetzes ihrer Kausalität bestimmt und assertorisch erkannt, und so uns die Wirklichkeit der intelligibelen Welt, und zwar in praktischer Rücksicht bestimmt, gegeben wor|den, und diese Bestimmung, die in theoretischer Absicht transzendent (überschwenglich) sein würde, ist in praktischer immanent. Dergleichen Schritt aber konnten wir in Ansehung der zweiten dynamischen Idee, nämlich der eines notwendigen Wesens nicht tun. Wir konnten zu ihm aus der Sinnenwelt, ohne Vermittelung der ersteren dyn. Idee, nicht hinauf kommen. Denn, wollten wir es versuchen, so müßten wir den Sprung gewagt haben, alles das, was uns gegeben ist, zu verlassen, und uns zu dem hinzuschwingen, wovon uns auch nichts gegeben ist, wodurch wir die Verknüpfung eines solchen intelligibelen Wesens mit der Sinnenwelt vermitteln könnten (weil das notwendige Wesen als außer uns gegeben erkannt werden sollte); welches dagegen in Ansehung unseres eignen Subjekts, so fern es sich durchs moralische Gesetz einerseits als intelligibeles Wesen (vermöge der Freiheit) bestimmt, andererseits als nach dieser Bestimmung in der Sinnenwelt tätig, selbst erkennt, wie jetzt der Augenschein dartut, ganz wohl möglich ist. Der einzige Begriff der Freiheit verstattet es, daß wir nicht außer uns hinausgehen dürfen, um das Unbedingte und Intelligibele zu dem Bedingten und Sinnlichen zu finden. Denn es ist unsere Vernunft selber, die sich durchs höchste und unbedingte praktische Gesetz, und das Wesen, das sich dieses Gesetzes bewußt ist (unsere eigene Person), als zur reinen Verstandeswelt gehörig, und zwar sogar mit Bestim|mung der Art, wie es als ein solches tätig sein könne, erkennt. So läßt sich begreifen, warum in dem ganzen Vernunftvermögen nur das Praktische dasjenige sein könne, welches uns über die Sinnenwelt hinaushilft, und Erkenntnisse von einer übersinnlichen Ordnung und Verknüpfung verschaffe, die aber eben darum freilich nur so weit, als es gerade für die reine praktische Absicht nötig ist, ausgedehnt werden können.

Nur auf eines sei es mir erlaubt bei dieser Gelegenheit noch aufmerksam zu machen, nämlich daß jeder Schritt, den man mit der reinen Vernunft tut, sogar im praktischen Felde, wo man auf subtile Spekulation gar nicht Rücksicht nimmt, dennoch sich so genau und zwar von selbst an alle Momente der Kritik der theoretischen Vernunft anschließe, als ob jeder mit überlegter Vorsicht, bloß um dieser Bestätigung zu verschaffen, ausgedacht wäre. Eine solche auf keinerlei Weise gesuchte, sondern (wie man sich selbst davon überzeugen kann, wenn man nur die moralischen Nachforschungen bis zu ihren Prinzipien fortsetzen will) sich von selbst findende, genaue Eintreffung der wichtigsten Sätze der praktischen Vernunft, mit denen oft zu subtil und unnötig scheinenden Bemerkungen der Kritik der spekulativen, überrascht und setzt in Verwunderung, und bestärkt die schon von andern erkannte und gepriesene Maxime, in jeder wissenschaftlichen Untersuchung mit aller möglichen Genauigkeit und Offenheit seinen Gang ungestört fortzuset-|

zen, ohne sich an das zu kehren, wowider sie außer ihrem
Felde etwa verstoßen möchte, sondern sie für sich allein,
so viel man kann, wahr und vollständig zu vollführen. Öftere Beobachtung hat mich überzeugt, daß, wenn man diese [1]
Geschäfte zu Ende gebracht hat, das, was in der Hälfte desselben, in Betracht anderer Lehren außerhalb, mir bisweilen
sehr bedenklich schien, wenn ich diese Bedenklichkeit nur
so lange aus den Augen ließ, und bloß auf mein Geschäft
Acht hatte, bis es vollendet sei, endlich auf unerwartete
Weise mit demjenigen vollkommen zusammenstimmte, was
sich ohne die mindeste Rücksicht auf jene Lehren, ohne
Parteilichkeit und Vorliebe für dieselbe, von selbst gefunden
hatte. Schriftsteller würden sich manche Irrtümer, manche
verlorne Mühe (weil sie auf Blendwerk gestellt war) ersparen,
wenn sie sich nur entschließen könnten, mit etwas mehr
Offenheit zu Werke zu gehen.

| ZWEITES BUCH

DIALEKTIK DER REINEN PRAKTISCHEN VERNUNFT

ERSTES HAUPTSTÜCK

VON EINER DIALEKTIK DER REINEN PRAKTISCHEN
VERNUNFT ÜBERHAUPT

Die reine Vernunft hat jederzeit ihre Dialektik, man mag
sie in ihrem spekulativen oder praktischen Gebrauche betrachten; denn sie verlangt die absolute Totalität der Bedingungen zu einem gegebenen Bedingten, und diese kann
schlechterdings nur in Dingen an sich selbst angetroffen
werden. Da aber alle Begriffe der Dinge auf Anschauungen
bezogen werden müssen, welche, bei uns Menschen, niemals
anders als sinnlich sein können, mithin die Gegenstände
nicht als Dinge an sich selbst, sondern bloß als Erscheinungen erkennen lassen, in deren Reihe des Bedingten und der
Bedingungen das Unbedingte niemals angetroffen werden
kann, so entspringt ein unvermeidlicher Schein aus der | An-
wendung dieser Vernunftidee der Totalität der Bedingun-

---

[1] Akad.-Ausg.: »dieses«.

gen (mithin des Unbedingten) auf Erscheinungen, als wären sie Sachen an sich selbst (denn dafür werden sie, in Ermangelung einer warnenden Kritik, jederzeit gehalten), der aber niemals als trüglich bemerkt werden würde, wenn er sich nicht durch einen Widerstreit der Vernunft mit sich selbst, in der Anwendung ihres Grundsatzes, das Unbedingte zu allem Bedingten vorauszusetzen, auf Erscheinungen, selbst verrieten[1]. Hiedurch wird aber die Vernunft genötigt, diesem Scheine nachzuspüren, woraus er entspringe, und wie er gehoben werden könne, welches nicht anders, als durch eine vollständige Kritik des ganzen reinen Vernunftvermögens, geschehen kann; so daß die Antinomie der reinen Vernunft, die in ihrer Dialektik offenbar wird, in der Tat die wohltätigste Verirrung ist, in die die menschliche Vernunft je hat geraten können, indem sie uns zuletzt antreibt, den Schlüssel zu suchen, aus diesem Labyrinthe herauszukommen, der, wenn er gefunden worden, noch das entdeckt, was man nicht suchte und doch bedarf, nämlich eine Aussicht in eine höhere, unveränderliche Ordnung der Dinge, in der wir schon jetzt sind, und in der unser Dasein der höchsten Vernunftbestimmung gemäß fortzusetzen wir durch bestimmte Vorschriften nunmehr angewiesen werden können.

| Wie im spekulativen Gebrauche der reinen Vernunft jene natürliche Dialektik aufzulösen, und der Irrtum, aus einem übrigens natürlichen Scheine, zu verhüten sei, kann man in der Kritik jenes Vermögens ausführlich antreffen. Aber der Vernunft in ihrem praktischen Gebrauche geht es um nichts besser. Sie sucht, als reine praktische Vernunft, zu dem praktisch-Bedingten (was auf Neigungen und Naturbedürfnis beruht) ebenfalls das Unbedingte, und zwar nicht als Bestimmungsgrund des Willens, sondern, wenn dieser auch (im moralischen Gesetze) gegeben worden, die unbedingte Totalität des Gegenstandes der reinen praktischen Vernunft, unter dem Namen des höchsten Guts.

Diese Idee praktisch-, d. i. für die Maxime unseres vernünftigen Verhaltens, hinreichend zu bestimmen, ist die

[1] Akad.-Ausg.: »verriete«.

Weisheitslehre, und diese wiederum, als Wissenschaft, ist Philosophie, in der Bedeutung, wie die Alten das Wort verstanden, bei denen sie eine Anweisung zu dem Begriffe war, worin das höchste Gut zu setzen, und zum Verhalten, durch welches es zu erwerben sei. Es wäre gut, wenn wir dieses Wort bei seiner alten Bedeutung ließen, als eine Lehre vom höchsten Gut, so fern die Vernunft bestrebt ist, es darin zur Wissenschaft zu bringen. Denn einesteils würde die angehängte einschränkende Bedingung dem griechischen Ausdrucke (welcher Liebe zur Weisheit bedeutet) angemessen und doch zugleich hinreichend sein, | die Liebe zur Wissenschaft, mithin aller spekulativen Erkenntnis der Vernunft, so fern sie ihr, sowohl zu jenem Begriffe, als auch dem praktischen Bestimmungsgrunde dienlich ist, unter dem Namen der Philosophie, mit zu befassen, und doch den Hauptzweck, um dessentwillen sie allein Weisheitslehre genannt werden kann, nicht aus den Augen verlieren lassen. Anderen Teils würde es auch nicht übel sein, den Eigendünkel desjenigen, der es wagte, sich des Titels eines Philosophen selbst anzumaßen, abzuschrecken, wenn man ihm schon durch die Definition den Maßstab der Selbstschätzung vorhielte, der seine Ansprüche sehr herabstimmen wird; denn ein Weisheitslehrer zu sein, möchte wohl etwas mehr, als einen Schüler bedeuten, der noch immer nicht weit genug gekommen ist, um sich selbst, vielweniger um andere, mit sicherer Erwartung eines so hohen Zwecks, zu leiten; es würde einen Meister in Kenntnis der Weisheit bedeuten, welches mehr sagen will, als ein bescheidener Mann sich selber anmaßen wird, und Philosophie würde, so wie die Weisheit, selbst noch immer ein Ideal bleiben, welches objektiv in der Vernunft allein vollständig vorgestellt wird, subjektiv aber, für die Person, nur das Ziel seiner unaufhörlichen Bestrebung ist, und in dessen Besitz, unter dem angemaßten Namen eines Philosophen, zu sein, nur der vorzugeben berechtigt ist, der auch die unfehlbare Wirkung derselben (in Beherrschung seiner selbst, | und dem ungezweifelten Interesse, das er vorzüglich am allgemeinen Guten nimmt) an seiner Person, als Beispiele, aufstellen kann, welches die Alten auch foderten, um jenen Ehrennamen verdienen zu können.

In Ansehung der Dialektik der reinen praktischen Vernunft, im Punkte der Bestimmung des Begriffs vom höchsten Gute (welche, wenn ihre Auflösung gelingt, eben sowohl, als die der theoretischen, die wohltätigste Wirkung erwarten läßt, dadurch daß die aufrichtig angestellte und nicht verhehlte Widersprüche der reinen praktischen Vernunft mit ihr selbst zur vollständigen Kritik ihres eigenen Vermögens nötigen), haben wir nur noch eine Erinnerung voranzuschicken.

Das moralische Gesetz ist der alleinige Bestimmungsgrund des reinen Willens. Da dieses aber bloß formal ist (nämlich, allein die Form der Maxime, als allgemein gesetzgebend, fodert), so abstrahiert es, als Bestimmungsgrund, von aller Materie, mithin von allem Objekte, des Wollens. Mithin mag das höchste Gut immer der ganze Gegenstand einer reinen praktischen Vernunft, d. i. eines reinen Willens sein, so ist es darum doch nicht für den Bestimmungsgrund desselben zu halten, und das moralische Gesetz muß allein als der Grund angesehen werden, jenes, und dessen Bewirkung oder Beförderung, sich zum Objekte zu machen. Diese Erinnerung ist in einem so delikaten | Falle, als die Bestimmung sittlicher Prinzipien ist, wo auch die kleinste Mißdeutung Gesinnungen verfälscht, von Erheblichkeit. Denn man wird aus der Analytik ersehen haben, daß, wenn man vor dem moralischen Gesetze irgend ein Objekt, unter dem Namen eines Guten, als Bestimmungsgrund des Willens annimmt, und von ihm denn das oberste praktische Prinzip ableitet, dieses alsdenn jederzeit Heteronomie herbeibringen und das moralische Prinzip verdrängen würde.

Es versteht sich aber von selbst, daß, wenn im Begriffe des höchsten Guts das moralische Gesetz, als oberste Bedingung, schon mit eingeschlossen ist, alsdenn das höchste Gut nicht bloß Objekt, sondern auch sein Begriff, und die Vorstellung der durch unsere praktische Vernunft möglichen Existenz desselben zugleich der Bestimmungsgrund des reinen Willens sei; weil alsdenn in der Tat das in diesem Be-

griffe schon eingeschlossene und mitgedachte moralische
Gesetz und kein anderer Gegenstand, nach dem Prinzip der
Autonomie, den Willen bestimmt. Diese Ordnung der Begriffe von der Willensbestimmung darf nicht aus den Augen
gelassen werden; weil man sonst sich selbst mißversteht und
sich zu widersprechen glaubt, wo doch alles in der vollkom-
mensten Harmonie neben einander steht.

| ZWEITES HAUPTSTÜCK

VON DER DIALEKTIK DER REINEN VERNUNFT
IN BESTIMMUNG DES BEGRIFFS
VOM HÖCHSTEN GUT

Der Begriff des Höchsten enthält schon eine Zweideu-
tigkeit, die, wenn man darauf nicht Acht hat, unnötige
Streitigkeiten veranlassen kann. Das Höchste kann das
Oberste (supremum) oder auch das Vollendete (consumma-
tum) bedeuten. Das erstere ist diejenige Bedingung, die
selbst unbedingt, d. i. keiner andern untergeordnet ist (ori-
ginarium); das zweite dasjenige Ganze, das kein Teil eines
noch größeren Ganzen von derselben Art ist (perfectissi-
mum). Daß Tugend (als die Würdigkeit glücklich zu sein)
die oberste Bedingung alles dessen, was uns nur wünschenswert scheinen mag, mithin auch aller unserer Bewerbung um Glückseligkeit, mithin das oberste Gut sei,
ist in der Analytik bewiesen worden. Darum ist sie aber
noch nicht das ganze und vollendete Gut, als Gegenstand
des Begehrungsvermögens vernünftiger endlicher Wesen;
denn, um das zu sein, wird auch Glückseligkeit dazu er-
fodert, und zwar nicht bloß in den | parteiischen Augen der
Person, die sich selbst zum Zwecke macht, sondern selbst
im Urteile einer unparteiischen Vernunft, die jene überhaupt
in der Welt als Zweck an sich betrachtet. Denn der Glückseligkeit bedürftig, ihrer auch würdig, dennoch aber derselben nicht teilhaftig zu sein, kann mit dem vollkommenen
Wollen eines vernünftigen Wesens, welches zugleich alle Gewalt hätte, wenn wir uns auch nur ein solches zum Versuche
denken, gar nicht zusammen bestehen. So fern nun Tugend

und Glückseligkeit zusammen den Besitz des höchsten Guts
in einer Person, hiebei aber auch Glückseligkeit, ganz genau
in Proportion der Sittlichkeit (als Wert der Person und
deren Würdigkeit glücklich zu sein) ausgeteilt, das höchste Gut einer möglichen Welt ausmachen: so bedeutet dieses das Ganze, das vollendete Gute, worin doch Tugend
immer, als Bedingung, das oberste Gut ist, weil es weiter
keine Bedingung über sich hat, Glückseligkeit immer etwas,
was dem, der sie besitzt, zwar angenehm, aber nicht für sich
allein schlechterdings und in aller Rücksicht gut ist, sondern jederzeit das moralische gesetzmäßige Verhalten als
Bedingung voraussetzt.

Zwei in einem Begriffe notwendig verbundene Bestimmungen müssen als Grund und Folge verknüpft sein, und
zwar entweder so, daß diese Einheit als analytisch (logische Verknüpfung) oder als synthetisch (reale Verbin-
dung), jene nach dem Gesetze der | Identität, diese der Kau-
salität betrachtet wird. Die Verknüpfung der Tugend mit
der Glückseligkeit kann also entweder so verstanden werden, daß die Bestrebung tugendhaft zu sein und die vernünftige Bewerbung um Glückseligkeit nicht zwei verschiedene,
sondern ganz identische Handlungen wären, da denn der
ersteren keine andere Maxime, als zu der letztern zum Grunde gelegt zu werden brauchte; oder jene Verknüpfung wird
darauf ausgesetzt, daß Tugend die Glückseligkeit als etwas
von dem Bewußtsein der ersteren Unterschiedenes, wie die
Ursache eine Wirkung, hervorbringe.

Von den alten griechischen Schulen waren eigentlich nur
zwei, die in Bestimmung des Begriffs vom höchsten Gute so
fern zwar einerlei Methode befolgten, daß sie Tugend und
Glückseligkeit nicht als zwei verschiedene Elemente des
höchsten Guts gelten ließen, mithin die Einheit des Prinzips
nach der Regel der Identität suchten; aber darin schieden
sie sich wiederum, daß sie unter beiden den Grundbegriff
verschiedentlich wählten. Der Epikureer sagte: sich seiner auf Glückseligkeit führenden Maxime bewußt sein, das
ist Tugend; der Stoiker: sich seiner Tugend bewußt sein,
ist Glückseligkeit. Dem erstern war Klugheit so viel als

Sittlichkeit; dem zweiten, der eine höhere Benennung für die Tugend wählete, war Sittlichkeit allein wahre Weisheit.

| Man muß bedauren, daß die Scharfsinnigkeit dieser Männer (die man doch zugleich darüber bewundern muß, daß sie in so frühen Zeiten schon alle erdenkliche Wege philosophischer Eroberungen versuchten) unglücklich angewandt war, zwischen äußerst ungleichartigen Begriffen, dem der Glückseligkeit und dem der Tugend, Identität zu ergrübeln. Allein es war dem dialektischen Geiste ihrer Zeiten angemessen, was auch jetzt bisweilen subtile Köpfe verleitet, wesentliche und nie zu vereinigende Unterschiede in Prinzipien dadurch aufzuheben, daß man sie in Wortstreit zu verwandeln sucht, und so, dem Scheine nach, Einheit des Begriffs bloß unter verschiedenen Benennungen erkünstelt, und dieses trifft gemeiniglich solche Fälle, wo die Vereinigung ungleichartiger Gründe so tief oder hoch liegt, oder eine so gänzliche Umänderung der sonst im philosophischen System angenommenen Lehren erfodern würde, daß man Scheu trägt, sich in den realen Unterschied tief einzulassen, und ihn lieber als Uneinigkeit in bloßen Formalien behandelt.

Indem beide Schulen Einerleiheit der praktischen Prinzipien der Tugend und Glückseligkeit zu ergrübeln suchten, so waren sie darum nicht unter sich einhellig, wie sie diese Identität herauszwingen wollten, sondern schieden sich in unendliche Weiten von einander, indem die eine ihr Prinzip auf der ästhetischen, die andere auf der logischen Seite, jene im Bewußtsein der sinn|lichen Bedürfnis, die andere in der Unabhängigkeit der praktischen Vernunft von allen sinnlichen Bestimmungsgründen setzte. Der Begriff der Tugend lag, nach dem Epikureer, schon in der Maxime, seine eigene Glückseligkeit zu befördern; das Gefühl der Glückseligkeit war dagegen nach dem Stoiker schon im Bewußtsein seiner Tugend enthalten. Was aber in einem andern Begriffe enthalten ist, ist zwar mit einem Teile des Enthaltenden, aber nicht mit dem Ganzen einerlei, und zween Ganze können überdem spezifisch von einander unterschieden sein, ob sie zwar aus eben demselben Stoffe bestehen, wenn nämlich die Teile in beiden auf ganz verschiedene Art zu einem

Ganzen verbunden werden. Der Stoiker behauptete, Tugend sei das ganze höchste Gut, und Glückseligkeit nur das Bewußtsein des Besitzes derselben, als zum Zustand des Subjekts gehörig. Der Epikureer behauptete, Glückseligkeit sei das ganze höchste Gut, und Tugend nur die Form der Maxime, sich um sie zu bewerben, nämlich im vernünftigen Gebrauche der Mittel zu derselben.

Nun ist aber aus der Analytik klar, daß die Maximen der Tugend und die der eigenen Glückseligkeit in Ansehung ihres obersten praktischen Prinzips ganz ungleichartig sind, und, weit gefehlt, einhellig zu sein, ob sie gleich zu einem höchsten Guten gehören, um das letztere möglich zu machen, einander in demselben Subjekte gar sehr einschränken und Abbruch tun. Also | bleibt die Frage: wie ist das höchste Gut praktisch möglich, noch immer, unerachtet aller bisherigen Koalitionsversuche, eine unaufgelösete Aufgabe. Das aber, was sie zu einer schwer zu lösenden Aufgabe macht, ist in der Analytik gegeben, nämlich daß Glückseligkeit und Sittlichkeit zwei spezifisch ganz verschiedene Elemente des höchsten Guts sind, und ihre Verbindung also nicht analytisch erkannt werden könne (daß etwa der, so seine Glückseligkeit sucht, in diesem seinem Verhalten sich durch bloße Auflösung seiner Begriffe tugendhaft, oder der, so der Tugend folgt, sich im Bewußtsein eines solchen Verhaltens schon ipso facto glücklich finden werde), sondern eine Synthesis der Begriffe sei. Weil aber diese Verbindung als a priori, mithin praktisch notwendig, folglich nicht aus der Erfahrung abgeleitet, erkannt wird, und die Möglichkeit des höchsten Guts also auf keinen empirischen Prinzipien beruht, so wird die Deduktion dieses Begriffs transzendental sein müssen. Es ist a priori (moralisch) notwendig, das höchste Gut durch Freiheit des Willens hervorzubringen; es muß also auch die Bedingung der Möglichkeit desselben lediglich auf Erkenntnisgründen a priori beruhen.

| I. DIE ANTINOMIE
DER PRAKTISCHEN VERNUNFT

In dem höchsten für uns praktischen, d. i. durch unsern
Willen wirklich zu machenden, Gute werden Tugend und
Glückseligkeit als notwendig verbunden gedacht, so, daß das
eine durch reine praktische Vernunft nicht angenommen
werden kann, ohne daß das andere auch zu ihm gehöre. Nun
ist diese Verbindung (wie eine jede überhaupt) entweder
analytisch, oder synthetisch. Da diese gegebene aber
nicht analytisch sein kann, wie nur eben vorher gezeigt worden, so muß sie synthetisch, und zwar als Verknüpfung der
Ursache mit der Wirkung gedacht werden; weil sie ein
praktisches Gut, d. i. was durch Handlung möglich ist, betrifft. Es muß also entweder die Begierde nach Glückseligkeit die Bewegursache zu Maximen der Tugend, oder die
Maxime der Tugend muß die wirkende Ursache der Glückseligkeit sein. Das erste ist schlechterdings unmöglich:
weil (wie in der Analytik bewiesen worden) Maximen, die
den Bestimmungsgrund des Willens in dem Verlangen nach
seiner Glückseligkeit setzen, gar nicht moralisch sind, und
keine Tugend gründen können. Das zweite ist aber auch
unmöglich, weil alle praktische Verknüpfung der Ursa-
chen und der Wirkungen in der Welt, als Erfolg der Wil|lens-
bestimmung sich nicht nach moralischen Gesinnungen des
Willens, sondern der Kenntnis der Naturgesetze und dem
physischen Vermögen, sie zu seinen Absichten zu gebrauchen, richtet, folglich keine notwendige und zum höchsten
Gut zureichende Verknüpfung der Glückseligkeit mit der
Tugend in der Welt, durch die pünktlichste Beobachtung
der moralischen Gesetze, erwartet werden kann. Da nun die
Beförderung des höchsten Guts, welches diese Verknüpfung
in seinem Begriffe enthält, ein a priori notwendiges Objekt
unseres Willens ist, und mit dem moralischen Gesetze unzertrennlich zusammenhängt, so muß die Unmöglichkeit
des ersteren auch die Falschheit des zweiten beweisen. Ist
also das höchste Gut nach praktischen Regeln unmöglich,
so muß auch das moralische Gesetz, welches gebietet, das-

selbe zu befördern, phantastisch und auf leere eingebildete
Zwecke gestellt, mithin an sich falsch sein.

## II. KRITISCHE AUFHEBUNG DER ANTINOMIE
### DER PRAKTISCHEN VERNUNFT

In der Antinomie der reinen spekulativen Vernunft findet
sich ein ähnlicher Widerstreit zwischen Naturnotwendigkeit
und Freiheit, in der Kausalität der Begebenheiten in der
Welt. Er wurde dadurch gehoben, daß bewiesen wurde, es
sei kein wahrer Widerstreit, | wenn man die Begebenheiten,
und selbst die Welt, darin sie sich ereignen, (wie man auch
soll) nur als Erscheinungen betrachtet; da ein und dasselbe
handelnde Wesen, als Erscheinung (selbst vor seinem eig-
nen innern Sinne) eine Kausalität in der Sinnenwelt hat, die
jederzeit dem Naturmechanism gemäß ist, in Ansehung derselben Begebenheit aber, so fern sich die handelnde Person
zugleich als Noumenon betrachtet (als reine Intelligenz,
in seinem nicht der Zeit nach bestimmbaren Dasein), einen
Bestimmungsgrund jener Kausalität nach Naturgesetzen,
der selbst von allem Naturgesetze frei ist, enthalten könne.

Mit der vorliegenden Antinomie der reinen praktischen
Vernunft ist es nun eben so bewandt. Der erste von den
zwei Sätzen, daß das Bestreben nach Glückseligkeit einen
Grund tugendhafter Gesinnung hervorbringe, ist schlechterdings falsch; der zweite aber, daß Tugendgesinnung
notwendig Glückseligkeit hervorbringe, ist nicht schlechterdings, sondern nur, so fern sie als die Form der
Kausalität in der Sinnenwelt betrachtet wird, und, mithin,
wenn ich das Dasein in derselben für die einzige Art der
Existenz des vernünftigen Wesens annehme, also nur be-
dingter Weise falsch. Da ich aber nicht allein befugt bin,
mein Dasein auch als Noumenon in einer Verstandeswelt
zu denken, sondern sogar am moralischen Gesetze einen
rein intellektuellen Bestimmungsgrund meiner Kausalität
(in der Sinnen|welt) habe, so ist es nicht unmöglich, daß
die Sittlichkeit der Gesinnung einen, wo nicht unmittelbaren, doch mittelbaren (vermittelst eines intelligibelen Ur-

hebers der Natur) und zwar notwendigen Zusammenhang, als Ursache, mit der Glückseligkeit, als Wirkung in der Sinnenwelt habe, welche Verbindung in einer Natur, die bloß Objekt der Sinne ist, niemals anders als zufällig stattfinden, und zum höchsten Gute nicht zulangen kann.

Also ist, unerachtet dieses scheinbaren Widerstreits einer praktischen Vernunft mit sich selbst, das höchste Gut, der notwendige höchste Zweck eines moralisch bestimmten Willens, ein wahres Objekt derselben; denn es ist praktisch möglich, und die Maximen des letzteren, die sich darauf ihrer Materie nach beziehen, haben objektive Realität, welche anfänglich durch jene Antinomie in Verbindung der Sittlichkeit mit Glückseligkeit nach einem allgemeinen Gesetze getroffen wurde, aber aus bloßem Mißverstande, weil man das Verhältnis zwischen Erscheinungen für ein Verhältnis der Dinge an sich selbst zu diesen Erscheinungen hielte[1].

Wenn wir uns genötigt sehen, die Möglichkeit des höchsten Guts, dieses durch die Vernunft allen vernünftigen Wesen ausgesteckten Ziels aller ihrer moralischen Wünsche, in solcher Weite, nämlich in der Verknüpfung mit einer intelligibelen Welt, zu suchen, so | muß es befremden, daß gleichwohl die Philosophen, alter so wohl, als neuer Zeiten, die Glückseligkeit mit der Tugend in ganz geziemender Proportion schon in diesem Leben (in der Sinnenwelt) haben finden, oder sich ihrer bewußt zu sein haben überreden können. Denn Epikur sowohl, als die Stoiker, erhoben die Glückseligkeit, die aus dem Bewußtsein der Tugend im Leben entspringe, über alles, und der erstere war in seinen praktischen Vorschriften nicht so niedrig gesinnt, als man aus den Prinzipien seiner Theorie, die er zum Erklären, nicht zum Handeln brauchte, schließen möchte, oder, wie sie viele, durch den Ausdruck Wollust, für Zufriedenheit, verleitet, ausdeuteten, sondern rechnete die uneigennützigste Ausübung des Guten mit zu den Genußarten der innigsten Freude, und die Gnügsamkeit und Bändigung der Neigungen, so wie sie immer der strengste Moralphilosoph fodern mag, gehörte mit zu seinem Plane eines Vergnügens (er verstand

[1] Akad.-Ausg.: »hielt«.

darunter das stets fröhliche Herz); wobei er von den Stoikern vornehmlich nur darin abwich, daß er in diesem Vergnügen den Bewegungsgrund setzte, welches die letztern, und zwar mit Recht, verweigerten. Denn einesteils fiel der tugendhafte Epikur, so wie noch jetzt viele moralisch wohlgesinnte, obgleich über ihre Prinzipien nicht tief genug nachdenkende Männer, in den Fehler, die tugendhafte Gesinnung in denen Personen schon vorauszusetzen, für die er die Triebfeder zur Tugend zuerst an|geben wollte (und in der Tat kann der Rechtschaffene sich nicht glücklich finden, wenn er sich nicht zuvor seiner Rechtschaffenheit bewußt ist; weil, bei jener Gesinnung, die Verweise, die er bei Übertretungen sich selbst zu machen durch seine eigene Denkungsart genötigt sein würde, und die moralische Selbstverdammung ihn alles Genusses der Annehmlichkeit, die sonst sein Zustand enthalten mag, berauben würden). Allein die Frage ist: wodurch wird eine solche Gesinnung und Denkungsart, den Wert seines Daseins zu schätzen, zuerst möglich; da vor derselben noch gar kein Gefühl für einen moralischen Wert überhaupt im Subjekte angetroffen werden würde. Der Mensch wird, wenn er tugendhaft ist, freilich, ohne sich in jeder Handlung seiner Rechtschaffenheit bewußt zu sein, des Lebens nicht froh werden, so günstig ihm auch das Glück im physischen Zustande desselben sein mag; aber um ihn allererst tugendhaft zu machen, mithin ehe er noch den moralischen Wert seiner Existenz so hoch anschlägt, kann man ihm da wohl die Seelenruhe anpreisen, die aus dem Bewußtsein einer Rechtschaffenheit entspringen werde, für die er doch keinen Sinn hat?

Andrerseits aber liegt hier immer der Grund zu einem Fehler des Erschleichens (vitium subreptionis) und gleichsam einer optischen Illusion in dem Selbstbewußtsein dessen, was man tut, zum Unterschiede dessen, was man empfindet, die auch der Versuchteste nicht völ|lig vermeiden kann. Die moralische Gesinnung ist mit einem Bewußtsein der Bestimmung des Willens unmittelbar durchs Gesetz notwendig verbunden. Nun ist das Bewußtsein einer Bestimmung des Begehrungsvermögens immer der Grund

eines Wohlgefallens an der Handlung, die dadurch hervor-
gebracht wird; aber diese Lust, dieses Wohlgefallen an sich
selbst, ist nicht der Bestimmungsgrund der Handlung, sondern die Bestimmung des Willens unmittelbar, bloß durch
die Vernunft, ist der Grund des Gefühls der Lust, und jene
bleibt eine reine praktische nicht ästhetische Bestimmung
des Begehrungsvermögens. Da diese Bestimmung nun innerlich gerade dieselbe Wirkung eines Antriebs zur Tätigkeit
tut, als ein Gefühl der Annehmlichkeit, die aus der begehr-
ten Handlung erwartet wird, würde getan haben, so sehen
wir das, was wir selbst tun, leichtlich für etwas an, was wir
bloß leidentlich fühlen, und nehmen die moralische Triebfeder
für sinnlichen Antrieb, wie das allemal in der sogenannten
Täuschung der Sinne (hier des innern) zu geschehen pflegt.
Es ist etwas sehr Erhabenes in der menschlichen Natur, unmittelbar durch ein reines Vernunftgesetz zu Handlungen
bestimmt zu werden, und sogar die Täuschung, das Subjektive dieser intellektuellen Bestimmbarkeit des Willens
für etwas Ästhetisches und Wirkung eines besondern sinnlichen Gefühls (denn ein intellektuelles wäre ein Wider-
spruch) zu halten. Es ist auch von großer Wichtigkeit, auf |
diese Eigenschaft unserer Persönlichkeit aufmerksam zu
machen, und die Wirkung der Vernunft auf dieses Gefühl
bestmöglichst zu kultivieren. Aber man muß sich auch in
Acht nehmen, durch unechte Hochpreisungen dieses moralischen Bestimmungsgrundes, als Triebfeder, indem man ihm
Gefühle besonderer Freuden, als Gründe (die doch nur Folgen sind) unterlegt, die eigentliche echte Triebfeder, das Gesetz selbst, gleichsam wie durch eine falsche Folie, herab-
zusetzen und zu verunstalten. Achtung und nicht Vergnügen, oder Genuß der Glückseligkeit, ist also etwas [1], wofür
kein der Vernunft zum Grunde gelegtes, vorhergehendes
Gefühl (weil dieses jederzeit ästhetisch und pathologisch
sein würde) möglich ist, als Bewußtsein der unmittelbaren
Nötigung des Willens durch Gesetz, ist kaum ein Analogon
des Gefühls der Lust, indem es im Verhältnisse zum Begehrungsvermögen gerade eben dasselbe, aber aus andern Quel-

---

[1] Akad.-Ausg. erwägt: »Glückseligkeit als etwas«.

len, tut; durch diese Vorstellungsart aber kann man allein
erreichen, was man sucht, nämlich daß Handlungen nicht
bloß pflichtmäßig (angenehmen Gefühlen zu Folge), sondern aus Pflicht geschehen, welches der wahre Zweck aller
moralischen Bildung sein muß.

Hat man aber nicht ein Wort, welches nicht einen Genuß, wie das der Glückseligkeit, bezeichnete, aber doch ein
Wohlgefallen an seiner Existenz, ein Analogon der Glück-
seligkeit, welche das Bewußtsein der Tugend | notwendig
begleiten muß, anzeigete? Ja! dieses Wort ist Selbstzu-
friedenheit, welches in seiner eigentlichen Bedeutung jederzeit nur ein negatives Wohlgefallen an seiner Existenz
andeutet, in welchem man nichts zu bedürfen sich bewußt
ist. Freiheit und das Bewußtsein derselben, als eines Vermögens, mit überwiegender Gesinnung das moralische Gesetz zu befolgen, ist Unabhängigkeit von Neigungen,
wenigstens als bestimmenden (wenn gleich nicht als affi-
zierenden) Bewegursachen unseres Begehrens, und, so
fern, als ich mir derselben in der Befolgung meiner moralischen Maximen bewußt bin, der einzige Quell einer notwendig damit verbundenen, auf keinem besonderen Gefühle beruhenden, unveränderlichen Zufriedenheit, und diese
kann intellektuell heißen. Die ästhetische (die uneigentlich
so genannt wird), welche auf der Befriedigung der Neigungen, so fein sie auch immer ausgeklügelt werden mögen, beruht, kann niemals dem, was man sich darüber denkt, adäquat sein. Denn die Neigungen wechseln, wachsen mit der
Begünstigung, die man ihnen widerfahren läßt, und lassen
immer ein noch größeres Leeres übrig, als man auszufüllen
gedacht hat. Daher sind sie einem vernünftigen Wesen jederzeit lästig, und wenn es sie gleich nicht abzulegen vermag, so nötigen sie ihm doch den Wunsch ab, ihrer entledigt
zu sein. Selbst eine Neigung zum Pflichtmäßigen (z. B. zur
Wohltätigkeit) kann zwar die Wirksamkeit der morali-
schen Ma|ximen sehr erleichtern, aber keine hervorbringen.
Denn alles muß in dieser auf der Vorstellung des Gesetzes,
als Bestimmungsgrunde, angelegt sein, wenn die Handlung
nicht bloß Legalität, sondern auch Moralität enthalten

soll. Neigung ist blind und knechtisch, sie mag nun gut-
artig sein oder nicht, und die Vernunft, wo es auf Sittlichkeit ankommt, muß nicht bloß den Vormund derselben vorstellen, sondern, ohne auf sie Rücksicht zu nehmen, als
reine praktische Vernunft ihr eigenes Interesse ganz allein
besorgen. Selbst dies Gefühl des Mitleids und der weich-
herzigen Teilnehmung, wenn es vor der Überlegung, was
Pflicht sei, vorhergeht und Bestimmungsgrund wird, ist
wohldenkenden Personen selbst lästig, bringt ihre überlegte
Maximen in Verwirrung, und bewirkt den Wunsch, ihrer
entledigt und allein der gesetzgebenden Vernunft unterworfen zu sein.

Hieraus läßt sich verstehen: wie das Bewußtsein dieses
Vermögens einer reinen praktischen Vernunft durch Tat (die
Tugend) ein Bewußtsein der Obermacht über seine Neigungen, hiemit also der Unabhängigkeit von denselben, folglich auch der Unzufriedenheit, die diese immer begleitet,
und also ein negatives Wohlgefallen mit seinem Zustande,
d. i. Zufriedenheit, hervorbringen könne, welche in ihrer
Quelle Zufriedenheit mit seiner Person ist. Die Freiheit
selbst wird auf solche Weise (nämlich indirekt) eines Genus-
ses fähig, | welcher nicht Glückseligkeit heißen kann, weil
er nicht vom positiven Beitritt eines Gefühls abhängt, auch
genau zu reden nicht Seligkeit, weil er nicht gänzliche
Unabhängigkeit von Neigungen und Bedürfnissen enthält,
der aber doch der letztern ähnlich ist, so fern nämlich wenigstens seine Willensbestimmung sich von ihrem Einflusse
frei halten kann, und also, wenigstens seinem Ursprunge
nach, der Selbstgenugsamkeit analogisch ist, die man nur
dem höchsten Wesen beilegen kann.

Aus dieser Auflösung der Antinomie der praktischen reinen Vernunft folgt, daß sich in praktischen Grundsätzen
eine natürliche und notwendige Verbindung zwischen dem
Bewußtsein der Sittlichkeit, und der Erwartung einer ihr
proportionierten Glückseligkeit, als Folge derselben, wenigstens als möglich denken (darum aber freilich noch eben
nicht erkennen und einsehen) lasse; dagegen, daß Grundsätze der Bewerbung um Glückseligkeit unmöglich Sittlich-

keit hervorbringen können: daß also das oberste Gut (als die erste Bedingung des höchsten Guts) Sittlichkeit, Glückseligkeit dagegen zwar das zweite Element desselben ausmache, doch so, daß diese nur die moralisch-bedingte, aber doch notwendige Folge der ersteren sei. In dieser Unterordnung allein ist das höchste Gut das ganze Objekt der reinen praktischen Vernunft, die es sich notwendig als möglich vorstellen muß, weil es ein Gebot derselben ist, zu dessen Hervorbringung alles Mögliche | beizutragen. Weil aber die Möglichkeit einer solchen Verbindung des Bedingten mit seiner Bedingung gänzlich zum übersinnlichen Verhältnisse der Dinge gehört, und nach Gesetzen der Sinnenwelt gar nicht gegeben werden kann, obzwar die praktische Folge dieser Idee, nämlich die Handlungen, die darauf abzielen, das höchste Gut wirklichzumachen, zur Sinnenwelt gehören: so werden wir die Gründe jener Möglichkeit erstlich in Ansehung dessen, was unmittelbar in unserer Gewalt ist, und dann zweitens in dem, was uns Vernunft, als Ergänzung unseres Unvermögens, zur Möglichkeit des höchsten Guts (nach praktischen Prinzipien notwendig) darbietet und nicht in unserer Gewalt ist, darzustellen suchen.

### III. VON DEM PRIMAT DER REINEN PRAKTISCHEN VERNUNFT IN IHRER VERBINDUNG MIT DER SPEKULATIVEN

Unter dem Primate zwischen zweien oder mehreren durch Vernunft verbundenen Dingen verstehe ich den Vorzug des einen, der erste Bestimmungsgrund der Verbindung mit allen übrigen zu sein. In engerer, praktischen Bedeutung bedeutet es den Vorzug des Interesse des einen, so fern ihm (welches keinem andern nachgesetzt werden kann) das Interesse der andern un|tergeordnet ist. Einem jeden Vermögen des Gemüts kann man ein Interesse beilegen, d.i. ein Prinzip, welches die Bedingung enthält, unter welcher allein die Ausübung desselben befördert wird. Die Vernunft, als das Vermögen der Prinzipien, bestimmt das Interesse aller Gemütskräfte, das ihrige aber sich selbst. Das Interesse ihres spekulativen Gebrauchs besteht in der Erkenntnis des Objekts bis zu den höchsten Prinzipien a priori, das des praktischen Gebrauchs in der Bestimmung des Willens, in Ansehung des letzten und vollständigen Zwecks. Das, was zur Möglichkeit eines Vernunftgebrauchs überhaupt erfoderlich ist, nämlich daß die Prinzipien und Behauptungen derselben einander nicht widersprechen müssen, macht keinen Teil ihres Interesse aus, sondern ist die Bedingung, überhaupt Vernunft zu haben; nur die Erweiterung, nicht die bloße Zusammenstimmung mit sich selbst, wird zum Interesse derselben gezählt.

Wenn praktische Vernunft nichts weiter annehmen und als gegeben denken darf, als was spekulative Vernunft, für sich, ihr aus ihrer Einsicht darreichen konnte, so führt diese das Primat. Gesetzt aber, sie hätte für sich ursprüngliche Prinzipien a priori, mit denen gewisse theoretische Positionen unzertrennlich verbunden wären, die sich gleichwohl aller möglichen Einsicht der spekulativen Vernunft entzögen (ob sie zwar derselben auch nicht widersprechen müßten), so ist die Frage, welches | Interesse das oberste sei (nicht, welches weichen müßte, denn eines widerstreitet dem andern nicht notwendig); ob spekulative Vernunft, die nicht[1] von allem dem weiß, was praktische ihr anzunehmen darbietet, diese Sätze aufnehmen, und sie, ob sie gleich für sie überschwenglich sind, mit ihren Begriffen, als einen fremden auf sie übertragenen Besitz, zu vereinigen suchen müsse, oder ob sie berechtigt sei, ihrem eigenen abgesonderten Interesse hartnäckig zu folgen, und, nach der Kanonik des Epikurs, alles als leere Vernünftelei auszuschlagen, was seine objektive Realität nicht durch augenscheinliche in der Erfahrung aufzustellende Beispiele beglaubigen kann, wenn es gleich noch so sehr mit dem Interesse des praktischen (reinen) Gebrauchs verwebt, an sich auch der theoretischen nicht widersprechend wäre, bloß weil es wirklich so fern dem Interesse der spekulativen Vernunft Abbruch tut, daß es die Grenzen, die diese sich selbst gesetzt, aufhebt, und sie allem Unsinn oder Wahnsinn der Einbildungskraft preisgibt.

[1] Akad.-Ausg.: »nichts«.

In der Tat, so fern praktische Vernunft als pathologisch bedingt, d. i. das Interesse der Neigungen unter dem sinnlichen Prinzip der Glückseligkeit bloß verwaltend, zum Grunde gelegt würde, so ließe sich diese Zumutung an die spekulative Vernunft gar nicht tun. Mahomets Paradies, oder der Theosophen und Mystiker schmelzende Vereinigung mit der Gottheit, so wie jedem sein Sinn steht, würden der Vernunft ihre | Ungeheuer aufdringen, und es wäre eben so gut, gar keine zu haben, als sie auf solche Weise allen Träumereien preiszugeben. Allein wenn reine Vernunft für sich praktisch sein kann und es wirklich ist, wie das Bewußtsein des moralischen Gesetzes es ausweiset, so ist es doch immer nur eine und dieselbe Vernunft, die, es sei in theoretischer oder praktischer Absicht, nach Prinzipien a priori urteilt, und da ist es klar, daß, wenn ihr Vermögen in der ersteren gleich nicht zulangt, gewisse Sätze behauptend festzusetzen, indessen daß sie ihr auch eben nicht widersprechen, eben [1] diese Sätze, so bald sie unabtrennlich zum praktischen Interesse der reinen Vernunft gehören, zwar als ein ihr fremdes Angebot, das nicht auf ihrem Boden erwachsen, aber doch hinreichend beglaubigt ist, annehmen, und sie, mit allem, was sie als spekulative Vernunft in ihrer Macht hat, zu vergleichen und zu verknüpfen suchen müsse; doch sich bescheidend, daß dieses nicht ihre Einsichten, aber doch Erweiterungen ihres Gebrauchs in irgend einer anderen, nämlich praktischen, Absicht sind, welches ihrem Interesse, das in der Einschränkung des spekulativen Frevels besteht, ganz und gar nicht zuwider ist.

In der Verbindung also der reinen spekulativen mit der reinen praktischen Vernunft zu einem Erkenntnisse führt die letztere das Primat, vorausgesetzt nämlich, daß diese Verbindung nicht etwa zufällig und be|liebig, sondern a priori auf der Vernunft selbst gegründet, mithin notwendig sei. Denn es würde ohne diese Unterordnung ein Widerstreit der Vernunft mit ihr selbst entstehen; weil, wenn sie einander bloß beigeordnet (koordiniert) wären, die erstere für sich ihre Grenze enge verschließen und nichts von der

[1] Akad.-Ausg. erwägt: »sie eben«.

letzteren in ihr Gebiet aufnehmen, diese aber ihre Grenzen dennoch über alles ausdehnen, und, wo es ihr Bedürfnis erheischt, jene innerhalb der ihrigen mit zu befassen suchen würde. Der spekulativen Vernunft aber untergeordnet zu sein, und also die Ordnung umzukehren, kann man der reinen praktischen gar nicht zumuten, weil alles Interesse zuletzt praktisch ist, und selbst das der spekulativen Vernunft nur bedingt und im praktischen Gebrauche allein vollständig ist.

### IV. DIE UNSTERBLICHKEIT DER SEELE, ALS EIN POSTULAT DER REINEN PRAKTISCHEN VERNUNFT

Die Bewirkung des höchsten Guts in der Welt ist das notwendige Objekt eines durchs moralische Gesetz bestimmbaren Willens. In diesem aber ist die völlige Angemessenheit der Gesinnungen zum moralischen Gesetze die oberste Bedingung des höchsten Guts. Sie muß also eben sowohl möglich sein, als ihr Objekt, weil|sie in demselben Gebote dieses zu befördern enthalten ist. Die völlige Angemessenheit des Willens aber zum moralischen Gesetze ist Heiligkeit, eine Vollkommenheit, deren kein vernünftiges Wesen der Sinnenwelt, in keinem Zeitpunkte seines Daseins, fähig ist. Da sie indessen gleichwohl als praktisch notwendig gefodert wird, so kann sie nur in einem ins Unendliche gehenden Progressus zu jener völligen Angemessenheit angetroffen werden, und es ist, nach Prinzipien der reinen praktischen Vernunft, notwendig, eine solche praktische Fortschreitung als das reale Objekt unseres Willens anzunehmen.

Dieser unendliche Progressus ist aber nur unter Voraussetzung einer ins Unendliche fortdaurenden Existenz und Persönlichkeit desselben vernünftigen Wesens (welche man die Unsterblichkeit der Seele nennt) möglich. Also ist das höchste Gut, praktisch, nur unter der Voraussetzung der Unsterblichkeit der Seele möglich; mithin diese, als unzertrennlich mit dem moralischen Gesetz verbunden, ein Postulat der reinen praktischen Vernunft (worunter ich einen theoretischen, als solchen aber nicht erweislichen Satz verstehe, so fern er einem a priori unbedingt geltenden praktischen Gesetze unzertrennlich anhängt).

Der Satz von der moralischen Bestimmung unserer Natur, nur allein in einem ins Unendliche gehenden Fortschritte zur völligen Angemessenheit mit dem | Sittengesetze gelangen zu können, ist von dem größten Nutzen, nicht bloß in Rücksicht auf die gegenwärtige Ergänzung des Unvermögens der spekulativen Vernunft, sondern auch in Ansehung der Religion. In Ermangelung desselben wird entweder das moralische Gesetz von seiner Heiligkeit gänzlich abgewürdigt, indem man es sich als nachsichtlich (indulgent), und so unserer Behaglichkeit angemessen, verkünstelt, oder auch seinen Beruf und zugleich Erwartung zu einer unerreichbaren Bestimmung, nämlich einem verhofften völligen Erwerb der Heiligkeit des Willens, spannt, und sich in schwärmende, dem Selbsterkenntnis ganz widersprechende theosophische Träume verliert, durch welches beides das unaufhörliche Streben, zur pünktlichen und durchgängigen Befolgung eines strengen unnachsichtlichen, dennoch aber nicht idealischen, sondern wahren Vernunftgebots, nur verhindert wird. Einem vernünftigen, aber endlichen Wesen ist nur der Progressus ins Unendliche, von niederen zu den höheren Stufen der moralischen Vollkommenheit, möglich. Der Unendliche, dem die Zeitbedingung nichts ist, sieht, in dieser für uns endlosen Reihe, das Ganze der Angemessenheit mit dem moralischen Gesetze, und die Heiligkeit, die sein Gebot unnachlaßlich fodert, um seiner Gerechtigkeit in dem Anteil, den er jedem am höchsten Gute bestimmt, gemäß zu sein, ist in einer einzigen intellektuellen Anschauung des Daseins vernünftiger Wesen | ganz anzutreffen. Was dem Geschöpfe allein in Ansehung der Hoffnung dieses Anteils zukommen kann, wäre das Bewußtsein seiner erprüften Gesinnung, um aus seinem bisherigen Fortschritte vom Schlechteren zum Moralischbesseren und dem dadurch ihm bekannt gewordenen unwandelbaren Vorsatze eine fernere ununterbrochene Fortsetzung desselben, wie weit seine Existenz auch immer reichen mag, selbst über dieses Leben hinaus, zu hoffen,* und so, zwar niemals hier, oder | in irgend einem absehlichen künftigen Zeitpunkte seines Daseins, sondern nur in der (Gott allein überseh- baren) Unendlichkeit seiner Fortdauer, dem Willen des- selben (ohne Nachsicht oder Erlassung, welche sich mit der Gerechtigkeit nicht zusammenreimt) völlig adäquat zu sein.

### V. DAS DASEIN GOTTES, ALS EIN POSTULAT DER REINEN PRAKTISCHEN VERNUNFT

Das moralische Gesetz führete in der vorhergehenden Zergliederung zur praktischen Aufgabe, welche, ohne allen Beitritt sinnlicher Triebfedern, bloß durch reine Vernunft vorgeschrieben wird, nämlich der notwendigen Vollständig- keit des ersten und vornehmsten Teils des höchsten Guts, der Sittlichkeit, und, da diese nur in einer Ewigkeit völlig aufgelöset werden kann, zum Postulat der Unsterblich- keit. Eben dieses Gesetz muß auch zur Möglichkeit des zweiten Elements des höchsten Guts, nämlich der jener Sittlichkeit angemessenen Glückseligkeit, eben so un-

* Die Überzeugung von der Unwandelbarkeit seiner Gesinnung, im Fortschritte zum Guten, scheint gleichwohl auch einem Geschöpfe für sich unmöglich zu sein. Um deswillen läßt die christliche Religions- lehre sie auch von demselben Geiste, der die Heiligung, d. i. diesen festen Vorsatz und mit ihm das Bewußtsein der Beharrlichkeit im moralischen Progressus, wirkt, allein abstammen. Aber auch natür- licher Weise darf derjenige, der sich bewußt ist, einen langen Teil seines Lebens bis zu Ende desselben, im Fortschritte zum Bessern, und zwar aus echten moralischen Bewegungsgründen, angehalten zu haben, sich wohl die tröstende Hoffnung, wenn gleich nicht Gewißheit, machen, daß er, auch in einer über dieses Leben hinaus fortgesetzten Existenz, bei diesen Grundsätzen beharren werde, und, wiewohl er in seinen eigenen Augen hier nie gerechtfertigt ist, noch, bei dem verhofften künftigen Anwachs seiner Naturvollkommenheit, mit ihr aber auch seiner Pflichten, es jemals hoffen darf, dennoch in diesem Fortschritte, der, ob er zwar ein ins Unendliche hinausgerücktes Ziel betrifft, dennoch für Gott als Besitz gilt, eine Aussicht in eine selige Zukunft haben; denn dieses ist der Ausdruck, dessen sich die Vernunft bedient, um ein von allen zufälligen Ursachen der Welt unabhängiges vollständiges Wohl zu bezeichnen, welches eben so, | wie Heiligkeit eine Idee ist, welche nur in einem unendlichen Progressus und dessen Totalität ent- halten sein kann, mithin vom Geschöpfe niemals völlig erreicht wird.

eigennützig, | wie vorher, aus bloßer unparteiischer Vernunft, nämlich auf die Voraussetzung des Daseins einer dieser Wirkung adäquaten Ursache führen, d. i. die Existenz Gottes, als zur Möglichkeit des höchsten Guts (welches Objekt unseres Willens mit der moralischen Gesetzgebung der reinen Vernunft notwendig verbunden ist) notwendig gehörig, postulieren. Wir wollen diesen Zusammenhang überzeugend darstellen.

Glückseligkeit ist der Zustand eines vernünftigen Wesens in der Welt, dem es, im Ganzen seiner Existenz, alles nach Wunsch und Willen geht, und beruhet also auf der Übereinstimmung der Natur zu seinem ganzen Zwecke, imgleichen zum wesentlichen Bestimmungsgrunde seines Willens. Nun gebietet das moralische Gesetz, als ein Gesetz der Freiheit, durch Bestimmungsgründe, die von der Natur und der Übereinstimmung derselben zu unserem Begehrungsvermögen (als Triebfedern) ganz unabhängig sein sollen; das handelnde vernünftige Wesen in der Welt aber ist doch nicht zugleich Ursache der Welt und der Natur selbst. Also ist in dem moralischen Gesetze nicht der mindeste Grund zu einem notwendigen Zusammenhang zwischen Sittlichkeit und der ihr proportionierten Glückseligkeit eines zur Welt als Teil gehörigen, und daher von ihr abhängigen, Wesens, welches eben darum durch seinen Willen nicht Ursache dieser Natur sein, und sie, was seine Glückseligkeit betrifft, mit seinen praktischen Grund|sätzen aus eigenen Kräften nicht durchgängig einstimmig machen kann. Gleichwohl wird in der praktischen Aufgabe der reinen Vernunft, d. i. der notwendigen Bearbeitung zum höchsten Gute, ein solcher Zusammenhang als notwendig postuliert: wir sollen das höchste Gut (welches also doch möglich sein muß) zu befördern suchen. Also wird auch das Dasein einer von der Natur unterschiedenen Ursache der gesamten Natur, welche den Grund dieses Zusammenhanges, nämlich der genauen Übereinstimmung der Glückseligkeit mit der Sittlichkeit, enthalte, postuliert. Diese oberste Ursache aber soll den Grund der Übereinstimmung der Natur nicht bloß mit einem Gesetze des Willens der vernünftigen Wesen, sondern

mit der Vorstellung dieses Gesetzes, so fern diese es sich
zum obersten Bestimmungsgrunde des Willens setzen, also nicht bloß mit den Sitten der Form nach, sondern
auch ihrer Sittlichkeit, als dem Bewegungsgrunde derselben,
d. i. mit ihrer moralischen Gesinnung enthalten. Also ist das
höchste Gut in der Welt nur möglich, so fern eine oberste
der Natur[1] angenommen wird, die eine der moralischen Gesinnung gemäße Kausalität hat. Nun ist ein Wesen, das der
Handlungen nach der Vorstellung von Gesetzen fähig ist,
eine Intelligenz (vernünftig Wesen) und die Kausalität
eines solchen Wesens nach dieser Vorstellung der Gesetze
ein Wille desselben. Also ist die oberste Ursache der Natur,
so fern sie zum höchsten Gute voraus|gesetzt werden muß,
ein Wesen, das durch Verstand und Willen die Ursache
(folglich der Urheber) der Natur ist, d. i. Gott. Folglich ist
das Postulat der Möglichkeit des höchsten abgeleiteten
Guts (der besten Welt) zugleich das Postulat der Wirklichkeit eines höchsten ursprünglichen Guts, nämlich der
Existenz Gottes. Nun war es Pflicht für uns, das höchste
Gut zu befördern, mithin nicht allein Befugnis, sondern
auch mit der Pflicht als Bedürfnis verbundene Notwendigkeit, die Möglichkeit dieses höchsten Guts vorauszusetzen,
welches, da es nur unter der Bedingung des Daseins Gottes
stattfindet, die Voraussetzung desselben mit der Pflicht unzertrennlich verbindet, d. i. es ist moralisch notwendig, das
Dasein Gottes anzunehmen.

Hier ist nun wohl zu merken, daß diese moralische Notwendigkeit subjektiv, d. i. Bedürfnis, und nicht objektiv, d. i. selbst Pflicht sei; denn es kann gar keine Pflicht
geben, die Existenz eines Dinges anzunehmen (weil dieses
bloß den theoretischen Gebrauch der Vernunft angeht).
Auch wird hierunter nicht verstanden, daß die Annehmung
des Daseins Gottes, als eines Grundes aller Verbindlichkeit überhaupt, notwendig sei (denn dieser beruht,
wie hinreichend bewiesen worden, lediglich auf der Autonomie der Vernunft selbst). Zur Pflicht gehört hier nur die
Bearbeitung zu Hervorbringung und Beförderung des höch-

---

[1] Akad.-Ausg.: »oberste Ursache der Natur«.

sten Guts in der Welt, dessen Möglichkeit also postuliert werden kann, | die aber unsere Vernunft nicht anders denkbar findet, als unter Voraussetzung einer höchsten Intelligenz, deren Dasein anzunehmen also mit dem Bewußtsein unserer Pflicht verbunden ist, obzwar diese Annehmung selbst für die theoretische Vernunft gehört, in Ansehung deren allein sie, als Erklärungsgrund betrachtet, Hypothese, in Beziehung aber auf die Verständlichkeit eines uns doch durchs moralische Gesetz aufgegebenen Objekts (des höchsten Guts), mithin eines Bedürfnisses in praktischer Absicht, Glaube, und zwar reiner Vernunftglaube, heißen kann, weil bloß reine Vernunft (sowohl ihrem theoretischen als praktischen Gebrauche nach) die Quelle ist, daraus er entspringt.

Aus dieser Deduktion wird es nunmehr begreiflich, warum die griechischen Schulen zur Auflösung ihres Problems von der praktischen Möglichkeit des höchsten Guts niemals gelangen konnten; weil sie nur immer die Regel des Gebrauchs, den der Wille des Menschen von seiner Freiheit macht, zum einzigen und für sich allein zureichenden Grunde derselben machten, ohne, ihrem Bedünken nach, das Dasein Gottes dazu zu bedürfen. Zwar taten sie daran recht, daß sie das Prinzip der Sitten unabhängig von diesem Postulat, für sich selbst, aus dem Verhältnis der Vernunft allein zum Willen, festsetzten, und es mithin zur obersten praktischen Bedingung des höchsten Guts machten; es war aber darum nicht die ganze Bedingung der Möglichkeit | desselben. Die Epikureer hatten nun zwar ein ganz falsches Prinzip der Sitten zum obersten angenommen, nämlich das der Glückseligkeit, und eine Maxime der beliebigen Wahl, nach jedes seiner Neigung, für ein Gesetz untergeschoben; aber darin verfuhren sie doch konsequent genug, daß sie ihr höchstes Gut eben so, nämlich der Niedrigkeit ihres Grundsatzes proportionierlich, abwürdigten, und keine größere Glückseligkeit erwarteten, als die sich durch menschliche Klugheit (wozu auch Enthaltsamkeit und Mäßigung der Neigungen gehört) erwerben läßt, die, wie man weiß, kümmerlich genug, und nach Umständen sehr verschiedentlich, ausfallen muß; die Ausnahmen, welche ihre

Maximen unaufhörlich einräumen mußten, und die sie zu Gesetzen untauglich machen, nicht einmal gerechnet. Die Stoiker hatten dagegen ihr oberstes praktisches Prinzip, nämlich die Tugend, als Bedingung des höchsten Guts ganz richtig gewählt, aber, indem sie den Grad derselben, der für das reine Gesetz derselben erforderlich ist, als in diesem Leben völlig erreichbar vorstelleten, nicht allein das moralische Vermögen des Menschen, unter dem Namen eines Weisen, über alle Schranken seiner Natur hoch gespannt, und etwas, das aller Menschenkenntnis widerspricht, angenommen, sondern auch vornehmlich das zweite zum höchsten Gut gehörige Bestandstück, nämlich die Glückseligkeit, gar nicht für einen besonderen Gegenstand des menschlichen Begehrungsvermögens | wollen gelten lassen, sondern ihren Weisen, gleich einer Gottheit, im Bewußtsein der Vortrefflichkeit seiner Person, von der Natur (in Absicht auf seine Zufriedenheit) ganz unabhängig gemacht, indem sie ihn zwar Übeln des Lebens aussetzten, aber nicht unterwarfen (zugleich auch als frei vom Bösen darstelleten), und so wirklich das zweite Element des höchsten Guts, eigene Glückseligkeit wegließen, indem sie es bloß im Handeln und der Zufriedenheit mit seinem persönlichen Werte setzten, und also im Bewußtsein der sittlichen Denkungsart mit einschlossen, worin sie aber durch die Stimme ihrer eigenen Natur hinreichend hätten widerlegt werden können.

Die Lehre des Christentums *, wenn man sie auch noch nicht als Religionslehre betrachtet, gibt in | diesem Stücke

---

* Man hält gemeiniglich dafür, die christliche Vorschrift der Sitten habe in Ansehung ihrer Reinigkeit vor dem moralischen Begriffe der Stoiker nichts voraus; allein der Unterschied beider ist doch sehr sichtbar. Das stoische System machte das Bewußtsein der Seelenstärke zum Angel, um den sich alle sittliche Gesinnungen wenden sollten, und, ob die Anhänger dessen[1] zwar von Pflichten redeten, auch sie ganz wohl bestimmeten, so setzen sie doch die Triebfeder und den eigentlichen Bestimmungsgrund des Willens in einer Erhebung der Denkungsart über die niedrige und nur durch Seelenschwäche machthabende Triebfedern der Sinne. Tugend war also bei ihnen ein gewisser Heroism des über tierische[2] Natur des Menschen sich erhebenden Weisen, der ihm selbst genug ist, andern zwar Pflichten vorträgt, selbst aber über sie

[1] Akad.-Ausg.: »desselben«. – [2] Akad.-Ausg.: »über die thierische«.

einen Begriff des höchsten Guts (des Reichs Gottes), der allein der strengsten Foderung der | praktischen Vernunft ein Gnüge tut. Das moralische Gesetz ist heilig (unnachsichtlich) und fodert Heiligkeit der Sitten, obgleich alle moralische Vollkommenheit, zu welcher der Mensch gelangen kann, immer nur Tugend ist, d. i. gesetzmäßige Gesinnung aus Achtung fürs Gesetz, folglich Bewußtsein eines kontinuierlichen Hanges zur Übertretung, wenigstens Unlauterkeit, d. i. Beimischung vieler unechter (nicht moralischer) Bewegungsgründe zur Befolgung des Gesetzes, folglich eine mit Demut verbundene Selbstschätzung, und also in Ansehung der Heiligkeit, welche das christliche Gesetz fodert, nichts als Fortschritt ins Unendliche dem Geschöpfe

erhoben[1] und keiner Versuchung zu | Übertretung des sittlichen Gesetzes unterworfen ist. Dieses alles aber konnten sie nicht tun, wenn sie sich dieses Gesetz in der Reinigkeit und Strenge, als es die Vorschrift des Evangelii tut, vorgestellt hätten. Wenn ich unter einer Idee eine Vollkommenheit verstehe, der nichts in der Erfahrung adäquat gegeben werden kann, so sind die moralischen Ideen darum nichts Überschwengliches, d. i. dergleichen, wovon wir auch nicht einmal den Begriff hinreichend bestimmen könnten, oder von dem es ungewiß ist, ob ihm überall ein Gegenstand korrespondiere, wie die Ideen der spekulativen Vernunft, sondern dienen, als Urbilder der praktischen Vollkommenheit, zur unentbehrlichen Richtschnur des sittlichen Verhaltens, und zugleich zum Maßstabe der Vergleichung. Wenn ich nun die christliche Moral von ihrer philosophischen Seite betrachte, so würde sie, mit den Ideen der griechischen Schulen verglichen, so erscheinen: Die Ideen der Kyniker, der Epikureer, der Stoiker und des[2] Christen sind: die Natureinfalt, die Klugheit, die Weisheit und die Heiligkeit. In Ansehung des Weges, dazu zu gelangen, unterschieden sich die griechischen Philosophen so von einander, daß die Kyniker dazu den gemeinen Menschenverstand, die andern nur den Weg der Wissenschaft, beide also doch bloßen Gebrauch der natürlichen Kräfte dazu hinreichend fanden. Die christliche Moral, weil sie ihre Vorschrift (wie es auch sein muß) so rein und unnachsichtlich einrichtet, benimmt dem Menschen das Zutrauen, wenigstens hier im Leben, ihr völlig adäquat zu sein, richtet es aber doch auch dadurch wiederum auf, daß, wenn wir so gut handeln, als in unserem Vermögen ist, wir hoffen können, daß, was nicht in unserm Vermögen ist, uns anderweitig werde zu statten kommen, wir mögen nun wissen, auf welche Art, oder nicht. Aristoteles und Plato unterschieden sich nur in Ansehung des Ursprungs unserer sittlichen Begriffe.

[1] Akad.-Ausg.: »erhaben«. – [2] Akad.-Ausg.: »der«.

übrig läßt, eben daher aber auch dasselbe zur Hoffnung seiner ins Unendliche gehenden Fortdauer berechtigt. Der Wert einer dem moralischen Gesetze völlig angemessenen Gesinnung ist unendlich; weil alle mögliche Glückseligkeit, im Urteile eines weisen und alles vermögenden Austeilers derselben, keine andere Einschränkung hat, als den Mangel der Angemessenheit vernünftiger Wesen an ihrer Pflicht. Aber das moralische Gesetz für sich verheißt doch keine Glückseligkeit; denn diese ist, nach Begriffen von einer Naturordnung überhaupt, mit der Befolgung desselben nicht notwendig verbunden. Die christliche Sittenlehre ergänzt nun diesen Mangel (des zweiten unentbehrlichen Bestandstücks des höchsten Guts) durch die Darstellung der Welt, darin vernünftige Wesen sich dem sittlichen Gesetze von ganzer Seele | weihen, als eines Reichs Gottes, in welchem Natur und Sitten in eine, jeder von beiden für sich selbst fremde, Harmonie, durch einen heiligen Urheber kommen, der das abgeleitete höchste Gut möglich macht. Die Heiligkeit der Sitten wird ihnen in diesem Leben schon zur Richtschnur angewiesen, das dieser proportionierte Wohl aber, die Seligkeit, nur als in einer Ewigkeit erreichbar vorgestellt; weil jene immer das Urbild ihres Verhaltens in jedem Stande sein muß, und das Fortschreiten zu ihr schon in diesem Leben möglich und notwendig ist, diese aber in dieser Welt, unter dem Namen der Glückseligkeit, gar nicht erreicht werden kann (so viel auf unser Vermögen ankommt), und daher lediglich zum Gegenstande der Hoffnung gemacht wird. Diesem ungeachtet ist das christliche Prinzip der Moral selbst doch nicht theologisch (mithin Heteronomie), sondern Autonomie der reinen praktischen Vernunft für sich selbst, weil sie die Erkenntnis Gottes und seines Willens nicht zum Grunde dieser Gesetze, sondern nur der Gelangung zum höchsten Gute, unter der Bedingung der Befolgung derselben macht, und selbst die eigentliche Triebfeder zu Befolgung der ersteren nicht in den gewünschten Folgen derselben, sondern in der Vorstellung der Pflicht allein setzt, als in deren treuer Beobachtung die Würdigkeit des Erwerbs der letztern allein besteht.

| Auf solche Weise führt das moralische Gesetz durch den Begriff des höchsten Guts, als das Objekt und den Endzweck der reinen praktischen Vernunft, zur Religion, d. i. zur Erkenntnis aller Pflichten als göttlicher Gebote, nicht als Sanktionen, d. i. willkürliche für sich selbst zufällige Verordnungen, eines fremden Willens, sondern als wesentlicher Gesetze eines jeden freien Willens für sich selbst, die aber dennoch als Gebote des höchsten Wesens angesehen werden müssen, weil wir nur von einem moralisch-vollkommenen (heiligen und gütigen), zugleich auch allgewaltigen Willen das höchste Gut, welches zum Gegenstande unserer Bestrebung zu setzen uns das moralische Gesetz zur Pflicht macht, und also durch Übereinstimmung mit diesem Willen dazu zu gelangen hoffen können. Auch hier bleibt daher alles uneigennützig und bloß auf Pflicht gegründet; ohne daß Furcht oder Hoffnung als Triebfedern zum Grunde gelegt werden dürften, die, wenn sie zu Prinzipien werden, den ganzen moralischen Wert der Handlungen vernichten. Das moralische Gesetz gebietet, das höchste mögliche Gut in einer Welt mir zum letzten Gegenstande alles Verhaltens zu machen. Dieses aber kann ich nicht zu bewirken hoffen, als nur durch die Übereinstimmung meines Willens mit dem eines heiligen und gütigen Welturhebers, und, obgleich in dem Begriffe des höchsten Guts, als dem eines Ganzen, worin die größte Glückseligkeit mit dem größten | Maße sittlicher (in Geschöpfen möglicher) Vollkommenheit, als in der genausten Proportion verbunden vorgestellt wird, meine eigene Glückseligkeit mit enthalten ist: so ist doch nicht sie, sondern das moralische Gesetz (welches vielmehr mein unbegrenztes Verlangen darnach auf Bedingungen strenge einschränkt) der Bestimmungsgrund des Willens, der zur Beförderung des höchsten Guts angewiesen wird.

Daher ist auch die Moral nicht eigentlich die Lehre, wie wir uns glücklich machen, sondern wie wir der Glückseligkeit würdig werden sollen. Nur denn, wenn Religion dazu kommt, tritt auch die Hoffnung ein, der Glückseligkeit dereinst in dem Maße teilhaftig zu werden, als wir darauf bedacht gewesen, ihrer nicht unwürdig zu sein.

Würdig ist jemand des Besitzes einer Sache, oder eines Zustandes, wenn, daß er in diesem Besitze sei, mit dem höchsten Gute zusammenstimmt. Man kann jetzt leicht einsehen, daß alle Würdigkeit auf das sittliche Verhalten ankomme, weil dieses im Begriffe des höchsten Guts die Bedingung des übrigen (was zum Zustande gehört), nämlich des Anteils an Glückseligkeit ausmacht. Nun folgt hieraus: daß man die Moral an sich niemals als Glückseligkeitslehre behandeln müsse, d. i. als eine Anweisung, der Glückseligkeit teilhaftig zu werden; denn sie hat es lediglich mit der | Vernunftbedingung (conditio sine qua non) der letzteren, nicht mit einem Erwerbmittel derselben zu tun. Wenn sie aber (die bloß Pflichten auferlegt, nicht eigennützigen Wünschen Maßregeln an die Hand gibt) vollständig vorgetragen worden: alsdenn allererst kann, nachdem der sich auf ein Gesetz gründende moralische Wunsch, das höchste Gut zu befördern (das Reich Gottes zu uns zu bringen), der vorher keiner eigennützigen Seele aufsteigen konnte, erweckt, und ihm zum Behuf der Schritt zur Religion geschehen ist, diese Sittenlehre auch Glückseligkeitslehre genannt werden, weil die Hoffnung dazu nur mit der Religion allererst anhebt.

Auch kann man hieraus ersehen: daß, wenn man nach dem letzten Zwecke Gottes in Schöpfung der Welt frägt, man nicht die Glückseligkeit der vernünftigen Wesen in ihr, sondern das höchste Gut nennen müsse, welches jenem Wunsche dieser Wesen noch eine Bedingung, nämlich die, der Glückseligkeit würdig zu sein, d. i. die Sittlichkeit eben derselben vernünftigen Wesen, hinzufügt, die allein den Maßstab enthält, nach welchem sie allein der ersteren, durch die Hand eines weisen Urhebers, teilhaftig zu werden hoffen können. Denn, da Weisheit, theoretisch betrachtet, die Erkenntnis des höchsten Guts, und, praktisch, die Angemessenheit des Willens zum höchsten Gute bedeutet, so kann man einer höchsten selbständigen Weisheit nicht einen Zweck beilegen, der bloß | auf Gütigkeit gegründet wäre. Denn dieser ihre Wirkung (in Ansehung der Glückseligkeit der vernünftigen Wesen) kann man nur unter den einschränkenden Bedingungen der Übereinstimmung mit der Heiligkeit* seines Willens, als dem höchsten ursprünglichen Gute angemessen, denken. Daher diejenige, welche den Zweck der Schöpfung in die Ehre Gottes (vorausgesetzt, daß man diese nicht anthropomorphistisch, als Neigung, gepriesen zu werden, denkt) setzten, wohl den besten Ausdruck getroffen haben. Denn nichts ehrt Gott mehr, als das, was das Schätzbarste in der Welt ist, die Achtung für sein Gebot, die Beobachtung der heiligen Pflicht, die uns sein Gesetz auferlegt, wenn | seine herrliche Anstalt dazu kommt, eine solche schöne Ordnung mit angemessener Glückseligkeit zu krönen. Wenn ihn das letztere (auf menschliche Art zu reden) liebenswürdig macht, so ist er durch das erstere ein Gegenstand der Anbetung (Adoration). Selbst Menschen können sich durch Wohltun zwar Liebe, aber dadurch allein niemals Achtung erwerben, so daß die größte Wohltätigkeit ihnen nur dadurch Ehre macht, daß sie nach Würdigkeit ausgeübt wird.

Daß, in der Ordnung der Zwecke, der Mensch (mit ihm jedes vernünftige Wesen) Zweck an sich selbst sei, d. i. niemals bloß als Mittel von jemanden (selbst nicht von Gott), ohne zugleich hiebei selbst Zweck zu sein, könne gebraucht werden, daß also die Menschheit in unserer Person uns selbst heilig sein müsse, folgt nunmehr von selbst, weil er das Subjekt des moralischen Gesetzes, mithin des-

* Hiebei, und um das Eigentümliche dieser Begriffe kenntlich zu machen, merke ich nur noch an: daß, da man Gott verschiedene Eigenschaften beilegt, deren Qualität man auch den Geschöpfen angemessen findet, nur daß sie dort zum höchsten Grade erhoben werden, z. B. Macht, Wissenschaft, Gegenwart, Güte etc. unter den Benennungen der Allmacht, der Allwissenheit, der Allgegenwart, der Allgütigkeit etc., es doch drei gibt, die ausschließungsweise, und doch ohne Beisatz von Größe, Gott beigelegt werden, und die insgesamt moralisch sind. Er ist der allein Heilige, der allein Selige, der allein Weise; weil diese Begriffe schon die Uneingeschränktheit bei sich führen. Nach der Ordnung derselben ist er denn also auch der heilige Gesetzgeber (und Schöpfer), der gütige Regierer (und Erhalter) und der gerechte Richter. Drei Eigenschaften, die alles in sich enthalten, wodurch Gott der Gegenstand der Religion wird, und denen angemessen die metaphysischen Vollkommenheiten sich von selbst in der Vernunft hinzu fügen.

sen ist, was an sich heilig ist, um dessen willen und in Einstimmung mit welchem auch überhaupt nur etwas heilig genannt werden kann. Denn dieses moralische Gesetz gründet sich auf der Autonomie seines Willens, als eines freien Willens, der nach seinen allgemeinen Gesetzen notwendig zu demjenigen zugleich muß einstimmen können, welchem er sich unterwerfen soll.

| VI. ÜBER DIE POSTULATE
DER REINEN PRAKTISCHEN VERNUNFT ÜBERHAUPT

Sie gehen alle vom Grundsatze der Moralität aus, der kein Postulat, sondern ein Gesetz ist, durch welches Vernunft mittelbar[1] den Willen bestimmt, welcher Wille eben dadurch, daß er so bestimmt ist, als reiner Wille, diese notwendige Bedingungen der Befolgung seiner Vorschrift fodert. Diese Postulate sind nicht theoretische Dogmata, sondern Voraussetzungen in notwendig praktischer Rücksicht, erweitern also zwar das[2] spekulative Erkenntnis, geben aber den Ideen der spekulativen Vernunft im allgemeinen (vermittelst ihrer Beziehung aufs Praktische) objektive Realität, und berechtigen sie zu Begriffen, deren Möglichkeit auch nur zu behaupten sie sich sonst nicht anmaßen könnte.

Diese Postulate sind die der Unsterblichkeit, der Freiheit, positiv betrachtet (als der Kausalität eines Wesens, so fern es zur intelligibelen Welt gehört), und des Daseins Gottes. Das erste fließt aus der praktisch notwendigen Bedingung der Angemessenheit der Dauer zur Vollständigkeit der Erfüllung des moralischen Gesetzes; das zweite aus der notwendigen Voraussetzung der Unabhängigkeit von der Sinnenwelt und des Vermögens der Bestimmung seines Willens, nach dem | Gesetze einer intelligibelen Welt, d. i. der Freiheit; das dritte aus der Notwendigkeit der Bedingung zu einer solchen intelligibelen Welt, um das höchste Gut zu sein, durch die Voraussetzung des höchsten selbständigen Guts, d. i. des Daseins Gottes.

[1] Akad.-Ausg.: »unmittelbar«. – [2] Akad.-Ausg.: »zwar nicht das«.

Die durch die Achtung fürs moralische Gesetz notwendige Absicht aufs höchste Gut, und daraus fließende Voraussetzung der objektiven Realität desselben, führt also durch Postulate der praktischen Vernunft zu Begriffen, welche die spekulative Vernunft zwar als Aufgaben vortragen, sie aber nicht auflösen konnte. Also 1. zu derjenigen, in deren Auflösung die letztere nichts, als Paralogismen begehen konnte (nämlich der Unsterblichkeit), weil es ihr am Merkmale der Beharrlichkeit fehlete, um den psychologischen Begriff eines letzten Subjekts, welcher der Seele im Selbstbewußtsein notwendig beigelegt wird, zur realen Vorstellung einer Substanz zu ergänzen, welches die praktische Vernunft, durch das Postulat, einer zur Angemessenheit mit dem moralischen Gesetze im höchsten Gute, als dem ganzen Zwecke der praktischen Vernunft, erforderlichen Dauer, ausrichtet. 2. Führt sie zu dem, wovon die spekulative Vernunft nichts als Antinomie enthielt, deren Auflösung sie nur auf einem problematisch zwar denkbaren, aber seiner objektiven Realität nach für sie nicht erweislichen und bestimmbaren Begriffe gründen konnte, nämlich die kosmologische Idee | einer intelligibelen Welt und das Bewußtsein unseres Daseins in derselben, vermittelst des Postulats der Freiheit (deren Realität sie durch das moralische Gesetz darlegt, und mit ihm zugleich das Gesetz einer intelligibelen Welt, worauf die spekulative nur hinweisen, ihren Begriff aber nicht bestimmen konnte). 3. Verschafft sie dem, was spekulative Vernunft zwar denken, aber als bloßes transzendentales Ideal unbestimmt lassen mußte, dem theologischen Begriffe des Urwesens, Bedeutung (in praktischer Absicht, d. i. als einer Bedingung der Möglichkeit des Objekts eines durch jenes Gesetz bestimmten Willens), als dem obersten Prinzip des höchsten Guts in einer intelligibelen Welt, durch gewalthabende moralische Gesetzgebung in derselben.

Wird nun aber unser Erkenntnis auf solche Art durch reine praktische Vernunft wirklich erweitert, und ist das, was für die spekulative transzendent war, in der praktischen immanent? Allerdings, aber nur in praktischer Absicht. Denn wir erkennen zwar dadurch weder unserer

Seele Natur, noch die intelligibele Welt, noch das höchste
Wesen, nach dem, was sie an sich selbst sind, sondern haben
nur die Begriffe von ihnen im praktischen Begriffe des
höchsten Guts vereinigt, als dem Objekte unseres Willens, und völlig a priori, durch reine Vernunft, aber nur vermittelst des moralischen Gesetzes, und auch bloß in Beziehung auf dasselbe, in Ansehung des Objekts, das es ge-
bietet. | Wie aber auch nur die Freiheit möglich sei, und wie
man sich diese Art von Kausalität theoretisch und positiv
vorzustellen habe, wird dadurch nicht eingesehen, sondern
nur, daß eine solche sei, durchs moralische Gesetz und zu
dessen Behuf postuliert. So ist es auch mit den übrigen
Ideen bewandt, die nach ihrer Möglichkeit kein menschlicher Verstand jemals ergründen, aber auch, daß sie nicht
wahre Begriffe sind, keine Sophisterei der Überzeugung,
selbst des gemeinsten Menschen, jemals entreißen wird.

### VII. WIE EINE ERWEITERUNG DER REINEN VERNUNFT, IN PRAKTISCHER ABSICHT, OHNE DAMIT IHR ERKENNTNIS, ALS SPEKULATIV, ZUGLEICH ZU ERWEITERN, ZU DENKEN MÖGLICH SEI?

Wir wollen diese Frage, um nicht zu abstrakt zu werden,
sofort in Anwendung auf den vorliegenden Fall beantwor-
ten.– Um ein reines Erkenntnis praktisch zu erweitern,
muß eine Absicht a priori gegeben sein, d. i. ein Zweck,
als Objekt (des Willens), welches, unabhängig von allen
theologischen[1] Grundsätzen, durch einen den Willen unmittelbar bestimmenden (kategorischen) Imperativ, als praktisch-notwendig vorgestellt wird, und das ist hier das höchste Gut. Dieses ist aber nicht möglich, ohne drei theoretische Begriffe (für die sich, weil sie bloße reine Vernunftbe-
griffe sind, | keine korrespondierende Anschauung, mithin,
auf dem theoretischen Wege, keine objektive Realität finden läßt) vorauszusetzen: nämlich Freiheit, Unsterblichkeit, und Gott. Also wird durchs praktische Gesetz, welches
die Existenz des höchsten in einer Welt möglichen Guts ge-

[1] Akad.-Ausg.: »theoretischen«.

bietet, die Möglichkeit jener Objekte der reinen spekulativen Vernunft, die objektive Realität, welche diese ihnen nicht sichern konnte, postuliert; wodurch denn die theoretische Erkenntnis der reinen Vernunft allerdings einen Zuwachs bekommt, der aber bloß darin besteht, daß jene für sie sonst problematische (bloß denkbare) Begriffe jetzt assertorisch für solche erklärt werden, denen wirklich Objekte zukommen, weil praktische Vernunft die Existenz derselben zur Möglichkeit ihres, und zwar praktisch-schlechthin notwendigen, Objekts des höchsten Guts unvermeidlich bedarf, und die theoretische dadurch berechtigt wird, sie vorauszusetzen. Diese Erweiterung der theoretischen Vernunft ist aber keine Erweiterung der Spekulation, d. i. um in theoretischer Absicht nunmehr einen positiven Gebrauch davon zu machen. Denn da nichts weiter durch praktische Vernunft hiebei geleistet worden, als daß jene Begriffe real sind, und wirklich ihre (mögliche) Objekte haben, dabei aber uns nichts von Anschauung derselben gegeben wird (welches auch nicht gefodert werden kann), so ist kein synthetischer Satz durch diese eingeräumte Realität derselben möglich. Folglich hilft | uns diese Eröffnung nicht im mindesten in spekulativer Absicht, wohl aber in Ansehung des praktischen Gebrauchs der reinen Vernunft, zur Erweiterung dieses unseres Erkenntnisses. Die obige drei Ideen der spekulativen Vernunft sind an sich noch keine Erkenntnisse; doch sind es (transzendente) Gedanken, in denen nichts Unmögliches ist. Nun bekommen sie durch ein apodiktisches praktisches Gesetz, als notwendige Bedingungen der Möglichkeit dessen, was dieses sich zum Objekte zu machen gebietet, objektive Realität, d. i. wir werden durch jenes angewiesen, daß sie Objekte haben, ohne doch, wie sich ihr Begriff auf ein Objekt bezieht, anzeigen zu können, und das ist auch noch nicht Erkenntnis dieser Objekte; denn man kann dadurch gar nichts über sie synthetisch urteilen, noch die Anwendung derselben theoretisch bestimmen, mithin von ihnen gar keinen theoretischen Gebrauch der Vernunft machen, als worin eigentlich alle spekulative Erkenntnis derselben besteht. Aber dennoch ward das theoretische Erkenntnis, zwar nicht dieser Objekte, aber der Vernunft überhaupt, dadurch so fern erweitert, daß durch die praktischen Postulate jenen Ideen doch Objekte gegeben wurden, indem ein bloß problematischer Gedanke dadurch allererst objektive Realität bekam. Also war es keine Erweiterung der Erkenntnis von gegebenen übersinnlichen Gegenständen, aber doch eine Erweiterung der theoretischen Vernunft und | der Erkenntnis derselben in Ansehung des Übersinnlichen überhaupt, so fern als sie genötigt wurde, daß es solche Gegenstände gebe, einzuräumen, ohne sie doch näher bestimmen, mithin dieses Erkenntnis von den Objekten (die ihr nunmehr aus praktischem Grunde, und auch nur zum praktischen Gebrauche, gegeben worden) selbst erweitern zu können, welchen Zuwachs also die reine theoretische Vernunft, für die alle jene Ideen transzendent und ohne Objekt sind, lediglich ihrem reinen praktischen Vermögen zu verdanken hat. Hier werden sie immanent und konstitutiv, indem sie Gründe der Möglichkeit sind, das notwendige Objekt der reinen praktischen Vernunft (das höchste Gut) wirklich zu machen, da sie, ohne dies, transzendent und bloß regulative Prinzipien der spekulativen Vernunft sind, die ihr nicht ein neues Objekt über die Erfahrung hinaus anzunehmen, sondern nur ihren Gebrauch in der Erfahrung der Vollständigkeit zu nähern, auferlegen. Ist aber die Vernunft einmal im Besitze dieses Zuwachses, so wird sie, als spekulative Vernunft (eigentlich nur zur Sicherung ihres praktischen Gebrauchs), negativ, d. i. nicht erweiternd, sondern läuternd, mit jenen Ideen zu Werke gehen, um einerseits den Anthropomorphism als den Quell der Superstition, oder scheinbare Erweiterung jener Begriffe durch vermeinte Erfahrung, andererseits den Fanatizism, der sie durch übersinnliche Anschauung oder der|gleichen Gefühle verspricht, abzuhalten; welches alles Hindernisse des praktischen Gebrauchs der reinen Vernunft sind, deren Abwehrung also zu der Erweiterung unserer Erkenntnis in praktischer Absicht allerdings gehört, oder [1] daß es dieser wider-

---

[1] Akad.-Ausg.: »ohne«.

spricht, zugleich zu gestehen, daß die Vernunft in spekulativer Absicht dadurch im mindesten nichts gewonnen habe.

Zu jedem Gebrauche der Vernunft in Ansehung eines Gegenstandes werden reine Verstandesbegriffe (Kategorien) erfodert, ohne die kein Gegenstand gedacht werden kann. Diese können zum theoretischen Gebrauche der Vernunft, d. i. zu dergleichen Erkenntnis nur angewandt werden, so fern ihnen zugleich Anschauung (die jederzeit sinnlich ist) untergelegt wird, und also bloß, um durch sie ein Objekt möglicher Erfahrung vorzustellen. Nun sind hier aber Ideen der Vernunft, die in gar keiner Erfahrung gegeben werden können, das, was ich durch Kategorien denken müßte, um es zu erkennen. Allein es ist hier auch nicht um das theoretische Erkenntnis der Objekte dieser Ideen, sondern nur darum, daß sie überhaupt Objekte haben, zu tun. Diese Realität verschafft reine praktische Vernunft, und hiebei hat die theoretische Vernunft nichts weiter zu tun, als jene Objekte durch Kategorien bloß zu denken, welches, wie wir sonst deutlich gewiesen haben, ganz wohl, ohne Anschauung (weder sinnliche, noch übersinnliche) zu bedürfen, angeht, weil die Ka|tegorien im reinen Verstande unabhängig und vor aller Anschauung, lediglich als dem Vermögen zu denken, ihren Sitz und Ursprung haben, und sie immer nur ein Objekt überhaupt bedeuten, auf welche Art es uns auch immer gegeben werden mag. Nun ist den Kategorien, so fern sie auf jene Ideen angewandt werden sollen, zwar kein Objekt in der Anschauung zu geben möglich; es ist ihnen aber doch, daß ein solches wirklich sei, mithin die Kategorie, als eine bloße Gedankenform, hier nicht leer sei, sondern Bedeutung habe, durch ein Objekt, welches die praktische Vernunft im Begriffe des höchsten Guts ungezweifelt darbietet, die Realität der Begriffe, die zum Behuf der Möglichkeit des höchsten Guts gehören, hinreichend gesichert, ohne gleichwohl durch diesen Zuwachs die mindeste Erweiterung des Erkenntnisses nach theoretischen Grundsätzen zu bewirken.

* * *

Wenn, nächstdem, diese Ideen von Gott, einer intelligibelen Welt (dem Reiche Gottes) und der Unsterblichkeit durch Prädikate bestimmt werden, die von unserer eigenen Natur hergenommen sind, so darf man diese Bestimmung weder als Versinnlichung jener reinen Vernunftideen (Anthropomorphismen), noch als überschwengliches Erkenntnis übersinnlicher Gegenstände ansehen; denn diese Prädikate sind keine andere als | Verstand und Wille, und zwar so im Verhältnisse gegen einander betrachtet, als sie im moralischen Gesetze gedacht werden müssen, also nur, so weit von ihnen ein reiner praktischer Gebrauch gemacht wird. Von allem übrigen, was diesen Begriffen psychologisch anhängt, d. i. so fern wir diese unsere Vermögen in ihrer Ausübung empirisch beobachten (z. B., daß der Verstand des Menschen diskursiv ist, seine Vorstellungen also Gedanken, nicht Anschauungen sind, daß diese in der Zeit auf einander folgen, daß sein Wille immer mit einer Abhängigkeit der Zufriedenheit von der Existenz seines Gegenstandes behaftet ist, u.s.w., welches im höchsten Wesen so nicht sein kann), wird alsdenn abstrahiert, und so bleibt von den Begriffen, durch die wir uns ein reines Verstandeswesen denken, nichts mehr übrig, als gerade zur Möglichkeit erfoderlich ist, sich ein moralisch Gesetz zu denken, mithin zwar ein Erkenntnis Gottes, aber nur in praktischer Beziehung, wodurch, wenn wir den Versuch machen, es zu einem theoretischen zu erweitern, wir einen Verstand desselben bekommen, der nicht denkt, sondern anschaut, einen Willen, der auf Gegenstände gerichtet ist, von deren Existenz seine Zufriedenheit nicht im mindesten abhängt (ich will nicht einmal der transzendentalen Prädikate erwähnen, als z. B. eine Größe der Existenz, d. i. Dauer, die aber nicht in der Zeit, als dem einzigen uns möglichen Mittel, uns Dasein als Größe vorzustel|len, stattfindet), lauter Eigenschaften, von denen wir uns gar keinen Begriff, zum Erkenntnisse des Gegenstandes tauglich, machen können, und dadurch belehrt werden, daß sie niemals zu einer Theorie von übersinnlichen Wesen gebraucht werden können, und also, auf dieser Seite, ein spekulatives Erkenntnis zu gründen gar nicht vermögen, sondern ihren Gebrauch lediglich auf die Ausübung des moralischen Gesetzes einschränken.

Dieses letztere ist so augenscheinlich, und kann so klar durch die Tat bewiesen werden, daß man getrost alle vermeinte natürliche Gottesgelehrte (ein wunderlicher Name)* auffodern kann, auch nur eine diesen ihren Gegenstand (über die bloß ontologischen Prädikate hinaus) bestimmende Eigenschaft, etwa des Verstandes, oder des Willens, zu nennen, an der man nicht unwidersprechlich dartun könnte, daß, wenn man | alles Anthropomorphistische davon absondert, uns nur das bloße Wort übrig bleibe, ohne damit den mindesten Begriff verbinden zu können, dadurch eine Erweiterung der theoretischen Erkenntnis gehofft werden dürfte. In Ansehung des Praktischen aber bleibt uns von den Eigenschaften eines Verstandes und Willens doch noch der Begriff eines Verhältnisses übrig, welchem das praktische Gesetz (das gerade dieses Verhältnis des Verstandes zum Willen a priori bestimmt) objektive Realität verschafft. Ist dieses nun einmal geschehen, so wird dem Begriffe des Objekts eines moralisch bestimmten Willens (dem des höchsten Guts) und mit ihm den Bedingungen seiner Möglichkeit, den Ideen von Gott, Freiheit und Unsterblichkeit, auch Realität, aber immer nur in Beziehung auf die Ausübung des moralischen Gesetzes (zu keinem spekulativen Behuf), gegeben.

Nach diesen Erinnerungen ist nun auch die Beantwortung der wichtigen Frage leicht zu finden: Ob der Begriff von Gott ein zur Physik (mithin auch zur Metaphysik, als die nur die reinen Prinzipien a priori der ersteren in all-

* Gelehrsamkeit ist eigentlich nur der Inbegriff historischer Wissenschaften. Folglich kann nur der Lehrer der geoffenbarten Theologie ein Gottesgelehrter heißen. Wollte man aber auch den, der im Besitze von Vernunftwissenschaften (Mathematik und Philosophie) ist, einen Gelehrten nennen, obgleich dieses schon der Wortbedeutung (als die jederzeit nur dasjenige, was man durchaus gelehret werden muß, und was man also nicht vor selbst, durch Vernunft, erfinden kann, zur Gelehrsamkeit zählt) widerstreiten würde: so möchte wohl der Philosoph mit seiner Erkenntnis Gottes, als positiver Wissenschaft, eine zu schlechte Figur machen, um sich deshalb einen Gelehrten nennen zu lassen.

gemeiner Bedeutung enthält) oder ein zur Moral gehöriger Begriff sei. Natureinrichtungen, oder deren Ver-
änderung zu erklären, wenn man da zu Gott, als dem Urheber aller Dinge, seine Zuflucht nimmt, ist wenigstens
keine physische Erklärung, und überall ein Geständnis, man
sei mit seiner Philosophie zu Ende; weil man genötigt ist,
etwas, wovon | man sonst für sich keinen Begriff hat, anzu-
nehmen, um sich von der Möglichkeit dessen, was man vor
Augen sieht, einen Begriff machen zu können. Durch Metaphysik aber von der Kenntnis dieser Welt zum Begriffe
von Gott und dem Beweise seiner Existenz durch sichere
Schlüsse zu gelangen, ist darum unmöglich, weil wir diese
Welt als das vollkommenste mögliche Ganze, mithin, zu
diesem Behuf, alle mögliche Welten (um sie mit dieser vergleichen zu können) erkennen, mithin allwissend sein müßten, um zu sagen, daß sie nur durch einen Gott (wie wir uns
diesen Begriff denken müssen) möglich war. Vollends aber
die Existenz dieses Wesens aus bloßen Begriffen zu erkennen, ist schlechterdings unmöglich, weil ein jeder Existen-
tialsatz, d. i. der, so von einem Wesen, von dem ich mir
einen Begriff mache, sagt, daß es existiere, ein synthetischer
Satz ist, d. i. ein solcher, dadurch ich über jenen Begriff hin-
ausgehe und mehr von ihm sage, als im Begriffe gedacht
war: nämlich daß diesem Begriffe im Verstande noch ein
Gegenstand außer dem Verstande korrespondierend gesetzt sei, welches offenbar unmöglich ist durch irgend einen
Schluß herauszubringen. Also bleibt nur ein einziges Verfahren für die Vernunft übrig, zu diesem Erkenntnisse zu
gelangen, da sie nämlich, als reine Vernunft, von dem obersten Prinzip ihres reinen praktischen Gebrauchs ausgehend
(indem dieser ohnedem bloß auf die Existenz von etwas,
als Folge der Vernunft, gerichtet ist), ihr | Objekt bestimmt.
Und da zeigt sich, nicht allein in ihrer unvermeidlichen Aufgabe, nämlich der notwendigen Richtung des Willens auf
das höchste Gut, die Notwendigkeit, ein solches Urwesen,
in Beziehung auf die Möglichkeit dieses Guten in der Welt,
anzunehmen, sondern, was das Merkwürdigste ist, etwas,
was dem Fortgange der Vernunft auf dem Naturwege ganz

mangelte, nämlich ein genau bestimmter Begriff dieses Urwesens. Da wir diese Welt nur zu einem kleinen Teile kennen, noch weniger sie mit allen möglichen Welten vergleichen können, so können wir von ihrer Ordnung, Zweckmäßigkeit und Größe wohl auf einen weisen, gütigen, mächtigen etc. Urheber derselben schließen, aber nicht auf seine Allwissenheit, Allgütigkeit, Allmacht, u.s.w. Man kann auch gar wohl einräumen: daß man diesen unvermeidlichen Mangel durch eine erlaubte ganz vernünftige Hypothese zu ergänzen wohl befugt sei; daß nämlich, wenn in so viel Stücken, als sich unserer näheren Kenntnis darbieten, Weisheit, Gütigkeit etc. hervorleuchtet, in allen übrigen es eben so sein werde, und es also vernünftig sei, dem Welturheber alle mögliche Vollkommenheit beizulegen; aber das sind keine Schlüsse, wodurch wir uns auf unsere Einsicht etwas dünken, sondern nur Befugnisse, die man uns nachsehen kann, und doch noch einer anderweitigen Empfehlung bedürfen, um davon Gebrauch zu machen. Der Begriff von Gott bleibt also auf dem empirischen | Wege (der Physik) immer ein nicht genau bestimmter Begriff von der Vollkommenheit des ersten Wesens, um ihn dem Begriffe einer Gottheit für angemessen zu halten (mit der Metaphysik aber in ihrem transzendentalen Teile ist gar nichts auszurichten).

Ich versuche nun, diesen Begriff an das Objekt der praktischen Vernunft zu halten, und da finde ich, daß der moralische Grundsatz ihn[1] nur als möglich, unter Voraussetzung eines Welturhebers von höchster Vollkommenheit, zulasse. Er muß allwissend sein, um mein Verhalten bis zum Innersten meiner Gesinnung in allen möglichen Fällen und in alle Zukunft zu erkennen; allmächtig, um ihm die angemessenen Folgen zu erteilen; eben so allgegenwärtig, ewig, usw. Mithin bestimmt das moralische Gesetz durch den Begriff des höchsten Guts, als Gegenstandes einer reinen praktischen Vernunft, den Begriff des Urwesens als höchsten Wesens, welches der physische (und höher fortgesetzt der metaphysische), mithin der ganze spekulative

---

[1] Akad.-Ausg. erwägt: »es«.

Gang der Vernunft nicht bewirken konnte. Also ist der Begriff von Gott ein ursprünglich nicht zur Physik, d. i. für die spekulative Vernunft, sondern zur Moral gehöriger Begriff, und eben das kann man auch von den übrigen Vernunftbegriffen sagen, von denen wir, als Postulaten derselben in ihrem praktischen Gebrauche, oben gehandelt haben.

| Wenn man in der Geschichte der griechischen Philosophie über den Anaxagoras hinaus keine deutliche Spuren einer reinen Vernunfttheologie antrifft, so ist der Grund nicht darin gelegen, daß es den ältern Philosophen an Verstande und Einsicht fehlte, um durch den Weg der Spekulation, wenigstens mit Beihülfe einer ganz vernünftigen Hypothese, sich dahin zu erheben; was konnte leichter, was natürlicher sein, als der sich von selbst jedermann darbietende Gedanke, statt unbestimmter Grade der Vollkommenheit verschiedener Welturschen, eine einzige vernünftige anzunehmen, die alle Vollkommenheit hat? Aber die Übel in der Welt schienen ihnen viel zu wichtige Einwürfe zu sein, um zu einer solchen Hypothese sich für berechtigt zu halten. Mithin zeigten sie darin eben Verstand und Einsicht, daß sie sich jene nicht erlaubten, und vielmehr in den Naturursachen herum suchten, ob sie unter ihnen nicht die zu Urwesen erfoderliche Beschaffenheit und Vermögen antreffen möchten. Aber nachdem dieses scharfsinnige Volk so weit in Nachforschungen fortgerückt war, selbst sittliche Gegenstände, darüber andere Völker niemals mehr als geschwatzt haben, philosophisch zu behandeln: da fanden sie allererst ein neues Bedürfnis, nämlich ein praktisches, welches nicht ermangelte, ihnen den Begriff des Urwesens bestimmt anzugeben, wobei die spekulative Vernunft das Zusehen hatte, höchstens noch das Verdienst, einen Begriff, der nicht auf ihrem Boden er|wachsen war, auszuschmücken, und mit einem· Gefolge von Bestätigungen aus der Naturbetrachtung, die nun allererst hervortraten, wohl nicht das Ansehen desselben (welches schon gegründet war), sondern vielmehr nur das Gepränge mit vermeinter theoretischer Vernunfteinsicht zu befördern.

\* \* \*

Aus diesen Erinnerungen wird der Leser der Krit. d. r. spek. Vernunft sich vollkommen überzeugen: wie höchst-nötig, wie ersprießlich für Theologie und Moral, jene müh-same Deduktion der Kategorien war. Denn dadurch allein kann verhütet werden, sie, wenn man sie im reinen Verstan-de setzt, mit Plato, für angeboren zu halten, und darauf überschwengliche Anmaßungen mit Theorien des Über-sinnlichen, wovon man kein Ende absieht, zu gründen, da-durch aber die Theologie zur Zauberlaterne von Hirnge-spenstern zu machen; wenn man sie aber für erworben hält, zu verhüten, daß man nicht, mit Epikur, allen und jeden Gebrauch derselben, selbst den in praktischer Absicht, bloß auf Gegenstände und Bestimmungsgründe der Sinne ein-schränke. Nun aber, nachdem die Kritik in jener Deduktion erstlich bewies, daß sie nicht empirischen Ursprungs sein[1], sondern a priori im reinen Verstande ihren Sitz und Quelle haben; zweitens auch, daß, da sie auf Gegenstände überhaupt, unabhängig von ihrer Anschauung, bezogen wer|den, sie zwar nur in Anwendung auf empirische Ge-genstände theoretisches Erkenntnis zu Stande brin-gen, aber doch auch, auf einen durch reine praktische Ver-nunft gegebenen Gegenstand angewandt, zum bestimm-ten Denken des Übersinnlichen dienen, jedoch nur, so fern dieses bloß durch solche Prädikate bestimmt wird, die notwendig zur reinen a priori gegebenen praktischen Absicht und deren Möglichkeit gehören. Spekulative Ein-schränkung der reinen Vernunft und praktische Erwei-terung derselben bringen dieselbe allererst in dasjenige Verhältnis der Gleichheit, worin Vernunft überhaupt zweckmäßig gebraucht werden kann, und dieses Beispiel beweiset besser, als sonst eines, daß der Weg zur Weisheit, wenn er gesichert und nicht ungangbar oder irreleitend wer-den soll, bei uns Menschen unvermeidlich durch die Wissen-schaft durchgehen müsse, wovon man aber, daß diese zu jenem Ziele führe, nur nach Vollendung derselben überzeugt werden kann.

[1] Akad.-Ausg.: »sind«.

### VIII. VOM FÜRWAHRHALTEN
#### AUS EINEM BEDÜRFNISSE DER REINEN VERNUNFT

Ein Bedürfnis der reinen Vernunft in ihrem spekulativen Gebrauche führt nur auf Hypothesen, das der | reinen praktischen Vernunft aber zu Postulaten; denn im ersteren Falle steige ich vom Abgeleiteten so hoch hinauf in der Reihe der Gründe, wie ich will, und bedarf eines Ungrundes[1], nicht um jenem Abgeleiteten (z. B. der Kausalverbindung der Dinge und Veränderungen in der Welt) objektive Realität zu geben, sondern nur um meine forschende Vernunft in Ansehung desselben vollständig zu befriedigen. So sehe ich Ordnung und Zweckmäßigkeit in der Natur vor mir, und bedarf nicht, um mich von deren Wirklichkeit zu versichern, zur Spekulation zu schreiten, sondern nur, um sie zu erklären, eine Gottheit, als deren Ursache, voraus zu setzen; da denn, weil von einer Wirkung der Schluß auf eine bestimmte, vornehmlich so genau und so vollständig bestimmte Ursache, als wir an Gott zu denken haben, immer unsicher und mißlich ist, eine solche Voraussetzung nicht weitergebracht werden kann, als zu dem Grade der, für uns Menschen, allervernünftigsten Meinung.* Da|gegen ist ein Bedürfnis der reinen praktischen Vernunft, auf einer Pflicht gegründet, etwas (das höchste Gut) zum Gegenstande meines Willens zu machen, um es nach allen meinen Kräften zu befördern; wobei ich aber die Möglichkeit desselben, mithin auch die Bedingungen dazu, nämlich Gott, Freiheit und Unsterblichkeit voraussetzen muß, weil

---

\* Aber selbst auch hier würden wir nicht ein Bedürfnis der Vernunft vorschützen können, läge nicht ein problematischer, aber doch unvermeidlicher Begriff der Vernunft vor Augen, nämlich der eines schlechterdings notwendigen Wesens. Dieser Begriff will nun bestimmt sein, und das ist, wenn der Trieb zur Erweiterung dazu kommt, der objektive Grund eines Bedürfnisses der spekulativen Vernunft, nämlich den Begriff eines notwendigen Wesens, welches andern zum Urgrunde dienen soll, näher zu bestimmen, und dieses letzte also wodurch kenntlich zu machen. Ohne solche vorausgehende notwendige Pro|bleme gibt es keine Bedürfnisse, wenigstens nicht der reinen Vernunft; die übrigen sind Bedürfnisse der Neigung.

[1] Akad.-Ausg.: »Urgrundes«.

ich diese durch meine spekulative Vernunft nicht beweisen, obgleich auch nicht widerlegen kann. Diese Pflicht gründet sich auf einem, freilich von diesen letzteren Voraussetzungen ganz unabhängigen, für sich selbst apodiktisch gewissen, nämlich dem moralischen, Gesetze, und ist, so fern, keiner anderweitigen Unterstützung durch theoretische Meinung von der innern Beschaffenheit der Dinge, der geheimen Abzweckung der Weltordnung, oder eines ihr vorstehenden Regierers, bedürftig, um uns auf das vollkommenste zu unbedingt-gesetzmäßigen Handlungen zu verbinden. Aber der subjektive Effekt dieses Gesetzes, nämlich die ihm angemessene und durch dasselbe auch notwendige Gesinnung, das praktisch mögliche höchste Gut zu befördern, setzt doch wenigstens voraus, daß das letztere möglich sei, widrigenfalls es praktisch-unmöglich wäre, dem Objekte eines Begriffes nachzustreben, welcher im Grunde leer und ohne Objekt wäre. Nun betreffen obige | Postulate nur die physische oder metaphysische, mit einem Worte, in der Natur der Dinge liegende Bedingungen der Möglichkeit des höchsten Guts, aber nicht zum Behuf einer beliebigen spekulativen Absicht, sondern eines praktisch notwendigen Zwecks des reinen Vernunftwillens, der hier nicht wählt, sondern einem unnachlaßlichen Vernunftgebote gehorcht, welches seinen Grund, objektiv, in der Beschaffenheit der Dinge hat, so wie sie durch reine Vernunft allgemein beurteilt werden müssen, und gründet sich nicht etwa auf Neigung, die zum Behuf dessen, was wir aus bloß subjektiven Gründen wünschen, so fort die Mittel dazu als möglich, oder den Gegenstand wohl gar als wirklich, anzunehmen keinesweges berechtigt ist. Also ist dieses ein Bedürfnis in schlechterdings notwendiger Absicht, und rechtfertigt seine Voraussetzung nicht bloß als erlaubte Hypothese, sondern als Postulat in praktischer Absicht; und, zugestanden, daß das reine moralische Gesetz jedermann, als Gebot (nicht als Klugheitsregel), unnachlaßlich verbinde, darf der Rechtschaffene wohl sagen: ich will, daß ein Gott, daß mein Dasein in dieser Welt, auch außer der Naturverknüpfung, noch ein Dasein in einer reinen Verstandeswelt, endlich auch daß meine Dauer endlos sei, ich beharre darauf und lasse mir diesen Glauben nicht nehmen; denn dieses ist das einzige, wo mein Interesse, weil ich von demselben nichts nachlassen darf, mein Urteil unvermeidlich be|stimmt, ohne auf Vernünfteleien zu achten, so wenig ich auch darauf zu antworten oder ihnen scheinbarere entgegen zu stellen im Stande sein möchte.*

\* \* \*

Um bei dem Gebrauche eines noch so ungewohnten Begriffs, als der eines reinen praktischen Vernunft|glaubens ist, Mißdeutungen zu verhüten, sei mir erlaubt, noch eine Anmerkung hinzuzufügen. – Es sollte fast scheinen, als ob dieser Vernunftglaube hier selbst als Gebot angekündigt werde, nämlich das höchste Gut für möglich anzunehmen. Ein Glaube aber, der geboten wird, ist ein Unding. Man erinnere sich aber der obigen Auseinandersetzung dessen, was im Begriffe des höchsten Guts anzunehmen verlangt wird,

---

\* Im deutschen Museum, Febr. 1787, findet sich eine Abhandlung von einem sehr feinen und hellen Kopfe, dem sel. Wizenmann, dessen früher Tod zu bedauren ist, darin er die Befugnis, aus einem Bedürfnisse auf die objektive Realität des Gegenstandes desselben zu schließen, bestreitet, und seinen Gegenstand durch das Beispiel eines Verliebten erläutert, der, indem er sich in eine Idee von Schönheit, welche bloß sein Hirngespinst ist, vernarrt hätte, schließen wollte, daß ein solches Objekt wirklich wo existiere. Ich gebe ihm hierin vollkommen recht, in allen Fällen, wo das Bedürfnis auf Neigung gegründet ist, die nicht einmal notwendig für den, der damit angefochten ist, die Existenz ihres Objekts postulieren kann, vielweniger eine für jedermann gültige Foderung enthält, und daher ein bloß subjektiver Grund der Wünsche ist. Hier aber ist es ein Vernunftbedürfnis, aus einem objektiven Bestimmungsgrunde des Willens, nämlich dem moralischen Gesetze entspringend, welches jedes vernünftige Wesen notwendig verbindet, also zur Voraussetzung der ihm angemessenen Bedingungen in der Natur a priori berechtigt, und die letztern von dem vollständigen praktischen Gebrauche der Vernunft unzertrennlich macht. Es ist Pflicht, das höchste Gut nach unserem größten Vermögen wirklichzumachen; daher muß es doch auch möglich sein; mithin ist es für jedes vernünftige Wesen in der Welt auch unvermeidlich, dasjenige vorauszusetzen, was zu dessen objektiver Möglichkeit notwendig ist. Die Voraussetzung ist so notwendig, als das moralische Gesetz, in Beziehung auf welches sie auch nur gültig ist.

und wird man inne werden, daß diese Möglichkeit anzunehmen gar nicht geboten werden dürfe, und keine praktische
Gesinnungen fodere, sie einzuräumen, sondern daß spekulative Vernunft sie ohne Gesuch zugeben müsse; denn
daß eine, dem moralischen Gesetze angemessene, Würdigkeit der vernünftigen Wesen in der Welt, glücklich zu sein,
mit einem dieser proportionierten Besitze dieser Glückseligkeit in Verbindung, an sich unmöglich sei, kann doch niemand behaupten wollen. Nun gibt uns in Ansehung des ersten
Stücks des höchsten Guts, nämlich was die Sittlichkeit
betrifft, das moralische Gesetz bloß ein Gebot, und, die
Möglichkeit jenes Bestandstücks zu bezweifeln, wäre eben
so viel, als das moralische Gesetz selbst in Zweifel ziehen.
Was aber das zweite Stück jenes Objekts, nämlich die jener
Würdigkeit durchgängig angemessene Glückseligkeit, betrifft, so ist zwar die Möglichkeit derselben überhaupt einzuräumen gar nicht eines Gebots bedürftig, denn die theo-
retische Vernunft hat selbst nichts dawider: nur | die Art,
wie wir uns eine solche Harmonie der Naturgesetze mit
denen der Freiheit denken sollen, hat etwas an sich, in Ansehung dessen uns eine Wahl zukommt, weil theoretische
Vernunft hierüber nichts mit apodiktischer Gewißheit entscheidet, und, in Ansehung dieser, kann es ein moralisches
Interesse geben, das den Ausschlag gibt.

Oben hatte ich gesagt, daß, nach einem bloßen Natur-
gange in der Welt, die genau dem sittlichen Werte angemessene Glückseligkeit nicht zu erwarten und für unmöglich zu
halten sei, und daß also die Möglichkeit des höchsten Guts,
von dieser Seite, nur unter Voraussetzung eines moralischen
Welturhebers könne eingeräumt werden. Ich hielt mit Vor-
bedacht mit der Einschränkung dieses Urteils auf die subjektiven Bedingungen unserer Vernunft zurück, um nur
dann allererst, wenn die Art ihres Fürwahrhaltens näher
bestimmt werden sollte, davon Gebrauch zu machen. In der
Tat ist die genannte Unmöglichkeit bloß subjektiv, d. i.
unsere Vernunft findet es ihr unmöglich, sich einen so
genau angemessenen und durchgängig zweckmäßigen Zusammenhang, zwischen zwei nach so verschiedenen Geset-

zen sich eräugnenden Weltbegebenheiten, nach einem bloßen Naturlaufe, begreiflich zu machen; ob sie zwar, wie bei allem, was sonst in der Natur Zweckmäßiges ist, die Unmöglichkeit desselben, nach all|gemeinen Naturgesetzen, doch auch nicht beweisen, d. i. aus objektiven Gründen hinreichend dartun kann.

Allein jetzt kommt ein Entscheidungsgrund von anderer Art ins Spiel, um im Schwanken der spekulativen Vernunft den Ausschlag zu geben. Das Gebot, das höchste Gut zu befördern, ist objektiv (in der praktischen Vernunft), die Möglichkeit desselben überhaupt gleichfalls objektiv (in der theoretischen Vernunft, die nichts dawider hat) gegründet. Allein die Art, wie wir uns diese Möglichkeit vorstellen sollen, ob nach allgemeinen Naturgesetzen, ohne einen der Natur vorstehenden weisen Urheber, oder nur unter dessen Voraussetzung, das kann die Vernunft objektiv nicht entscheiden. Hier tritt nun eine subjektive Bedingung der Vernunft ein: die einzige ihr theoretisch mögliche, zugleich der Moralität (die unter einem objektiven Gesetze der Vernunft steht) allein zuträgliche Art, sich die genaue Zusammenstimmung des Reichs der Natur mit dem Reiche der Sitten, als Bedingung der Möglichkeit des höchsten Guts, zu denken. Da nun die Beförderung desselben, und also die Voraussetzung seiner Möglichkeit, objektiv (aber nur der praktischen Vernunft zu Folge) notwendig ist, zugleich aber die Art, auf welche Weise wir es uns als möglich denken wollen, in unserer Wahl steht, in welcher aber ein freies Interesse der reinen praktischen Vernunft für die Annehmung eines weisen Welturhebers entscheidet: so ist das Prinzip, was unser | Urteil hierin bestimmt, zwar subjektiv, als Bedürfnis, aber auch zugleich als Beförderungsmittel dessen, was objektiv (praktisch) notwendig ist, der Grund einer Maxime des Fürwahrhaltens in moralischer Absicht, d. i. ein reiner praktischer Vernunftglaube. Dieser ist also nicht geboten, sondern, als freiwillige, zur moralischen (gebotenen) Absicht zuträgliche, überdem noch mit dem theoretischen Bedürfnisse der Vernunft einstimmige Bestimmung unseres Urteils, jene Existenz anzunehmen und dem Vernunftgebrauch ferner zum Grunde zu legen, selbst aus der moralischen Gesinnung entsprungen; kann also öfters selbst bei Wohlgesinneten bisweilen in Schwanken niemals aber in Unglauben geraten.

### IX. VON DER DER PRAKTISCHEN BESTIMMUNG DES MENSCHEN WEISLICH ANGEMESSENEN PROPORTION SEINER ERKENNTNISVERMÖGEN

Wenn die menschliche Natur zum höchsten Gute zu streben bestimmt ist, so muß auch das Maß ihrer Erkenntnisvermögen, vornehmlich ihr Verhältnis unter einander, als zu diesem Zwecke schicklich, angenommen werden. Nun beweiset aber die Kritik der reinen spekulativen Vernunft die größte Unzulänglichkeit dersel|ben, um die wichtigsten Aufgaben, die ihr vorgelegt werden, dem Zwecke angemessen aufzulösen, ob sie zwar die natürlichen und nicht zu übersehenden Winke eben derselben Vernunft, imgleichen die großen Schritte, die sie tun kann, nicht verkennt, um sich diesem großen Ziele, das ihr ausgesteckt ist, zu nähern, aber doch, ohne es jemals für sich selbst, sogar mit Beihülfe der größten Naturkenntnis, zu erreichen. Also scheint die Natur hier uns nur stiefmütterlich mit einem zu unserem Zwecke benötigten Vermögen versorgt zu haben.

Gesetzt nun, sie wäre hierin unserem Wunsche willfährig gewesen, und hätte uns diejenige Einsichtsfähigkeit, oder Erleuchtung erteilt, die wir gerne besitzen möchten, oder in deren Besitz einige wohl gar wähnen sich wirklich zu befinden, was würde allem Ansehn nach wohl die Folge hievon sein? Wofern nicht zugleich unsere ganze Natur umgeändert wäre, so würden die Neigungen, die doch allemal das erste Wort haben, zuerst ihre Befriedigung, und, mit vernünftiger Überlegung verbunden, ihre größtmögliche und daurende Befriedigung, unter dem Namen der Glückseligkeit, verlangen; das moralische Gesetz würde nachher sprechen, um jene in ihren geziemenden Schranken zu halten, und sogar sie alle insgesamt einem höheren, auf keine Neigung Rücksicht nehmenden, Zwecke zu unterwerfen.

Aber, statt des Streits, den jetzt die moralische Gesinnung mit den Neigungen zu führen hat, in | welchem, nach einigen Niederlagen, doch allmählich moralische Stärke der Seele zu erwerben ist, würden Gott und Ewigkeit, mit ihrer furchtbaren Majestät, uns unablässig vor Augen liegen (denn, was wir vollkommen beweisen können, gilt, in Ansehung der Gewißheit, uns so viel, als wovon wir uns durch den Augenschein versichern). Die Übertretung des Gesetzes würde freilich vermieden, das Gebotene getan werden; weil aber die Gesinnung, aus welcher Handlungen geschehen sollen, durch kein Gebot mit eingeflößt werden kann, der Stachel der Tätigkeit hier aber sogleich bei Hand, und äußerlich ist, die Vernunft also sich nicht allererst empor arbeiten darf, um Kraft zum Widerstande gegen Neigungen durch lebendige Vorstellung der Würde des Gesetzes zu sammeln, so würden die mehresten gesetzmäßigen Handlungen aus Furcht, nur wenige aus Hoffnung und gar keine aus Pflicht geschehen, ein moralischer Wert der Handlungen aber, worauf doch allein der Wert der Person und selbst der der Welt, in den Augen der höchsten Weisheit, ankommt, würde gar nicht existieren. Das Verhalten der Menschen, so lange ihre Natur, wie sie jetzt ist, bliebe, würde also in einen bloßen Mechanismus verwandelt werden, wo, wie im Marionettenspiel, alles gut gestikulieren, aber in den Figuren doch kein Leben anzutreffen sein würde. Nun, da es mit uns ganz anders beschaffen ist, da wir, mit aller Anstrengung unserer Vernunft, | nur eine sehr dunkele und zweideutige Aussicht in die Zukunft haben, der Weltregierer uns sein Dasein und seine Herrlichkeit nur mutmaßen, nicht erblicken, oder klar beweisen läßt, dagegen das moralische Gesetz in uns, ohne uns etwas mit Sicherheit zu verheißen, oder zu drohen, von uns uneigennützige Achtung fodert, übrigens aber, wenn diese Achtung tätig und herrschend geworden, allererst alsdenn und nur dadurch, Aussichten ins Reich des Übersinnlichen, aber auch nur mit schwachen Blicken erlaubt: so kann wahrhafte sittliche, dem Gesetze unmittelbar geweihete Gesinnung stattfinden und das vernünftige Geschöpf des Anteils am höchsten Gute würdig werden, das dem moralischen Werte seiner Person und nicht bloß seinen Handlungen angemessen ist. Also möchte es auch hier wohl damit seine Richtigkeit haben, was uns das Studium der Natur und des Menschen sonst hinreichend lehrt, daß die unerforschliche Weisheit, durch die wir existieren, nicht minder verehrungswürdig ist, in dem, was sie uns versagte, als in dem, was sie uns zu teil werden ließ.

| DER KRITIK
DER PRAKTISCHEN VERNUNFT
ZWEITER TEIL

METHODENLEHRE
DER REINEN PRAKTISCHEN
VERNUNFT

|Unter der Methodenlehre der reinen praktischen Vernunft kann man nicht die Art (sowohl im Nachdenken als im Vortrage), mit reinen praktischen Grundsätzen in Absicht auf ein wissenschaftliches Erkenntnis derselben zu verfahren, verstehen, welches man sonst im theoretischen eigentlich allein Methode nennt (denn populäres Erkenntnis bedarf einer Manier, Wissenschaft aber einer Methode, d. i. eines Verfahrens nach Prinzipien der Vernunft, wodurch das Mannigfaltige einer Erkenntnis allein ein System werden kann). Vielmehr wird unter dieser Methodenlehre die Art verstanden, wie man den Gesetzen der reinen praktischen Vernunft Eingang in das menschliche Gemüt, Einfluß auf die Maximen desselben verschaffen, d. i. die objektiv-praktische Vernunft auch subjektiv praktisch machen könne.

Nun ist zwar klar, daß diejenigen Bestimmungsgründe des Willens, welche allein die Maximen eigentlich moralisch machen und ihnen einen sittlichen Wert geben, die unmittelbare Vorstellung des Gesetzes und die objektiv-notwendige Befolgung desselben als Pflicht, als die eigentlichen Triebfedern der Handlungen vorgestellt werden müssen; weil sonst zwar Legalität der |Handlungen, aber nicht Moralität der Gesinnungen bewirkt werden würde. Allein nicht so klar, vielmehr beim ersten Anblicke ganz unwahrscheinlich, muß es jedermann vorkommen, daß auch subjektiv jene Darstellung der reinen Tugend mehr Macht über das menschliche Gemüt haben und eine weit stärkere Triebfeder abgeben könne, selbst jene Legalität der Handlungen zu bewirken, und kräftigere Entschließungen hervorzubringen, das Gesetz, aus reiner Achtung für dasselbe, jeder anderer Rücksicht vorzuziehen, als alle Anlockungen, die aus Vorspiegelungen von Vergnügen und überhaupt allem dem, was man zur Glückseligkeit zählen mag, oder auch alle Androhungen von Schmerz und Übeln jemals wirken können. Gleichwohl ist es wirklich so bewandt, und wäre es nicht so mit der menschlichen Natur beschaffen, so würde auch keine Vorstellungsart des Gesetzes durch Umschweife und empfehlende Mittel jemals Moralität der Gesinnung her-

vorbringen. Alles wäre lauter Gleisnerei, das Gesetz würde
gehaßt, oder wohl gar verachtet, indessen doch um eigenen
Vorteils willen befolgt werden. Der Buchstabe des Gesetzes
(Legalität) würde in unseren Handlungen anzutreffen sein,
der Geist derselben[1] aber in unseren Gesinnungen (Moralität) gar nicht, und da wir mit aller unserer Bemühung uns
doch in unserem Urteile nicht ganz von der Vernunft los
machen können, so würden wir unvermeidlich in unseren
eigenen Augen als nichtswür|dige, verworfene Menschen er-
scheinen müssen, wenn wir uns gleich für diese Kränkung
vor dem inneren Richterstuhl dadurch schadlos zu halten
versuchten, daß wir uns an denen Vergnügen ergötzten, die
ein von uns angenommenes natürliches oder göttliches Gesetz, unserem Wahne nach, mit dem Maschinenwesen ihrer
Polizei, die sich bloß nach dem richtete, was man tut, ohne
sich um die Bewegungsgründe, warum man es tut, zu bekümmern, verbunden hätte.

Zwar kann man nicht in Abrede sein, daß, um ein entweder noch ungebildetes, oder auch verwildertes Gemüt
zuerst ins Gleis des moralisch-Guten zu bringen, es einiger
vorbereitenden Anleitungen bedürfe, es durch seinen eigenen
Vorteil zu locken, oder durch den Schaden zu schrecken;
allein, so bald dieses Maschinenwerk, dieses Gängelband,
nur einige Wirkung getan hat, so muß durchaus der reine
moralische Bewegungsgrund an die Seele gebracht werden,
der nicht allein dadurch, daß er der einzige ist, welcher
einen Charakter (praktische konsequente Denkungsart nach
unveränderlichen Maximen) gründet, sondern auch darum,
weil er den Menschen seine eigene Würde fühlen lehrt, dem
Gemüte eine ihm selbst unerwartete Kraft gibt, sich von
aller sinnlichen Anhänglichkeit, so fern sie herrschend werden will, loszureißen, und in der Unabhängigkeit seiner in-
telligibelen Natur und der Seelengröße, dazu | er sich be-
stimmt sieht, für die Opfer, die er darbringt, reichliche Ent-
schädigung zu finden. Wir wollen also diese Eigenschaft
unseres Gemüts, diese Empfänglichkeit eines reinen moralischen Interesse, und mithin die bewegende Kraft der rei-

[1] Akad.-Ausg.: »desselben«.

nen Vorstellung der Tugend, wenn sie gehörig ans menschliche Herz gebracht wird, als die mächtigste, und, wenn es auf die Dauer und Pünktlichkeit in Befolgung moralischer Maximen ankommt, einzige Triebfeder zum Guten, durch Beobachtungen, die ein jeder anstellen kann, beweisen; wobei doch zugleich erinnert werden muß, daß, wenn diese Beobachtungen nur die Wirklichkeit eines solchen Gefühls, nicht aber dadurch zu Stande gebrachte sittliche Besserung beweisen, dieses der einzigen Methode, die objektiv-praktischen Gesetze der reinen Vernunft durch bloße reine Vorstellung der Pflicht subjektiv-praktisch zu machen, keinen Abbruch tue, gleich als ob sie eine leere Phantasterei wäre. Denn, da diese Methode noch niemals in Gang gebracht worden, so kann auch die Erfahrung noch nichts von ihrem Erfolg aufzeigen, sondern man kann nur Beweistümer der Empfänglichkeit solcher Triebfedern fodern, die ich jetzt kürzlich vorlegen und darnach die Methode der Gründung und Kultur echter moralischer Gesinnungen, mit wenigem, entwerfen will.

Wenn man auf den Gang der Gespräche in gemischten Gesellschaften, die nicht bloß aus Gelehrten | und Vernünftlern, sondern auch aus Leuten von Geschäften oder Frauenzimmer bestehen, Acht hat, so bemerkt man, daß, außer dem Erzählen und Scherzen, noch eine Unterhaltung, nämlich das Räsonieren, darin Platz findet; weil das erstere, wenn es Neuigkeit, und, mit ihr, Interesse bei sich führen soll, bald erschöpft, das zweite aber leicht schal wird. Unter allem Räsonieren ist aber keines, was mehr den Beitritt der Personen, die sonst bei allem Vernünfteln bald lange Weile haben, erregt, und eine gewisse Lebhaftigkeit in die Gesellschaft bringt, als das über den sittlichen Wert dieser oder jener Handlung, dadurch der Charakter irgend einer Person ausgemacht werden soll. Diejenige, welchen sonst alles Subtile und Grüblerische in theoretischen Fragen trocken und verdrießlich ist, treten bald bei, wenn es darauf ankommt, den moralischen Gehalt einer erzählten guten oder bösen Handlung auszumachen, und sind so genau, so grüblerisch, so subtil, alles, was die Reinigkeit der Absicht, und mithin den Grad der Tugend in derselben vermindern, oder auch nur verdächtig machen könnte, auszusinnen, als man bei keinem Objekte der Spekulation sonst von ihnen erwartet. Man kann in diesen Beurteilungen oft den Charakter der über andere urteilenden Personen selbst hervorschimmern sehen, deren einige vorzüglich geneigt scheinen, indem sie ihr Richteramt, vornehmlich über Verstorbene, ausüben, das Gute, was | von dieser oder jener Tat derselben erzählt wird, wider alle kränkende Einwürfe der Unlauterkeit und zuletzt den ganzen sittlichen Wert der Person wider den Vorwurf der Verstellung und geheimen Bösartigkeit zu verteidigen, andere dagegen mehr auf Anklagen und Beschuldigungen sinnen, diesen Wert anzufechten. Doch kann man den letzteren nicht immer die Absicht beimessen, Tugend aus allen Beispielen der Menschen gänzlich wegvernünfteln zu wollen, um sie dadurch zum leeren Namen zu machen, sondern es ist oft nur wohlgemeinte Strenge in Bestimmung des echten sittlichen Gehalts, nach einem unnachsichtlichen Gesetze, mit welchem und nicht mit Beispielen verglichen der Eigendünkel im Moralischen sehr sinkt, und Demut nicht etwa bloß gelehrt, sondern bei scharfer Selbstprüfung von jedem gefühlt wird. Dennoch kann man den Verteidigern der Reinigkeit der Absicht in gegebenen Beispielen es mehrenteils ansehen, daß sie ihr da, wo sie die Vermutung der Rechtschaffenheit für sich hat, auch den mindesten Fleck gerne abwischen möchten, aus dem Bewegungsgrunde, damit nicht, wenn allen Beispielen ihre Wahrhaftigkeit gestritten und aller menschlichen Tugend die Lauterkeit weggeleugnet würde, diese nicht endlich gar für ein bloßes Hirngespinst gehalten, und so alle Bestrebung zu derselben als eitles Geziere und trüglicher Eigendünkel geringschätzig gemacht werde.

| Ich weiß nicht, warum die Erzieher der Jugend von diesem Hange der Vernunft, in aufgeworfenen praktischen Fragen selbst die subtilste Prüfung mit Vergnügen einzuschlagen, nicht schon längst Gebrauch gemacht haben, und, nachdem sie einen bloß moralischen Katechism zum Grunde legten, sie nicht die Biographien alter und neuer Zeiten in

der Absicht durchsuchten, um Belege zu den vorgelegten
Pflichten bei der Hand zu haben, an denen sie, vornehmlich
durch die Vergleichung ähnlicher Handlungen unter verschiedenen Umständen, die Beurteilung ihrer Zöglinge in
Tätigkeit setzten, um den mindern oder größeren moralischen Gehalt derselben zu bemerken, als worin sie selbst
die frühe Jugend, die zu aller Spekulation sonst noch unreif
ist, bald sehr scharfsichtig, und dabei, weil sie den Fort-
schritt ihrer Urteilskraft fühlt, nicht wenig interessiert finden werden, was aber das Vornehmste ist, mit Sicherheit
hoffen können, daß die öftere Übung, das Wohlverhalten in
seiner ganzen Reinigkeit zu kennen und ihm Beifall zu geben, dagegen selbst die kleinste Abweichung von ihr mit
Bedauern oder Verachtung zu bemerken, ob es zwar bis dahin nur[1] ein Spiel der Urteilskraft, in welchem Kinder mit
einander wetteifern können, getrieben wird, dennoch einen
dauerhaften Eindruck der Hochschätzung auf der einen und
des Abscheues auf der andern Seite zurücklassen werde,
welche, durch bloße Gewohnheit, solche Handlungen als
bei|falls- oder tadelswürdig öfters anzusehen, zur Recht-
schaffenheit im künftigen Lebenswandel eine gute Grundlage ausmachen würden. Nur wünsche ich sie mit Beispielen
sogenannter edler (überverdienstlicher) Handlungen, mit
welchen unsere empfindsame Schriften so viel um sich wer-
fen, zu verschonen, und alles bloß auf Pflicht und den Wert,
den ein Mensch sich in seinen eigenen Augen durch das Bewußtsein, sie nicht übertreten zu haben, geben kann und
muß, auszusetzen, weil, was auf leere Wünsche und Sehn-
suchten nach unersteiglicher Vollkommenheit hinausläuft,
lauter Romanhelden hervorbringt, die, indem sie sich auf
ihr Gefühl für das überschwenglich-Große viel zu Gute tun,
sich dafür von der Beobachtung der gemeinen und gang-
baren Schuldigkeit, die alsdenn ihnen nur unbedeutend
klein scheint, frei sprechen.*

* Handlungen, aus denen große uneigennützige, teilnehmende Gesinnung und Menschlichkeit hervorleuchtet, zu preisen, ist ganz ratsam. Aber man muß hier nicht sowohl auf die Seelenerhebung, die

[1] Akad.-Ausg.: »nur als«.

| Wenn man aber frägt: was denn eigentlich die reine Sittlichkeit ist, an der, als dem Probemetall, man jeder Handlung moralischen Gehalt prüfen müsse, so muß ich gestehen, daß nur Philosophen die Entscheidung dieser Frage zweifelhaft machen können; denn in der gemeinen Menschenvernunft ist sie, zwar nicht durch abgezogene allgemeine Formeln, aber doch durch den gewöhnlichen Gebrauch, gleichsam als der Unterschied zwischen der rechten und linken Hand, längst entschieden. Wir wollen also vorerst das Prüfungsmerkmal der reinen Tugend an einem Beispiele zeigen, und, indem wir uns vorstellen, daß es etwa einem zehnjährigen Knaben zur Beurteilung vorgelegt worden, sehen, ob er auch von selber, ohne durch den Lehrer dazu angewiesen zu sein, notwendig so urteilen müßte. Man erzähle die Geschichte eines redlichen Mannes, den man bewegen will, den Verleumdern einer unschuldigen, übrigens nicht vermögenden Person (wie etwa Anna von Boleyn auf Anklage Heinrichs VIII. von England) beizutreten. Man bietet Gewinne, d. i. große Geschenke oder hohen Rang an, er schlägt sie aus. Dieses wird bloßen Beifall und Billigung in der Seele des Zuhörers wirken, weil es Gewinn ist. Nun fängt man es mit Androhung des Verlusts an. Es sind unter diesen | Verleumdern seine besten Freunde, die ihm jetzt ihre Freundschaft aufsagen, nahe Verwandte, die ihn (der ohne Vermögen ist) zu enterben drohen, Mächtige, die ihn in jedem Orte und Zustande verfolgen und kränken können, ein Landesfürst, der ihn mit dem Verlust der Freiheit, ja des Lebens selbst bedroht. Um ihn aber, damit das Maß des Leidens voll sei, auch den Schmerz fühlen zu lassen, den nur

sehr flüchtig und vorübergehend ist, als vielmehr auf die Herzensunterwerfung unter Pflicht, wovon ein längerer Eindruck erwartet werden kann, weil sie Grundsätze (jene aber nur Aufwallungen) mit sich führt, aufmerksam machen. Man darf nur ein wenig nachsinnen, man wird immer eine Schuld finden, die er sich irgend wodurch in Ansehung des Menschengeschlechts aufgeladen hat (sollte es auch nur die sein, daß man, durch die Ungleichheit der Menschen in der bürgerlichen Verfassung, Vorteile genießt, um deren willen andere desto mehr entbehren müssen), um durch die eigen|liebige Einbildung des Verdienstlichen den Gedanken an Pflicht nicht zu verdrängen.

das sittlich gute Herz recht inniglich fühlen kann, mag man seine mit äußerster Not und Dürftigkeit bedrohete Familie ihn um Nachgiebigkeit anflehend, ihn selbst, obzwar rechtschaffen, doch eben nicht von festen unempfindlichen Organen des Gefühls, für Mitleid sowohl als eigener Not, in einem Augenblick, darin er wünscht, den Tag nie erlebt zu haben, der ihn einem so unaussprechlichen Schmerz aussetzte, dennoch seinem Vorsatze der Redlichkeit, ohne zu wanken oder nur zu zweifeln, treu bleibend, vorstellen: so wird mein jugendlicher Zuhörer stufenweise, von der bloßen Billigung zur Bewunderung, von da zum Erstaunen, endlich bis zur größten Verehrung, und einem lebhaften Wunsche, selbst ein solcher Mann sein zu können (obzwar freilich nicht in seinem Zustande), erhoben werden; und gleichwohl ist hier die Tugend nur darum so viel wert, weil sie so viel kostet, nicht weil sie etwas einbringt. Die ganze Bewunderung und selbst Bestrebung zur Ähnlichkeit mit diesem Charakter beruht hier | gänzlich auf der Reinigkeit des sittlichen Grundsatzes, welche nur dadurch recht in die Augen fallend vorgestellet werden kann, daß man alles, was Menschen nur zur Glückseligkeit zählen mögen, von den Triebfedern der Handlung wegnimmt. Also muß die Sittlichkeit auf das menschliche Herz desto mehr Kraft haben, je reiner sie dargestellt wird. Woraus denn folgt, daß, wenn das Gesetz der Sitten und das Bild der Heiligkeit und Tugend auf unsere Seele überall einigen Einfluß ausüben soll, sie diesen nur so fern ausüben könne, als sie rein, unvermengt von Absichten auf sein Wohlbefinden, als Triebfeder ans Herz gelegt wird, darum weil sie sich im Leiden am herrlichsten zeigt. Dasjenige aber, dessen Wegräumung die Wirkung einer bewegenden Kraft verstärkt, muß ein Hindernis gewesen sein. Folglich ist alle Beimischung der Triebfedern, die von eigener Glückseligkeit hergenommen werden, ein Hindernis, dem moralischen Gesetze Einfluß aufs menschliche Herz zu verschaffen. – Ich behaupte ferner, daß selbst in jener bewunderten Handlung, wenn der Bewegungsgrund, daraus sie geschah, die Hochschätzung seiner Pflicht war, alsdenn eben diese Achtung fürs Gesetz, nicht etwa ein Anspruch

auf die innere Meinung von Großmut und edler verdienst-
licher Denkungsart, gerade auf das Gemüt des Zuschauers
die größte Kraft habe, folglich Pflicht, nicht Verdienst, den
nicht allein bestimmtesten, sondern, wenn sie im rechten
Lichte | ihrer Unverletzlichkeit vorgestellt wird, auch den
eindringendsten Einfluß aufs Gemüt haben müsse.

In unsern Zeiten, wo man mehr mit schmelzenden weich-
herzigen Gefühlen, oder hochfliegenden, aufblähenden und
das Herz eher welk, als stark, machenden Anmaßungen
über das Gemüt mehr auszurichten hofft, als durch die der
menschlichen Unvollkommenheit und dem Fortschritte im
Guten angemeßnere trockne und ernsthafte Vorstellung der
Pflicht, ist die Hinweisung auf diese Methode nötiger, als
jemals. Kindern Handlungen als edele, großmütige, verdienstliche zum Muster aufzustellen, in der Meinung, sie
durch Einflößung eines Enthusiasmus für dieselbe einzu-
nehmen, ist vollends zweckwidrig. Denn da sie noch in der
Beobachtung der gemeinsten Pflicht und selbst in der richtigen Beurteilung derselben so weit zurück sind, so heißt
das so viel, als sie bei Zeiten zu Phantasten zu machen.
Aber auch bei dem belehrtern und erfahrnern Teil der Menschen ist diese vermeinte Triebfeder, wo nicht von nachteiliger, wenigstens von keiner echten moralischen Wirkung
aufs Herz, die man dadurch doch hat zuwegebringen wollen.

Alle Gefühle, vornehmlich die, so ungewohnte Anstren-
gung bewirken sollen, müssen in dem Augenblicke, da sie in
ihrer Heftigkeit sind, und ehe sie verbrausen, ihre Wirkung
tun, sonst tun sie nichts; indem | das Herz natürlicherweise
zu seiner natürlichen gemäßigten Lebensbewegung zurück-
kehrt, und sonach in die Mattigkeit verfällt, die ihm vorher
eigen war; weil zwar etwas, was es reizte, nichts aber, das es
stärkte, an dasselbe gebracht war. Grundsätze müssen
auf Begriffe errichtet werden, auf alle andere Grundlage
können nur Anwandelungen zu Stande kommen, die der
Person keinen moralischen Wert, ja nicht einmal eine Zu-
versicht auf sich selbst verschaffen können, ohne die das
Bewußtsein seiner moralischen Gesinnung und eines solchen
Charakters, das höchste Gut im Menschen, gar nicht statt-

finden kann. Diese Begriffe nun, wenn sie subjektiv praktisch werden sollen, müssen nicht bei den objektiven Gesetzen der Sittlichkeit stehen bleiben, um sie zu bewundern,
und in Beziehung auf die Menschheit hochzuschätzen, sondern ihre Vorstellung in Relation auf den Menschen und auf
sein Individuum betrachten; da denn jenes Gesetz in einer
zwar höchst achtungswürdigen, aber nicht so gefälligen Gestalt erscheint, als ob es zu dem Elemente gehöre, daran er
natürlicher Weise gewohnt ist, sondern wie es ihn nötiget,
dieses oft, nicht ohne Selbstverleugnung, zu verlassen, und
sich in ein höheres zu begeben, darin er sich, mit unaufhör-
licher Besorgnis des Rückfalls, nur mit Mühe erhalten kann.
Mit einem Worte, das moralische Gesetz verlangt Befolgung
aus Pflicht, nicht aus Vorliebe, die man gar nicht voraussetzen kann und soll.

| Laßt uns nun im Beispiele sehen, ob in der Vorstellung
einer Handlung als edler und großmütiger Handlung mehr
subjektiv bewegende Kraft einer Triebfeder liege, als, wenn
diese bloß als Pflicht in Verhältnis auf das ernste moralische
Gesetz vorgestellt wird. Die Handlung, da jemand, mit der
größten Gefahr des Lebens, Leute aus dem Schiffbruche zu
retten sucht, wenn er zuletzt dabei selbst sein Leben ein-
büßt, wird zwar einerseits zur Pflicht, andererseits aber und
größtenteils auch für verdienstliche Handlung angerechnet,
aber unsere Hochschätzung derselben wird gar sehr durch
den Begriff von Pflicht gegen sich selbst, welche hier
etwas Abbruch zu leiden scheint, geschwächt. Entscheiden-
der ist die großmütige Aufopferung seines Lebens zur Erhaltung des Vaterlandes, und doch, ob es auch so vollkommen Pflicht sei, sich von selbst und unbefohlen dieser Absicht zu weihen, darüber bleibt einiger Skrupel übrig, und
die Handlung hat nicht die ganze Kraft eines Musters und
Antriebes zur Nachahmung in sich. Ist es aber unerlaßliche
Pflicht, deren Übertretung das moralische Gesetz an sich
und ohne Rücksicht auf Menschenwohl verletzt, und dessen
Heiligkeit gleichsam mit Füßen tritt (dergleichen Pflichten
man Pflichten gegen Gott zu nennen pflegt, weil wir uns in
ihm das Ideal der Heiligkeit in Substanz denken), so wid-

men wir der Befolgung desselben, mit Aufopferung alles
dessen, was für die innigste aller unserer Neigungen nur im-
mer ei|nen Wert haben mag, die allervollkommenste Hoch-
achtung, und wir finden unsere Seele durch ein solches Beispiel gestärkt und erhoben, wenn wir an demselben uns
überzeugen können, daß die menschliche Natur zu einer so
großen Erhebung über alles, was Natur nur immer an Triebfedern zum Gegenteil aufbringen mag, fähig sei. Juvenal
stellt ein solches Beispiel in einer Steigerung vor, die den
Leser die Kraft der Triebfeder, die im reinen Gesetze der
Pflicht, als Pflicht, steckt, lebhaft empfinden läßt:

> Esto bonus miles, tutor bonus, arbiter idem
> Integer; ambiguae si quando citabere testis
> Incertaeque rei, Phalaris licet imperet, ut sis
> Falsus, et admoto dictet periuria tauro:
> Summum crede nefas animam praeferre pudori,
> Et propter vitam vivendi perdere causas.[1]

Wenn wir irgend etwas Schmeichelhaftes vom Verdienstlichen in unsere Handlung bringen können, denn ist die
Triebfeder schon mit Eigenliebe etwas vermischt, hat also
einige Beihülfe von der Seite der Sinnlichkeit. Aber der Heiligkeit der Pflicht allein alles nachsetzen, und sich bewußt
werden, daß man es könne, weil unsere eigene Vernunft
dieses als ihr Gebot anerkennt, und sagt, daß man es tun
solle, das heißt sich gleichsam über die Sinnenwelt selbst
gänzlich erheben, und ist in demselben Bewußtsein[2] des Gesetzes auch als Triebfeder eines die Sinnlichkeit be-
herrschenden Vermögens | unzertrennlich, wenn gleich
nicht immer mit Effekt verbunden, der aber doch auch,
durch die öftere Beschäftigung mit derselben, und die an-
fangs kleinern Versuche ihres Gebrauchs, Hoffnung zu sei-

---

[1] Übersetzung des Herausgebers: »Sei ein guter Soldat, ein guter
Vormund, auch ein unbefangener Schiedsrichter; wirst du einmal in
einer zweifelhaften und ungewissen Sache zum Zeugen gerufen, mag
Phalaris dir auch befehlen zu lügen und vor dem herbeigeschleppten
Stier einen Meineid gebieten: halte es für den äußersten Frevel, das
Leben der Ehre vorzuziehen und um des Lebens willen den Grund
des Lebens zu zerstören.« – [2] Akad.-Ausg. erwägt: »und ist von dem-
selben das Bewußtsein«.

ner Bewirkung gibt, um in uns nach und nach das größte, aber reine moralische Interesse daran hervorzubringen.

Die Methode nimmt also folgenden Gang. Zuerst ist es nur darum zu tun, die Beurteilung nach moralischen Gesetzen zu einer natürlichen, alle unsere eigene sowohl als die Beobachtung fremder freier Handlungen begleitenden Beschäftigung und gleichsam zur Gewohnheit zu machen, und sie zu schärfen, indem man vorerst frägt, ob die Handlung objektiv dem moralischen Gesetze, und welchem, gemäß sei; wobei man denn die Aufmerksamkeit auf dasjenige Gesetz, welches bloß einen Grund zur Verbindlichkeit an die Hand gibt, von dem unterscheidet, welches in der Tat verbindend ist (leges obligandi a legibus obligantibus), (wie z. B. das Gesetz desjenigen, was das Bedürfnis der Menschen im Gegensatze dessen, was das Recht derselben von mir fordert, wovon das letztere wesentliche, das erstere aber nur außerwesentliche Pflichten vorschreibt) und so verschiedene Pflichten, die in einer Handlung zusammenkommen, unterscheiden lehrt. Der andere Punkt, worauf die Aufmerksamkeit gerichtet werden muß, ist die Frage: ob die Handlung auch (subjektiv) um des mo|ralischen Gesetzes willen geschehen, und also sie nicht allein sittliche Richtigkeit, als Tat, sondern auch sittlichen Wert, als Gesinnung, ihrer Maxime nach habe. Nun ist kein Zweifel, daß diese Übung, und das Bewußtsein einer daraus entspringenden Kultur unserer bloß über das Praktische urteilenden Vernunft, ein gewisses Interesse, selbst am Gesetze derselben, mithin an sittlich guten Handlungen nach und nach hervorbringen müsse. Denn wir gewinnen endlich das lieb, dessen Betrachtung uns den erweiterten Gebrauch unserer Erkenntniskräfte empfinden läßt, welchen vornehmlich dasjenige befördert, worin wir moralische Richtigkeit antreffen; weil sich die Vernunft in einer solchen Ordnung der Dinge mit ihrem Vermögen, a priori nach Prinzipien zu bestimmen was geschehen soll, allein gut finden kann. Gewinnt doch ein Naturbeobachter Gegenstände, die seinen Sinnen anfangs anstößig sind, endlich lieb, wenn er die große Zweckmäßigkeit ihrer Organisation daran ent-

deckt, und so seine Vernunft an ihrer Betrachtung weidet,
und Leibniz brachte ein Insekt, welches er durchs Mikro-
skop sorgfältig betrachtet hatte, schonend wiederum auf
sein Blatt zurück, weil er sich durch seinen Anblick belehrt
gefunden, und von ihm gleichsam eine Wohltat genossen
hatte.

Aber diese Beschäftigung der Urteilskraft, welche uns
unsere eigene Erkenntniskräfte fühlen läßt, ist | noch nicht
das Interesse an den Handlungen und ihrer Moralität selbst.
Sie macht bloß, daß man sich gerne mit einer solchen Beurteilung unterhält, und gibt der Tugend, oder der Denkungsart nach moralischen Gesetzen, eine Form der Schönheit,
die bewundert, darum aber noch nicht gesucht wird (lauda-
tur et alget)[1]; wie alles, dessen Betrachtung subjektiv ein
Bewußtsein der Harmonie unserer Vorstellungskräfte bewirkt, und wobei wir unser ganzes Erkenntnisvermögen
(Verstand und Einbildungskraft) gestärkt fühlen, ein Wohlgefallen hervorbringt, das sich auch andern mitteilen läßt,
wobei gleichwohl die Existenz des Objekts uns gleichgültig
bleibt, indem es nur als die Veranlassung angesehen wird,
der über die Tierheit erhabenen Anlage der Talente in uns inne
zu werden. Nun tritt aber die zweite Übung ihr Geschäft an,
nämlich, in der lebendigen Darstellung der moralischen Gesinnung an Beispielen, die Reinigkeit des Willens bemerklich zu machen, vorerst nur als negativer Vollkommenheit
desselben, so fern in einer Handlung aus Pflicht gar keine
Triebfedern der Neigungen als Bestimmungsgründe auf ihn
einfließen; wodurch der Lehrling doch auf das Bewußtsein
seiner Freiheit aufmerksam erhalten wird; und obgleich
diese Entsagung eine anfängliche Empfindung von Schmerz
erregt, dennoch dadurch, daß sie jenen Lehrling dem Zwange
selbst wahrer Bedürfnisse entzieht, ihm zugleich eine Be-
freiung von der mannigfaltigen Unzufriedenheit, | darin ihn
alle diese Bedürfnisse verflechten, angekündigt, und das Gemüt für die Empfindung der Zufriedenheit aus anderen
Quellen empfänglich gemacht wird. Das Herz wird doch
von einer Last, die es jederzeit ingeheim drückt, befreit

[1] Übersetzung des Herausgebers: »Sie wird gelobt und leidet Kälte«.

und erleichtert, wenn an reinen moralischen Entschließungen, davon Beispiele vorgelegt werden, dem Menschen ein inneres, ihm selbst sonst nicht einmal recht bekanntes Vermögen, die innere Freiheit, aufgedeckt wird, sich von der ungestümen Zudringlichkeit der Neigungen dermaßen loszumachen, daß gar keine, selbst die beliebteste nicht, auf eine Entschließung, zu der wir uns jetzt unserer Vernunft bedienen sollen, Einfluß habe. In einem Falle, wo ich nur allein weiß, daß das Unrecht auf meiner Seite sei, und, obgleich das freie Geständnis desselben, und die Anerbietung zur Genugtuung an der Eitelkeit, dem Eigennutze, selbst dem sonst nicht unrechtmäßigen Widerwillen gegen den, dessen Recht von mir geschmälert ist, so großen Widerspruch findet, dennoch mich über alle diese Bedenklichkeiten wegsetzen kann, ist doch ein Bewußtsein einer Unabhängigkeit von Neigungen und von Glücksumständen, und der Möglichkeit, sich selbst genug zu sein, enthalten, welche mir überall auch in anderer Absicht heilsam ist. Und nun findet das Gesetz der Pflicht, durch den positiven Wert, den uns die Befolgung desselben empfinden läßt, leichteren Eingang durch die Achtung für uns selbst im Bewußtsein unserer Freiheit. Auf diese, wenn sie wohl | gegründet ist, wenn der Mensch nichts stärker scheuet, als sich in der inneren Selbstprüfung in seinen eigenen Augen geringschätzig und verwerflich zu finden, kann nun jede gute sittliche Gesinnung gepfropft werden; weil dieses der beste, ja der einzige Wächter ist, das Eindringen unedler und verderbender Antriebe vom Gemüte abzuhalten.

Ich habe hiemit nur auf die allgemeinsten Maximen der Methodenlehre einer moralischen Bildung und Übung hinweisen wollen. Da die Mannigfaltigkeit der Pflichten für jede Art derselben noch besondere Bestimmungen erfoderte, und so ein weitläuftiges Geschäfte ausmachen würde, so wird man mich für entschuldigt halten, wenn ich, in einer Schrift, wie diese, die nur Vorübung ist, es bei diesen Grundzügen bewenden lasse.

BESCHLUSS

Zwei Dinge erfüllen das Gemüt mit immer neuer und zunehmenden[1] Bewunderung und Ehrfurcht, je öfter und an-
haltender sich das Nachdenken damit beschäftigt: Der be-
stirnte Himmel über mir, und das moralische Gesetz in mir. Beide darf ich nicht als in Dunkelheiten ver-
hüllt, oder im Überschwenglichen, außer meinem Gesichts-
kreise, suchen und bloß vermuten; ich se|he sie vor mir und
verknüpfe sie unmittelbar mit dem Bewußtsein meiner Existenz. Das erste fängt von dem Platze an, den ich in der
äußern Sinnenwelt einnehme, und erweitert die Verknüpfung, darin ich stehe, ins unabsehlich-Große mit Welten
über Welten und Systemen von Systemen, überdem noch in
grenzenlose Zeiten ihrer periodischen Bewegung, deren An-
fang und Fortdauer. Das zweite fängt von meinem unsicht-
baren Selbst, meiner Persönlichkeit, an, und stellt mich in
einer Welt dar, die wahre Unendlichkeit hat, aber nur dem
Verstande spürbar ist, und mit welcher (dadurch aber auch
zugleich mit allen jenen sichtbaren Welten) ich mich nicht,
wie dort, in bloß zufälliger, sondern allgemeiner und notwendiger Verknüpfung erkenne. Der erstere Anblick einer
zahllosen Weltenmenge vernichtet gleichsam meine Wichtigkeit, als eines tierischen Geschöpfs, das die Materie,
daraus es ward, dem Planeten (einem bloßen Punkt im
Weltall) wieder zurückgeben muß, nachdem es eine kurze
Zeit (man weiß nicht wie) mit Lebenskraft versehen gewesen. Der zweite erhebt dagegen meinen Wert, als einer Intelligenz, unendlich, durch meine Persönlichkeit, in welcher das moralische Gesetz mir ein von der Tierheit und
selbst von der ganzen Sinnenwelt unabhängiges Leben
offenbart, wenigstens so viel sich aus der zweckmäßigen
Bestimmung meines Daseins durch dieses Gesetz, welche
nicht auf Bedingungen und Grenzen dieses Lebens | einge-
schränkt ist, sondern ins Unendliche geht, abnehmen läßt.

Allein, Bewunderung und Achtung können zwar zur
Nachforschung reizen, aber den Mangel derselben nicht er-

[1] Akad.-Ausg.: »zunehmender«.

setzen. Was ist nun zu tun, um diese, auf nutzbare und der
Erhabenheit des Gegenstandes angemessene Art, anzustellen? Beispiele mögen hiebei zur Warnung, aber auch zur
Nachahmung dienen. Die Weltbetrachtung fing von dem
herrlichsten Anblicke an, den menschliche Sinne nur immer
vorlegen, und unser Verstand, in ihrem weiten Umfange zu
verfolgen, nur immer vertragen kann, und endigte – mit der
Sterndeutung. Die Moral fing mit der edelsten Eigenschaft
in der menschlichen Natur an, deren Entwickelung und Kultur auf unendlichen Nutzen hinaussieht, und endigte – mit
der Schwärmerei, oder dem Aberglauben. So geht es allen
noch rohen Versuchen, in denen der vornehmste Teil des
Geschäftes auf den Gebrauch der Vernunft ankommt, der
nicht, so wie der Gebrauch der Füße, sich von selbst, vermittelst der öftern Ausübung, findet, vornehmlich wenn er
Eigenschaften betrifft, die sich nicht so unmittelbar in der
gemeinen Erfahrung darstellen lassen. Nachdem aber, wiewohl spät, die Maxime in Schwang gekommen war, alle
Schritte vorher wohl zu überlegen, die die Vernunft zu tun
vorhat, und sie nicht anders, als im Gleise einer vorher wohl
überdachten Methode, ihren Gang machen zu lassen, so
be|kam die Beurteilung des Weltgebäudes eine ganz andere
Richtung, und, mit dieser, zugleich einen, ohne Vergleichung, glücklichern Ausgang. Der Fall eines Steins, die Bewegung einer Schleuder, in ihre Elemente und dabei sich
äußernde Kräfte aufgelöst, und mathematisch bearbeitet,
brachte zuletzt diejenige klare und für alle Zukunft unveränderliche Einsicht in den Weltbau hervor, die, bei fort-
gehender Beobachtung, hoffen kann, sich immer nur zu erweitern, niemals aber, zurückgehen zu müssen, fürchten darf.

Diesen Weg nun in Behandlung der moralischen Anlagen
unserer Natur gleichfalls einzuschlagen, kann uns jenes Beispiel anrätig sein, und Hoffnung zu ähnlichem guten Erfolg
geben. Wir haben doch die Beispiele der moralisch-urteilen-
den Vernunft bei Hand. Diese nun in ihre Elementarbegriffe
zu zergliedern, in Ermangelung der Mathematik aber
ein der Chemie ähnliches Verfahren, der Scheidung des
Empirischen vom Rationalen, das sich in ihnen vorfinden

möchte, in wiederholten Versuchen am gemeinen Menschenverstande vorzunehmen, kann uns beides rein, und, was
jedes für sich allein leisten könne, mit Gewißheit kennbar
machen, und so, teils der Verirrung einer noch rohen un-
geübten Beurteilung, teils (welches weit nötiger ist) den
Genieschwüngen vorbeugen, durch welche, wie es von
Adepten des Steins der Weisen zu geschehen pflegt, ohne
alle methodische Nachforschung | und Kenntnis der Natur,
geträumte Schätze versprochen und wahre verschleudert
werden. Mit einem Worte: Wissenschaft (kritisch gesucht
und methodisch eingeleitet) ist die enge Pforte, die zur
Weisheitslehre führt, wenn unter dieser nicht bloß verstanden wird, was man tun, sondern was Lehrern zur
Richtschnur dienen soll, um den Weg zur Weisheit, den
jedermann gehen soll, gut und kenntlich zu bahnen, und
andere vor Irrwegen zu sichern; eine Wissenschaft, deren
Aufbewahrerin jederzeit die Philosophie bleiben muß, an
deren subtiler Untersuchung das Publikum keinen Anteil,
wohl aber an den Lehren zu nehmen hat, die ihm, nach
einer solchen Bearbeitung, allererst recht hell einleuchten
können.